COURAÇA MUSCULAR DO CARÁTER

CIP-BRASIL. CATALOGAÇÃO NA PUBLICAÇÃO
SINDICATO NACIONAL DOS EDITORES DE LIVROS, RJ

G131c
7. ed.
    Gaiarsa, José Ângelo
    Couraça muscular do caráter / José Ângelo Gaiarsa. - 7. ed. -
São Paulo : Ágora, 2019.
    312 p. : il.

    Inclui bibliografia
    ISBN 978-85-7183-217-6

    1. Fisiologia humana. 2. Corpo e mente. 3. Saúde. I. Título.

18-51405   CDD: 612.7
                                                  CDU: 612.821

Vanessa Mafra Xavier Salgado - Bibliotecária - CRB-7/6644
25/07/2018 31/07/2018

www.editoraagora.com.br

EDITORA AFILIADA

J. A. GAIARSA

COURAÇA MUSCULAR DO CARÁTER (WILHELM REICH)

EDITORA
ÁGORA

Editora executiva: **Soraia Bini Cury**
Assistente editorial: **Michelle Campos**
Capa: **Marianne Lépine**
Projeto gráfico e diagramação: **Crayon Editorial**
Impressão: **Sumago Gráfica Editorial**

Editora Ágora
Departamento editorial
Rua Itapicuru, 613 — 7º andar
05006-000 — São Paulo — SP
Fone: (11) 3872-3322
Fax: (11) 3872-7476
http://www.editoraagora.com.br
e-mail: agora@editoraagora.com.br

Atendimento ao consumidor
Summus Editorial
Fone: (11) 3865-9890

Vendas por atacado
Fone: (11) 3873-8638
Fax: (11) 3872-7476
e-mail: vendas@summus.com.br

Impresso no Brasil

SUMÁRIO

SOBRE AS FIGURAS

Leitor,
Antes de começar, dê uma boa olhada nas figuras e nos textos que as acompanham. Elas mostram coisas simples que todos já viram e sentiram – que todos já sabem. Nas legendas há termos e fórmulas verbais usados em biomecânica. Esse palavrão assusta muito as pessoas, que, de regra, têm a certeza (!) de não saber nada de mecânica...

Cremos que essa recordação e reformulação de situações e sensações familiares facilitará muito a compreensão do texto propriamente dito. E retirará do discurso tudo que ele poderia insinuar de mistificação.

ESCLARECIMENTO

A couraça muscular do caráter constitui-se de fenômenos que ocorrem primariamente na *musculatura estriada ou voluntária do corpo*. Sempre que falarmos em motricidade, contratura, tensão etc., estaremos nos referindo sempre e somente a esse tipo de músculo, cujo controle e iniciativa estão situados no SISTEMA NERVOSO CENTRAL e são ou podem-se fazer voluntários.

SOBRE O JEITO DE ME LER

Leitor,
sou muitos.
Se uma ou outra frase do livro não
encaixar na leitura – ou na cabeça —,
experimente lê-la como se fosse voz
de um novo personagem, com outra
entonação e uma intenção diferente.
Aí vai dar certo.
Obrigado.

1

O QUE É BOM REPENSAR ANTES DE ESTUDAR A COURAÇA MUSCULAR DO CARÁTER

Este volume é difícil. Nele se tenta correlacionar dados de fisiologia muscular, visual, respiratória e nervosa, de biomecânica e de cinesiologia com o comportamento e os fenômenos de consciência.

É um livro que procura mostrar o valor psicológico de nossos movimentos por menores que eles sejam – e de nossas atitudes. A meu ver, ele completa, de forma convincente, as propostas freudianas.

Um dos princípios mais bem-aceitos da e pela psicanálise é o da ANALOGIA FUNCIONAL – também estrutural e genética – entre o mundo das vísceras e o mundo dos desejos, dos instintos, do sonho e da fantasia.

Foi essa analogia que serviu de inspiração aos primeiros ensaios de um pensamento e de uma medicina psicossomáticos.

Mas o homem freudiano tem apenas aparelho digestivo ("fases" oral e anal) e aparelho sexual ("fases" edipiana e genital, falando-se por vezes em uma fase uretral).

Falta-lhe o Olhar: o homem freudiano só FALA, só se comunica verbalmente; ELE NÃO VÊ o outro.

Falta-lhe o tórax: respiração e circulação, espírito (ar) e vida (sangue) – e Sentimentos, que são as SENSAÇÕES que se formam CONTINUAMENTE EM NOSSO TÓRAX, retratando com precisão e em cada momento COMO ESTÁ nossa VIDA.

Falta-lhe o aparelho locomotor: ossos, articulações, músculos e controles nervosos; o homem freudiano não se sustenta, não tem posição e não age. Ele fala (ele é o verbo...).

Este volume foi escrito tendo-se em mente o mesmo princípio generalizado: toda e qualquer função psicológica se organiza sobre modelos fisiológicos; TODAS as funções orgânicas têm "mecanismos psicológicos" equivalentes e correspondentes.
A motricidade, de si impessoal,
tem seu retrato sensorial – a PROPRIOCEPÇÃO –
que transforma movimentos e posições do corpo em
SENSAÇÕES
que são, na ordem
lógica e provavelmente na ordem real,
os primeiros, ou os mais simples, ou os
mais elementares dos fenômenos
DE CONSCIÊNCIA.
Este livro procura desenvolver o que está na etimologia.[1]

a) T E N D, "que se projeta", raiz da qual derivam:

atenção	tender	tentar
atento	entender	tendão
intenção	tensão	entesar
intento	extensão	tenda

Aí estão praticamente TODOS os termos que usamos quando nos referimos a processos ou atitudes que denominamos intelectuais.

Parece fora de dúvida que essa raiz tenha provindo de sensações musculares, ou dos efeitos imediatos delas. O "projeto" mais simples de todos é uma pedra que se atira para a frente...

A tenda é bem o protomodelo do estar pronto e armado em um ato só. É um dos poucos termos estáticos dessa raiz essencialmente dinâmica. Mas um estático muito peculiar porque SEMPRE teso e só servindo – tendo função – enquanto teso, isto é, TRABALHANDO PARADO. É a própria figura – ou é figura muito própria – para repre-

1 Góis, Carlos. *Dicionário de raízes e cognatos da língua portuguesa*. Rio de Janeiro, Belo Horizonte e São Paulo: Paulo de Azevedo e Cia. Ltda., 1945, p. 340.

sentar, ATITUDES, POSTURAS E POSIÇÕES que são o principal dos textos que se seguem.

b) F A C (lat. "fazer"), gerou AFETO, AFEIÇÃO e... AFETAR.

c) M A N I, mãos:
Manipular, manejar, masturbar (*manusturbare*).
Todos significam "mexer com as mãos" ou mexer COMO SE fosse com as mãos.
Entendo que só se consegue mexer *dentro* DEPOIS que se aprendeu a mexer *fora*.
Os processos mentais são isomorfos em relação aos fenômenos motores. Isto é, todos os processos mentais que podem ser chamados de intencionais e/ou organizadores são IDÊNTICOS ao processo central (cerebral) que coordena uma sequência motora (um comportamento).

TECNOLOGIA E IDEOLOGIA
estão entre si como
O RITUAL E O MITO.

É bem provável que a vida mental "superior" da personalidade tenha muito ou tudo que ver com nossa habilidade manual e corporal; tanto a habilidade pessoal, inata ou cultivada, como a coletiva, própria de uma cultura ou de uma época.

* * *

Desde que iniciamos nossa formação embrionária e até
o fim da vida estamos
MECANICAMENTE
relacionados com mil objetos, situações e pessoas; sem essa experiência mecânica o outro não pode ESTAR em mim; terei somente sua FIGURA ou imagem, mas não sua FORÇA, seu peso, sua estrutura dinâmico-intencional. Os outros não teriam força *dentro* de nós sem esses
HÁBITOS DE RELACIONAMENTO MECÂNICO.

Repetindo: são meus hábitos motores (meus comportamentos) o principal de minha relação com o outro; o outro se constrói em nós na medida em que o imitamos ou, senão, na medida em que conseguimos um ou mais papéis com os quais nos relacionamos com ele. Se ele faltar ou se não se comportar "como de costume", fico imediatamente perturbado, "balançado". Creio que um cinegrafista preciso registraria nesse caso e nesse momento uma oscilação real do corpo da pessoa que fica "abalada" pelo comportamento do outro. Só *esse* outro interior – ou esses outros – tem poder sobre a consciência; só estes operam, influem, prendem – ou soltam. Nossas identificações ditas psicológicas são visomotoras e não verbais. Imitamos o que VEMOS (principalmente).

Temos um aparelho mecânico incrivelmente complexo e vivemos num mundo de matéria, peso, forças e movimentos – de objetos e de seres vivos.

O vivo não é concebível sem resposta mecânica – estática ou dinâmica (sem posição, sem raiz, sem tronco, sem gestos, sem comportamentos). Nosso aparelho locomotor é a resposta; é tudo o que o vivo sacrificou a fim de se organizar – se proteger – sobreviver – no mundo da matéria não viva, notavelmente constante ou "invariável" em relação à mutabilidade e à instabilidade dos seres vivos. Talvez nele – no aparelho locomotor – se encontre Tânato – o não vivo em nós; o não vivo e não o morto – o mecânico, o material, o automático, o impessoal.

Parece que esse não vivo ou pouco vivo, uma vez tornado fenômeno de consciência pela propriocepção, é o fundamento do que chamamos de inteligência mecânico-espacial (da engenharia), a capacidade geral (de todos os seres vivos) de compreender, manipular, configurar e construir RELAÇÕES EFICIENTES com os demais seres e coisas do mundo, que também têm peso, movimento, força.

Se não mantivéssemos ligações mecânicas com tantas coisas (o útero, o colo, o seio), não poderíamos jamais nos IDENTIFICAR com eles; poderíamos talvez desenhar a forma vista, mas não conseguiríamos dançá-la. SEM A MOTRICIDADE O VISUAL NÃO TEM SENTIDO – E VICE-VERSA.

COURAÇA MUSCULAR DO CARÁTER

Digamos – é uma ficção – que foi a palavra PEDRA a primeira que se formou na mente – nos lábios – no peito do homem. COMO teria se formado essa palavra?

Primeiro e acima de tudo, pelo gesto milhares de vezes repetido de lascá-la; depois o som, ligado seja ao ruído dos apetrechos, seja ao som que o próprio homem fazia ao lascar a pedra, um suspiro, um grunhido.
Depois esse som começou a significar
(coisa) pedra – machado (objeto)
(gesto) lascar – machado (ação).
Tudo isso era uma palavra só.
Chinês!

Podemos dizer também que este volume é um estudo da fisiologia e da patologia funcional do chamado sistema extrapiramidal (neurologia). Genericamente, nossa capacidade de
ATUAÇÃO AUTOMÁTICA
inata ou aprendida: hábito, rotina, costume, "obrigação",
"fazer sem perceber", "ir fazendo", "fazer sempre igual",
"é assim que se faz", "todos fazem do mesmo jeito",
"sempre se fez assim"...
Na faculdade de Medicina e nos textos de neurofisiologia nunca entendi nem sabia de que poderiam servir esses vastos núcleos motores do encéfalo (bilhões de neurônios). Porque não me havia sido mostrado, e eu ainda não aprendera a ver o número e a complexidade espantosa dos automatismos que são quase tudo que fazemos e quase tudo que somos.
O AUTOMÁTICO tem duas conotações básicas:
INCONSCIÊNCIA E RAPIDEZ de EXECUÇÃO.
(O automático acontece depressa
e antes que a gente o perceba.)
Sua operação acaba aparecendo – aos
olhos da consciência refletida – algo
mágico: algo que me faz agir sempre
ANTES que eu possa pensar ou
decidir.

A essa luz, a patologia funcional do extrapiramidal tem tudo que ver com a psicologia e com a sociologia.

Fica bem e muito me apraz encerrar esta introdução com um ensaio leve nascido em mim pela leitura de vários livros que descrevem e estudam a função e a evolução dos comportamentos e das estruturas vivas. São fascinantes e extremamente eruditos, pois lançam mão de todas as ciências biológicas e sociais para compreender a função desses comportamentos. As indicações estão na bibliografia.

OS MACACOS E NOSSA INTELIGÊNCIA

Como, ao serem faladas ou escritas, todas as coisas precisam ter um começo, vamos começar assim: era uma vez os prossímios, os primeiros mamíferos que se adaptaram à vida arborícola – e os primeiros mamíferos que começaram a desenvolver essas coisas espantosas que são as mãos. Claro. Para que servem patas (e marcha) na floresta, com o seu enleado inextricável e tão resistente de galhos, troncos, lianas e plantas se desenvolvendo em todos os níveis e de todas as formas? Como *andar* nesse "ambiente"?

Era preciso primeiro começar a ser capaz de insinuar-se – o que muitos animais já sabem fazer muito bem. Mas ai da face – e do corpo – quando o prossímio se insinuava entre o emaranhado e seus espinhos e laços...

Pressão para o desenvolvimento de mãos. Tudo que favorecesse esse desenvolvimento era muito positivo para a sobrevivência; tão valioso que ao fim do processo os prossímios, em vez de quatro patas, tinham... quatro mãos!

Onde havia tanto ao que se agarrar e tanto para agarrar – e afastar – as mãos foram se fazendo indispensáveis.

Nasciam os quadrúmanos – que, bem pensadas as coisas, vivem "no ar" – isto é, sem chão sob os pés. Com as quatro mãos começava na história da vida – acho – o devaneio... Devaneio a quatro mãos (e mais um rabo, quase tão bom para pendurar-se/agarrar-se quanto as quatro mãos).

Mas o emaranhado da floresta, que exige o viver de galho em galho, cobrava caro de todos os que erravam o pulo. Uma coisa é cair em pé no chão, e bem outra despencar de cinco, de dez ou de 50 metros de altura. O acordar dos primeiros sonhadores foi deveras seu encontro com... a dura realidade (o chão).

Desse tempo nos ficou a "reação catastrófica" ou "reação de sobressalto", reflexo global (atua sobre todos os músculos) ativado pela perda súbita de chão ou de apoio; tal reação não se inativa nunca, por mais que nos acostumemos com ela. É o que sentimos, por exemplo, quando o elevador começa a descer.

Olhos. Era preciso modificar os olhos. Quase todos os mamíferos – exceto os carnívoros – têm os olhos postos lateralmente na cabeça, de tal forma que seu campo visual chega perto, às vezes, de uma esfera completa. Mas a visão é plana – chata –, sem perspectiva e com resolução muito baixa de distância relativa. E os olhos, a fim de que os prossímios e depois os símios e por fim os primatas conseguissem continuar sonhando – com segurança, os olhos desses grupos de animais (nossos ancestrais) começaram a migrar para a frente, reduzindo a visão lateral, mas apurando até limites muito finos a visão estereoscópica, ou espacial, ou em perspectiva – do mundo, das coisas –, sobretudo dos galhos. Pular daqui para lá e errar o pulo não era apenas vexame. Podia ser a morte. Todos os símios que enxergavam mal morreram e só ficaram os que começaram a avaliar bem as distâncias...

(A cada frase não sei bem – hesito – se estou falando de bichos ou de nós. Daí as reticências.)

No mesmo ato nascia o pulo ou o salto, bem diferente nos quadrúpedes em geral e nos símios. Nos quadrúpedes, o salto existe rítmico na corrida, mantendo a direção, ou eventual no pulo decisivo do predador ou da presa. Nos macacos, o pulo irregular se fez o padrão básico de locomoção.

Pulo preciso, olhos estereoscópicos, mãos-ganchos – macacos. Faltava – mas já se estava desenvolvendo muito – a visão em cores. Porque a floresta é a própria colcha de retalhos – ou o próprio mosaico – de formas/cores. Quanto mais fina a visão colorida, mais fácil a escolha do galho, da fruta, da folha.

Nada mais versátil – ou nada menos regular – do que os cenários da floresta – quando se vive de galho em galho. Comparada com a planura deserta ou de gramíneas, a floresta é uma festa para os olhos, em matéria de variedade – e surpresa.

Versáteis.

Curiosos.

Quase todos os símios são assim. E nós, mais do que todos eles. Porque aí ocorreu uma inversão genial – no entanto, óbvia: que fazem as mãos (quatro!) quando o bicho NÃO está pendurado? (Pendurado, em latim, se diz dependente. Cristo depende – *dependit* – da cruz...)

Para continuar pendurado bastava UMA mão – até um rabo só, se bem enrolado no galho. Que fazer com as quatro mãos restantes? MEXER EM TUDO, primeiro (mamãe macaca ficava aflitíssima com o buliçoso filhote!). À versatilidade do cenário e à curiosidade visual juntava-se a versatilidade motora.

E pela primeira vez ocorria um fato deveras momentoso: agarrado ou sentado em um galho, com as mãos desocupadas o macaco pegava coisas

E AS TRAZIA PARA A FRENTE DO ROSTO

(dos OLHOS)

só para ver como eram feitas.

O que há de momentoso nesse gesto que de tão profundamente familiar não mais o percebemos?

APRESENTAÇÃO E REPRESENTAÇÃO.

Antes dos macacos os animais IAM para as coisas – e não tinham meio nenhum de trazê-las e apresentá-las a si mesmos.

Eram fatalmente EXTROVERTIDOS. Com o macaco começava também a INTROVERSÃO. Isto é, além de apresentar, o animal aprendeu a reapresentar, e assim começava a consciência, cujo protomodelo é o espaço diante dos olhos e até a distância das mãos. É o espaço de manipulação (pré-postura de ação). O espaço da manipulação sob controle visual é onde eu faço "o que eu quero". Era, pois, e também, o começo da vontade e da deliberação que nasceram da curiosidade (mais as mãos) e do capricho.

Faço o que eu quero sempre que não estou fazendo o que é preciso – ou necessário – ou inevitável. "O que eu quero" é assim sinônimo de capricho.

Eu me pergunto: por que discurso e não marcha?

Discurso quer dizer correr (pular?) de um lado para outro. No entanto, o chamado raciocínio lógico procede como quem caminha – como quem segue uma linha ou uma direção.

Logo, marcha do pensamento diz bem melhor do que discurso.

Mas a palavra mais usada é discurso – o que se aplica muito mais à "marcha" do macaco do que à nossa. Ele é que avança (avança?) aos pulos, ele é que vai e volta, que pula de um galho para outro – como nossas ideias a maior parte do tempo. Só em condições especiais (de trabalho), e somente durante tempos bem limitados, é que conseguimos seguir um pensamento linearmente (quando escrevemos ou pensamos em termos de escrita/leitura); fora disso, sabemos bem e sabemos todos, nosso pensamento – o somatório dos processos interiores conscientes – decorre de um modo que é deveras parecido com um macaco pulando de galho em galho, parando um momento para olhar em volta, pegando um pedaço de pau ou uma folha para ver se serve para comer ou se pode fazer algo divertido ou surpreendente com aquilo, logo "jogando fora" o objeto e dando novo pulo, ficando pendurado e se balançando em outro galho. A cada "pulo" uma mudança TOTAL de perspectiva, outro cenário, mil outros objetos interessantes e ao alcance da mão...

Nego-me a crer que tal semelhança seja casual. Claro que os processos visomotores dos macacos (que constituem a maior parte de seu cérebro) são o modelo de nosso pensamento, desde que se aceite a tese básica segundo a qual todos os processos mentais ou psicológicos ditos "superiores" são modelados ou seguem o padrão dos processos fisiológicos. Mental, nesse contexto, significa cerebral.

Versátil, colorido, em perspectiva, operacional, surpreendente (intuição!) – não é assim o pensamento vivo, o que vai *se desenvolvendo* o tempo todo?

(Não confundir, por favor, com o pensamento já feito, dos preconceitos e das verdades estabelecidas. O estabelecido funciona como "galho" onde a gente pode agarrar e... dar um pulo – para outro galho).

Mas os primatas, os macacos mais evoluídos – e nós, os primatas mais evoluídos (!) – não ficamos na floresta. Saímos dela para a savana. Começamos a

ANDAR (durante um milhão de anos!).

Já estávamos muito bem preparados para ficar em pé – que é como ficam todos os símios quando pendurados e, em parte, quando sentados (o tronco fica em pé).

Era só começar a andar. Mas primeiro era preciso coragem para trocar o labirinto da floresta, tão condizente com o esconder-se fácil e rápido, pela vastidão desprotegida da savana. Precisa de tanta coragem que a maior parte da humanidade ainda não deixou a floresta (das relações familiares e sociais de tipo agarramento). Vivem empencados, agarrados e tropeçando uns nos outros o tempo todo... Ao se pôr a andar, o homem, em pé, alto, começou a descortinar horizontes sem fim.

Ganhou visão global.

Dominação.

Dominus – o Senhor.

Mas isso é só para os que ficam em pé – sobre as pernas.

Os... INDEPENDENTES (os que não estão pendurados).

Como podem essas coisas NÃO ter valor psicológico?

Mas poderíamos ir além. Ao falar em pirâmide de poder, estamos falando de algo que se desenvolve no espaço (quando nós, que integramos esta pirâmide, nos movemos todos e de fato no mesmo plano). De onde vem a ideia de uma *pirâmide* de relações?

Nem é preciso dizer que do pegar curioso começaram a nascer as ferramentas, os mil objetos que integrados à mão modificam, ampliam ou multiplicam sua força e sua capacidade de fazer coisas.

Enfim, com esse enriquecimento motor e sensorial, com um mundo tão cheio de coisas interessantes e importantes, fazia-se cada vez mais necessária a capacidade de... processar dados! Essa pressão da versatilidade foi com certeza fator básico no desenvolvimento da linguagem, no reunir várias características sensoriais de um mesmo objeto em um som único, com vários significados.

Mas nenhum dos estudiosos citados assinala que, com o homem (começando com os macacos), a natureza iniciava outro ensaio importante: testava o valor biológico da

CURIOSIDADE.

Confrontemos o carrapato, o boi, o leão, o macaco e o homem.

O "mundo próprio" (von Uexküll) do carrapato é composto de um galho de árvore, um animal de sangue quente, a terra

E MAIS NADA!

Recém-saída do ovo, posta na terra, a larva sobe por um arbusto e lá se imobiliza até que passe próximo da folhagem um animal de sangue quente. Então ela se desprende e cai sobre ele, chupa um pouco de seu sangue e vai mudando até ficar adulta; então ela se desprende de seu veículo e cai no chão, onde acasala, desova e morre.

Para o carrapato só existem três objetos no mundo

E MAIS NADA!

Para o boi, o mundo tem mil coisas que ele mal percebe e na certa não discrimina. Os ungulados – vegetarianos estritos – TÊM DE passar O TEMPO TODO mastigando; têm de processar um volume considerável de forragem para extrair dele o pouco de substâncias nutritivas que os vegetais contêm (eles são constituídos 90% a 95% de água). Os leões caçam umas poucas horas, depois se empanturram de carne e dormem dois ou três dias; acordam para viver (!) um ou dois dias e tornam a caçar...

A vida da imensa maioria dos animais – antipadrões humanos – é incrivelmente monótona, com pouquíssimos interesses e atividades. Com os macacos – com as mãos – que podem mexer em tudo nasceu a... ciência. O interesse desinteressado. O vamos mexer e brincar para ver se serve para alguma coisa. O EXPERIMENTAR, o fazer de conta.

Mas aí o interesse – a atenção – não encontrou mais limites – como demonstra a produção dos bens de consumo. Foi preciso a mão para tirar o homem do imediatismo biológico do qual todos os animais são escravos – irremediavelmente.

Não conseguem e não precisam fazer de outro modo.

Ora, não há liberdade sem alternativas e só há alternativas onde há curiosidade e descoberta de... coisas inúteis.

Não parece – não se diz –, mas

NÃO HÁ LIBERDADE SEM CURIOSIDADE.

(Nem haveria liberdade se não houvesse mãos)

Todas as noções estabelecidas, as instituições, os métodos idôneos – as "estruturas sociais" em suma – funcionam como a floresta na qual nos movemos todos, de galho em galho. As pessoas têm NECES-SIDADE de crer que muitas coisas são invariáveis, estão sempre aí e sempre assim – como os galhos das árvores para os macacos. Caso contrário, não conseguem situar-se nem se achar (definir). Na verdade, sem essas "certezas" nem sequer se movem.

Muito naturalmente (e muito falsamente) acreditamos que nossa família está "lá", "em casa", que a casa está sempre lá, que a disposição mental dos outros será sempre semelhante, que as virtudes e os defeitos das pessoas importantes para nós serão sempre os mesmos. Em suma, tentamos

ENQUADRAR (fixar)

tudo que nos cerca, a fim de nos sentir "seguros", a fim de que nosso agarramento/dependência não seja bruscamente frustrado; a fim de não levar um susto nem um tombo – como o do macaco que se agarrou ao galho podre; tinha aparência, mas não solidez.

Nossa floresta, aquilo a que vivemos agarrados, está tanto em nosso interior quanto fora de nós. No mundo visto por nossas expectativas e necessidades. Nossos "princípios" são os pontos fixos do mundo para nós.

É preciso que algo permaneça fixo ou imóvel – ou tememos nos desorientar de todo.

Este leque perceptivo em abertura (curiosidade) combina-se mal com a melhor noção que se vislumbra hoje sobre funcionamento cerebral. Diz a etologia – que precisa descrever, separar e classificar comportamentos – que "O" cérebro é um colossal sistema de automatismos "completos" (respiração, marcha, deglutição, corrida) que se desatam ante estímulos específicos – e em função de prioridades orgânicas. As "instâncias superiores" (corticais)

NÃO FAZEM NADA; apenas LIBERAM esta

OU

aquelas sequências automáticas.

As instâncias superiores "decidem" a prioridade dos

comportamentos ante as

EXIGÊNCIAS ou

POSSIBILIDADES DO AQUI E AGORA.

Sabemos que é possível, em certa medida, passar do automático para o deliberado; é possível em certa medida corrigir automatismos que estão funcionando mal (machucando muito, ineficientes); é possível aprender novos esquemas motores; é possível aperfeiçoar os que já estão montados.

"Trabalhar com a couraça" é isso. É trabalhar com os comportamentos emocionais. É responder à pergunta: COMO se move o corpo, que figura, estátua ou dança ele dança, posa ou se desenha, quando

EMOCIONADO

(literalmente, movido, impelido, movimentado) ou

CO-MOVIDO

(movendo-se JUNTO – com o afeto, com o outro, com o

momento)?

Como é a fluência viva, ou a parada dura – ou a parada morta? Como é o desenho, que figura a vida compõe agora, na sua dança, que não se repete? Cada sequência automática (cada comportamento) congrega em torno de si um número cada vez maior de estímulos condicionados – como os caracteres chineses (como a origem da palavra "pedra"). Vão surgindo assim constelações significativas de palavras, de cenas, de objetos e personagens – todos centrados na resposta, no comportamento que responde às circunstâncias. Nossa curiosidade multiplica ao infinito esse número de elementos. É essa a contradição entre a constância do instinto e o desafio da curiosidade.

2

AS MIL FORMAS E FUNÇÕES DO APARELHO LOCOMOTOR

Vamos falar da Cinderela das ciências humanas, Cinderela que só recentemente começou a ser desencantada.

Ainda estudante de Medicina, eu lia e relia o capítulo de Best e Taylor[2] sobre "os mecanismos que mantêm e regulam a postura e o equilíbrio do corpo". Nesse excelente livro didático, cada capítulo é precedido de um resumo de física, naquilo em que os princípios físicos são essenciais para a compreensão do fisiológico. Antes de se estudar a circulação, estudava-se a mecânica dos fluidos; antes de se estudar a respiração, a física dos gases – e assim sucessivamente. Mas antes do capítulo sobre a postura não havia nada de mecânica – e esse era o meu desespero. Durante muitos anos acreditei que a ignorância fosse minha, até descobrir que até mesmo fisiologistas de renome entendiam pouco e nada de biomecânica:

de como se organiza e executa a postura –

e o movimento *no homem inteiro*

na vida de todo dia.

Ao me iniciar em biomecânica e cinesiologia, comecei a perceber que todos sabiam muito de detalhes, mas ninguém falava do trabalho muscular usual – que envolve sempre a ativação de muitos músculos ao mesmo tempo.

---

2 BEST, C. H.; TAYLOR, N. B. *The physiological basis of medical practice.* Baltimore: Williams & Wilkins, 1955.

Falava-se em alavancas, em potência e resistência, composição de força, centro de gravidade e outras coisas misteriosas, sem jamais se falar do *conjunto*, do grande boneco movido por 300 mil cordéis.

Hoje sei que nenhum deles ousava a síntese, porque ela é muito complicada e, na verdade, *ninguém consegue compreender o conjunto*. Note-se a declaração. Mover-se é tão fácil que ingênua e espontaneamente achamos que a organização dos movimentos *deve* ser simples...

Esse reparo é necessário. O psíquico (a alma, o íntimo, o inconsciente) desde sempre foi tido como enigmático, difícil de conhecer, inclusive porque é mutável no indivíduo, diferente de um para outro, de povo a povo... A psicanálise elevou esse enigma à enésima potência e com frequência, em conferências, ouço das pessoas que o psíquico não pode ser tão simples quanto mexer-se.

A carne, além de fraca e pecadora, é simplória...

Mas o preceito idealista de nosso mundo – também reforçado pela psicanálise[3] – *leva* as pessoas a acreditar que o movimento vem DEPOIS que se pensa, se sente ou se deseja.

De outra parte, a tese a meu ver mais fundamental deste livro diz que O MOVIMENTO E OS OLHOS SÃO MAIS RÁPIDOS QUE A PALAVRA – logo, acontecem ANTES.

Na verdade, acontecem durante; o que vemos é tão importante quanto o que ouvimos, é claro. Mas o que vemos desperta resposta IMEDIATA (sem palavras), enquanto o diálogo falado é LENTO em confronto com o acontecer visomotor.

Além disso, o que mais se analisa em psicanálise são as complicações:

• do que a pessoa FAZ *sem querer* – resposta automática, rápida demais para ser percebida/controlada *em tempo*;

• ou do que a pessoa quer fazer e não consegue – inibição MOTORA que não se consegue localizar e/ou controlar.

---

3 Para ela, como para São João, "no começo era o verbo".

Repetindo:

TORNAR CONSCIENTE O INCONSCIENTE NÃO BASTA.

É preciso

TORNAR VOLUNTÁRIO O INVOLUNTÁRIO[4].

Mas não acusemos apenas o povo e o psicólogo pela omissão sistemática do aparelho motor. O fisiologista também se engana. Em qualquer texto se lê que há músculos de duas espécies:

1) estriados, esqueléticos e VOLUNTÁRIOS;
2) lisos, viscerais e involuntários.

O erro atravessa séculos. Os músculos voluntários NÃO SÃO voluntários, NÃO NASCEM nem se fazem voluntários fatal ou automaticamente.

ELES SÃO VOLUNTARIZÁVEIS.

Se eu me der ao trabalho, posso agir por querer. Mas se eu seguir o costume de meu mundo, aprendo todos os movimentos por imitação inconsciente, tenho controle precário do que faço e mal percebo meus modos.

Outra fonte de dificuldades no estudo de nossos movimentos reside no fato de o tempo todo, dia e noite, haver em nós tensões musculares. Mesmo sentados e imóveis, movemos os olhos e falamos – o que já é um mundo de movimentos; dormindo profundamente, ainda assim subsistem os movimentos respiratórios. O movimento é para nós o que a água é para o peixe; está presente em nós o tempo todo e, na verdade, é o principal de nós mesmos.

Sobremodo difícil distanciar-se dele – a fim de percebê-lo.

A propriocepção é o EU como sensação, ato e controle – ou falta de controle.

4 "No começo era o ato" (*Fausto* – Goethe).

PROPRIOCEPÇÃO: RETRATO DE NOSSAS INTENÇÕES (EM-TENSÕES)

Este livro desenvolve a tese de que um número significativo de fenômenos ditos *apenas* psicológicos está profundamente ligado à propriocepção, categoria sensorial que leva à consciência, precisamente posições e movimentos corporais. A propriocepção mal aparece na nomenclatura das psicologias dinâmicas. O termo indica sensação de si mesmo, isto é, sensação do *conjunto de intenções* (em-tensões) *que a cada momento nos configuram*, determinando e mantendo nossa posição, determinando e regulando nossos gestos e mostrando nossas INTENÇÕES.

Eu como intenção (em-tensão); idealmente: arco mais ou menos retesado.

Eu como *várias* intenções simultâneas – compatíveis ou não – porque é assim que, de regra, existimos concretamente. Ser movido por *uma* intenção – por vez! – é a melhor característica da criança e do adulto saudável – e raramente acontece. Em geral,

• estamos sendo *impelidos* e, ao mesmo tempo, estamos sendo *segurados* (ou retidos);

• e não só por dois; de regra estamos armados e ativados por vários *conjuntos* de tensões musculares complexas. Nossos vários papéis, identificações e estereótipos (estáticos ou dinâmicos).

Cada um desses conjuntos tem propósito e configuração específicos, cada um tende para e está ligado a um objeto ou pessoa – e pelo objeto modelado.

Cada personagem interior – cada identificação –, além de ser imagem (visual) e complexo afetivo, é também um conjunto de tensões mantidas em nosso corpo que tendem a imprimir nele o jeito e os modos do personagem considerado.

ESTRANHA IGNORÂNCIA

Aquilo que nos interessa quase o tempo inteiro são movimentos dos outros – suas expressões –, que exercem grande influência em nossa vida. A essa luz não é fácil compreender nossa ignorância a respeito. Tanta observação do outro, tão frequente e importante, deveria nos tornar mais capazes de compreender e USAR essas expressões. Isto é, *falar* com o rosto *por querer* – ao modo como falamos palavras. Mas não se fala a respeito, nem nos círculos leigos nem nos científicos.

Falar para o outro da expressão de seu rosto e de seu corpo é tido como ato social de mau gosto, sinal de falta de educação. Não se deve ("viu o jeito dele?")... ou é fofoca (mas aí estou falando para um terceiro); logo, *não ver o outro* é uma OBRIGAÇÃO social – um preconceito.

As pessoas acreditam, com força e
contra a experiência de todo instante,
que *quem não vê cara não vê coração.*

Se se observa com atenção, se se percebe com finura, ver a cara É ver o coração.

Nos livros e conversas sobre psicoterapia e fofocas inverte-se o clássico pensamento chinês: há mil palavras onde ficaria melhor um quadro. Há mil explicações esotéricas no lugar de uma boa descrição.

No fim – ou hoje – ou sempre –, as pessoas falam muito, demais – e, de regra, sem saber exatamente *sobre o quê*: qual é o fato *(como é o fato)*, qual é a situação – toda! –, qual é o personagem (como ele é)? Como era a história, com todos os personagens, desde o começo...

A PROJEÇÃO É O COMPLEMENTO DA IDENTIFICAÇÃO

Entre o verbal e o visual, a confusão lógica é funda. *Identificação* e *projeção*, por exemplo, são duas palavras usadas a todo momento como *explicação*; os dois termos, porém, são apenas DESCRIÇÃO de um certo momento típico do comportamento, aquele em que eu me comporto como se fosse outra pessoa. A *definição* diz apenas isso – e mais nada.

Fala-se bastante sobre o porquê de as pessoas se identificarem ou projetarem umas nas outras, mas não se diz quase nada a respeito de COMO isso se faz (mistérios dos afetos, dos instintos e do inconsciente!). *O fenômeno é muito mais visomotor que verbal.* No entanto, desde sempre os termos estão na PSICANÁLISE – e lá se originaram! Identificação projetiva – quase digo identificação a distância: o que é?

Eu me projeto (ME PONHO) no espaço do outro; em certos momentos experimento as coisas como se eu e ele fôssemos um só e estivéssemos lá – no lugar *dele*. Essa seria a descrição psicológica e/ou fenomenológica. Mas o *fato*, observável aqui e agora, é que eu mudo de papel: todos os meus MOVIMENTOS e POSIÇÕES (e VOZES) se fazem diferentes das de um segundo atrás.

Enfim, não há projeção sem identificação e vice-versa – o que a *explicação* verbal não deixa perceber, enquanto a visão do personagem deixa claro instantaneamente.

IDENTIFICO-ME SEMPRE COM
UM DOS PAPÉIS COMPLEMENTARES
DO PAPEL QUE PROJETO.

Se vivo meio encolhido de medo – papel do OPRIMIDO ou do PERSEGUIDO –, mesmo quando ponho aparência de decidido, *projeto* más intenções nos outros, e aí meu encolhimento *fica justificado; escolho* entre os aspectos (aparências) do outro aqueles que concordam com *minha expectativa.*

Essa situação (de identificação/projeção) é *lógica.* Eu tenho receio – mas *ele* é muito esperto –, e portanto é lógico que eu tenha receio.

O que não se percebe (nem a própria pessoa, nem os demais) é que:
1) o receio já estava aí (a pessoa VIVE encolhida); e
2) ao *explicar* as coisas desse jeito, as pessoas ESTÃO SE CONDENANDO a FICAR assim.

Se ele é astuto, não é lógico que eu *tenha* receio?

Desse modo, a situação fica *autorizada a eternizar-se.* Ou o que dá no mesmo: NÃO PRECISO FAZER NADA A RESPEITO (não ADIANTA fazer nada a respeito, não HÁ o que fazer a respeito...). Está tudo *certo.*

Ninguém parece se dar conta de que nessa declaração vai uma condenação, uma prisão e uma fatalidade QUE EU MESMO PROCLAMO E ACATO! Sou juiz, promotor, policial e, principalmente, carcereiro.

Creio que racionalizar é isto: demonstrar que a situação presente NÃO PODE SER DIFERENTE do que é. Toda racionalização é fatalista, tende para a resignação.

"Sou irritadiça (e agressiva) porque minha mãe, a vida inteira, tentou me dobrar; de pequena tive hepatite que piorou meus nervos e agora a escola que eu frequento é uma vergonha... Mas não posso sair da escola. É tão perto de casa..."

Logo: não posso *deixar de ser* irritadiça...

Logo, *me aguentem como eu sou* – e a pessoa, onde quer que esteja, faz sentir o peso de sua presença; pesa também (e primeiro) *sobre si mesma*; leva-se (postura) como alguém que carrega ou arrasta um peso morto.

Tecnicamente convém sempre chamar a atenção do paciente para essa posição em que ele se põe: sou assim e assim por causa disso e disso; portanto, só tenho saída se o OUTRO fizer alguma coisa.

Logo: ele DEVE (é obrigação DELE).

E, ao declarar assim, ficamos ESPERANDO que ele o faça.

O tragicômico da situação é que às vezes se espera dez, 20 ou mais ANOS, como acontece com quase todas as mães em relação aos filhos (depois, destes em relação aos pais), com quase todas as esposas – e maridos.

Outro exemplo do par Identificação/Projeção: aquele que, NO MOMENTO, está identificado com o filho (se comporta, se põe [postura] e se sente como filho), vê no outro tudo que o outro tem de pai – ou de mãe; e somente o que ele tem de pai.

Note-se: observável na identificação

é o COMPORTAMENTO.

O afeto – como a sensação – só o próprio sujeito pode perceber diretamente – e *mais ninguém*!

Note-se que em nossa fórmula *a aparência* do outro é fundamental. Se o outro e/ou a situação não tiver NADA de pai (ou de mãe), será *impossível a projeção*.

Acentuar, também, até que ponto o exame VISUAL da situação é imediato, esclarecedor e convincente: se *olharmos* para o personagem, *veremos* no seu *corpo/rosto* muito daquilo que o psicanalista diz existir lá *no inconsciente*.

Nossa fórmula põe o terapeuta no centro da questão, e, para nós, *resolver uma transferência* significa perceber o que, *no terapeuta ou na situação*, estimula essa transferência – esse comportamento do outro. No terapeuta ou na situação.

Exemplo: a situação analítica – onde nasceu o conceito – é muito persecutória.

O ANALISTA – UMA AMEAÇA QUE SE DIZ AJUDA...

No entanto, os textos de psicanálise vivem dizendo que os temores do paciente em relação à análise e ao analista são todos imaginários (projetados) – ou "infantis".

Segundo os analistas a situação NÃO É ameaçadora... Vejamos.

A pessoa importante para mim é desconhecida, fica sempre invisível (às minhas costas), nada diz sobre si e não gosta do assunto. Confesso a ela todos os meus *pecados,* tudo que me envergonha/ assusta/diminui. Ponho-me em suas mãos *e a todo momento ela pode usar minhas confissões contra mim.*

Se protesto, não responde – apenas aperta mais o controle, silenciando de todo.

Enfim, quanto custa esse *tratamento*, em tempo, dinheiro e sofrimento durante as sessões e depois delas?

Como se pode aprender a ser igual numa situação tão desigual? Em compensação (!) POSSO DIZER O QUE EU QUISER – certo de que ele jamais responderá *normalmente*.

O que é outra fonte – e grande – de medo. Só na situação analítica isso acontece, e em nenhum outro lugar do mundo.

Enfim, o terapeuta analítico comporta-se ao mesmo tempo como PAI (MÃE) INACESSÍVEL (fator básico de esquizofrenia) e PAI (MÃE) crítico/acusador – que não deixa passar nada.

E quando, acusado, começo a brigar com a mãe acusadora, ela... desaparece.

O analista na verdade comporta-se, quatro vezes em cinco, como um inimigo astuto, habilidoso e absolutamente sem escrúpulos. Usa tudo que tem e sabe contra mim; entra sempre por onde eu não espero e diz com frequência coisas que me perturbam.

É preciso muita ingenuidade, muita inconsciência ou muita má-fé para acreditar que essa situação NÃO É assustadora (que o medo do paciente é imaginário).

Portanto, a ansiedade (medo) do paciente é gerada por inteiro no aqui/agora. Somente a *forma* de sua ansiedade é a de situações passadas, mas sua energia é atual. Aliás, para mim a expressão "estou experimentando uma EMOÇÃO passada" não tem sentido.

A EMOÇÃO SÓ PODE SER PRESENTE – retrato de uma energia que ESTÁ AQUI.

EXPRIMIR-SE QUER DIZER MEXER-SE (OU ESTAR PRONTO PARA FAZÊ-LO)

Nossa inconsciência motora aparece bem diante destes termos: expressão, manifestação, exteriorização, *me pareceu que*, *tive a impressão de que*.

Todos eles querem dizer APENAS que a pessoa *se mexeu* e que, além de ouvir o que ela disse, *eu percebi seus movimentos* (expressivos). Mesmo quando a pessoa fala, convém separar aquilo que foi dito (conteúdo) da *ação de falar*, dos movimentos realizados para a fonação e articulação da palavra – que *também* é expressiva. Além de discriminativa.

Articular (o pensamento, o saber) é termo que vem ganhando voga entre intelectuais. Articular é criar, descobrir ou mostrar uma conexão entre dois ou mais termos – ou objetos. *A analogia com as articulações do corpo e as sensações que todos temos, partindo delas o tempo todo, estão na raiz deste uso alegórico da palavra.* A rigor, só animais são articulados, feitos de segmentos anatômica e funcionalmente distintos, porém ligados entre si de forma orgânica.

Aplicamos *intuitivamente* a mesma palavra quando *juntamos* ideias para *articular um...* corpo de doutrina!

Que bom seria se a doutrina TIVESSE MOVIMENTO!

A base da compreensão dessa analogia é a propriocepção. Em relação às *manifestações* ou expressões emocionais, os estudos de psicologia falam com frequência de medo, angústia, raiva, *mas raramente o autor descreve o que está vendo*; fica subentendido que todos sabem do que se trata – e que só AQUELE sentimento estava atuando.

Nenhuma das duas suposições é verdadeira.

Outras vezes fala-se das pulsações, da bioquímica, da respiração – assim, mais ou menos *isoladas*.

Depois não se sabe bem o que o estudo prova – ou não prova.

Nove décimos dos comentários que fazemos
sobre pessoas, profissionais ou não,
omitem a descrição e declaram
sempre e somente a INTERPRETAÇÃO
que fizemos da cena, do gesto, da voz.
Vivemos dizendo o que as coisas significam
(vivemos dando nomes e/ou fazendo interpretações)
e não dizemos COMO SÃO as coisas.

Em vez de dizer "Fulano falava bastante, as pessoas pareciam interessadas e eu me sentia posto de lado", digo: "Fulano gosta de chamar a atenção de todos", "Fulano é exibido", ou, se eu for moderninho, "morro de inveja de Fulano".

PALAVRAS DEMAIS E COISAS DE MENOS

Desde cedo (desde o berço), como a palavra é muito fácil, as mães VÃO FALANDO quase tudo, em vez de *mostrar* objetos ou no mínimo figuras; fazem sempre – falando sempre! – em vez de fazer primeiro e *ajudar a fazer* depois (facilitar a imitação); como o apartamento é pequeno e como o lar é fechado, a experiência *real* da criança é sempre *muito pouca* quando confrontada com a experiência que lhe vem em substituição da *real*, por meio da *fala materna*. Desde aí e desde então começa a verbalização avassaladora no lugar da experiência real.

Além do mais, expor-se verbalmente é de longe *muito menos perigoso* do que assumir – e manter – uma posição.

Ao contrário do que acontece na realidade maior – do mundo –, no apartamento da família moderna HÁ MAIS PALAVRAS QUE COISAS! Como não há muitas coisas, as pessoas TÊM DE começar a brincar de teatrinho para passar o tempo – e começam as *jogadas* da análise transacional.

A TV mudou muito esse quadro. Ela traz ao menos mil coisas para a criança VER, mil *figuras* – bem melhor do que muitas palavras.

Repetindo: vivemos fazendo interpretações sobre coisas e pessoas, mas não sabemos *como elas são*.

E, pior do que isso: *todos* dão como *conhecido de todos* aquilo a que EU estou me referindo quando falo de sentimentos – o que é falso.

- Três vezes em cinco, é falso de modo absoluto: não sei como foi o fato, muito menos a emoção; não estive presente a ele, não conheço as pessoas, não me é dado sentir o que foi sentido.

- duas vezes em cinco, é falso de modo mais limitado: o outro, que ouve, pode conhecer a pessoa da qual estou falando – sua casa, alguns de seus hábitos –, mas tampouco esteve lá. E se tivesse estado lá (fim da tragédia), é provável que tivesse visto as coisas de modo diferente do meu!

AS PESSOAS SE FALAM SEM SE VER

A cena visual paralela a essas intermináveis interpretações do outro sabemos qual é: as pessoas se falam *sem se olhar*.

Se eu olhasse a pessoa enquanto falo e se eu, *ao continuar a fala, levasse em conta o que estou vendo*, nosso diálogo se faria imediatamente uma interação em vez de ser, como acontece nove vezes em dez, um contínuo brigar para impor opinião, para alcançar o palco ou para ficar falando sozinho, enquanto os outros fazem que olham – e que se interessam.

AS VOZES

Moro em um lugar silencioso o bastante para que me seja dado reconhecer a criançada das proximidades individualmente, apenas pelos sons de suas vozes.

Bem em frente à janela da minha sala, do outro lado da rua, moram duas crianças e suas famílias; há uma menina de seus 6 anos e um garoto de 8 ou 9.

Muitas vezes aconteceu o fato que passo a narrar, mas demorei até poder descrevê-lo (percebê-lo) do modo como está relatado.

O garoto, quando contrariado ou repreendido, prorrompe numa falação gritada, na qual se pode ouvir fanfarronice (sobreposta ao medo) e cobrança de direitos (não muito segura), mais um azedo meio de mágoa, meio de despeito.

A voz adulta (da mãe) é firme e bem marcada, mas não agressiva. O moleque entra a berrar suas razões com muita ênfase, apelando bem alto pelos seus direitos, pela sua dor, mostrando "para o mundo" quão injustiçado ele foi. É fácil imaginar o *número* e a *amplitude dos gestos* que ele faz.

Numa pausa de fôlego entra a voz adulta, curta e incisiva, e quando a voz do moleque retorna – poucos *instantes após ter parado* – já desapareceu todo o "profundo afeto" que se percebia nele um momento antes. Surge a voz de um negociador cauteloso, mais um advogado, que vai testando a proposta do adulto, para saber até onde ele quer chegar – e se convém ou não. Mas na frase seguinte, de novo, poucos instantes depois, volta a voz estrepitosa se a negociação não foi satisfatória.

Em relação a esse fato, fico pasmado com a rapidez e ao mesmo tempo com a perfeição com que podemos mudar de papel. Do ponto de vista muscular, o problema é bastante difícil, se levarmos em conta a VELOCIDADE com que ele acontece. Em "um instante" (por vezes, poucos décimos de segundo), um complexo conjunto de tensões musculares que compunham "O Injustiçado" no instante seguinte muda – TODAS – e compõe outro personagem, com outra estática, outro balanço, outra distribuição de esforços.

O indivíduo – costumamos dizer – "desarma-se". Mas é mais difícil do que isso, porque no momento seguinte ao desarmamento ele *se compõe* de outro modo – fica de pé de outro jeito, gesticula diferente, emposta a voz mais baixo, baixa a intensidade...

Há outras finuras e rapidez a considerar. Os gatos (creio que todos eles; o que eu vi foi em gato doméstico), quando menores e brincalhões, porém com a motricidade já bastante amadurecida, gostam muito de um brinquedo de alta precisão. Embolam-se em luta, mas de repente param – assim, instantaneamente, do modo como estavam. Parece a brincadeira de "estátua" da nossa infância. Por vezes a parada é tão brusca que a posição de um dos dois "não para de pé" e este escorrega molemente até outra posição de equilíbrio.

Uma destas paradas (do aprendizado de briga) é quando os dois descobrem de repente que "se quiserem" agredir o outro podem fazê-lo – e podem machucar bastante –, só que o outro também pode machucar de volta! Outras vezes um dos gatos ganha vantagem definitiva: em condições de caçada, ele pode dar um golpe mortal. Aqui também os dois param – instantaneamente. Pausa. Logo recomeça "o de baixo" a fazer pequenos ensaios de saída, o que leva "o de cima" a rosnar e a apertar o movimento/a ameaça.

Nesses casos se vê bem como é grande a rapidez de organização, de parada e de reorganização de nosso equipamento motor.

A tese principal deste livro é esta:

Os mecanismos visomotores, responsáveis pela nossa posição no espaço e por todos os gestos, posições e translações que fazemos ou assumimos, podem compor palcos/cenas/PERSONAGENS em um instante para "apagá-los" no momento seguinte – ou transformá-los em outro PERSONAGEM. Este é que verdadeiramente se transforma; em função dele mudam o cenário, a peça, a trama.

Só começaremos verdadeiramente a COMPREENDER o outro quando o considerarmos *um grupo* de personagens que se sucedem ou coexistem, personagens bem desenhados, bem constantes na forma de atuação e de expressão.

O melhor modo de compreender esse "grupo" é deixar-se contra-cenar com ele e EM SEGUIDA perceber (se for necessário) o que é que eu fiz, o que é que aconteceu comigo ou o que é que eu permiti que me acontecesse.

O ato é instantâneo (é a própria definição do instantâneo). A palavra vem depois.

NOSSO APARELHO LOCOMOTOR – ESSE BONECO VERSÁTIL

Comecemos com as palavras...

Mesmo diante de um exame ligeiro dos fatos, o aparelho locomotor se mostra mais como um aparelho *estator* – postural.

Ele serve muito mais tempo para nos manter, pôr ou segurar do que *para nos mover*.

Uma das propriedades mágicas de nosso corpo é sua armação e sua consistência variáveis *de instante a instante*:

- mudamos de forma a cada pouco instante – a cada gesto, a cada passo;
- conforme a ação em curso, podemos liberar ou enrijecer cada uma das juntas de nosso corpo, e as pessoas não fazem ideia da complexidade biomecânica desse fato por demais banal.

Se vou empurrar um móvel pesado, endureço o corpo inteiro e, usando ao mesmo tempo meu peso e minha força, pouco me movo na ação propriamente dita. Pode-se dizer, nesses momentos, que o corpo funciona como um bloco só – todas as juntas momentaneamente anuladas.

A sambista é o modelo contrário – alguém com todas as *juntas* soltas.

Na maioria dos casos – os que estão entre esses extremos –, movemos algumas partes do corpo (de regra, o sistema dos olhos/mãos), enquanto as mais pesadas se movem pouco ou não se movem, servindo sempre de base para o movimento do braço, mais amplo, porém mais leve.

Levando em conta o número de nossas juntas móveis – que é grande –, o problema de a cada *instante* imobilizar ou enrijecer uma ou mais juntas e, ao mesmo tempo, liberar outras é um jogo muito complicado. A organização geral do aparelho locomotor mostra que ele é feito mais para compactar-se do que para mover-se. Praticamente *todos* os músculos do corpo se inserem na alavanca óssea que movem segundo ângulos agudos, de poucos graus. Essa disposição dos tensores em relação aos ossos faz que, ao nos movermos, a maior parte dos esforços seja consumida muito mais em *manter* a forma (aproximar e firmar as duas extremidades ósseas sobre as quais passa o músculo) do que em *mover*.

As outras variações de consistência de nossos músculos estão na área das hipertonias (ou contraturas) e das hipotonias (ou flacidez, relaxamento). Aqui também os extremos são raros, mas a todo momento estamos sujeitos a *ondas* de desorganização e reorganização *do grau de tensão de conjuntos musculares*. Exemplo: conjunto de músculos de ombro e braço que preparam um soco; reforço nas tensões das pernas quando estamos com raiva (o que nos firma no chão); conjunto de tensões na cintura escapular quando nos preparamos para um abraço; *aperto na barriga* quando com medo etc.

ZONAS CORTICAIS SUPRESSORAS

Diferente, mas próximo, é o caso das faixas ou áreas corticais supressoras. A excitação dessas áreas produz a imobilização instantânea do corpo na posição em que ele estiver naquele momento – ressalvado o equilíbrio do corpo. *A imobilização* é a primeira reação de um animal ante qualquer estímulo desconhecido que seja bem perceptível, mas não muito intenso. Sabemos que o veado entregue à sua alimentação *estaca subitamente* ao ouvir um ruído, voltando pouco depois à sua atividade se nada mais acontecer. É o primeiro sinal e o mais evidente da *reação de alerta*. Como sempre, a familiaridade com o fato não nos deixa ver as dificuldades da sua realização. É todo um conjunto de partes em movimento que instantaneamente se congela. Levando em conta o número ilimitado de posições e movimentos de nosso corpo (e dos animais), podemos imaginar a dificuldade do problema; acrescente-se a essa dificuldade a de deter qualquer movimento com a condição essencial: pare sempre de pé, pronto; enfim, a *saída* dessa posição pode ser muito diferente da chegada. O animal que estacou ao ouvir o ruído estranho pode no instante seguinte dar um salto, partir em corrida desabalada ou investir contra o oponente. Tais coisas seriam um pouco menos complicadas de perceber/entender se não ocorressem, como ocorrem, num intervalo que pode ser uma fração de segundo.

Digamos desde já que até mesmo movimentos simples envolvem a ação de muitos músculos – e não apenas dos músculos locais; sempre que movo a mão, mesmo estando sentado, o tronco tem de firmar-se de leve para *carregar ou aguentar* o gesto, ou tem de inclinar-se na direção contrária a fim de equilibrar o conjunto.

OS 300 MIL CORDÉIS QUE NOS MOVEM

É cômodo e tradicional dizer que os *músculos* nos movem, mas seria mais exato dizer que o trabalho real do aparelho locomotor é executado pela *unidade motora*: um neurônio da ponta anterior da substância cinzenta da medula, mais seu axônio, mais um certo número de fibras musculares – as que são ativadas por esse neurônio. *Todas* o são sempre que ele dispara uma excitação, e só *elas* se contraem quando o neurônio é ativado. Conforme a frequência de disparo, tal será a tensão desenvolvida.

De minha parte, gostaria de acrescentar à unidade motora o *sensor* (há sensores proprioceptivos de vários tipos) que regula sua atividade. As unidades motoras podem contar com apenas quatro ou cinco fibras musculares, como nos músculos oculares; ou com 500 fibras musculares ou mais, o que acontece com os grandes músculos da coxa, por exemplo. O número de fibras musculares de cada unidade motora está em relação com a precisão do movimento: quanto mais delicado ele for, menor o número de fibras musculares por unidade motora.

Segundo estimativas concordantes de Gesell[5] e Eccles[6], nosso corpo tem aproximadamente 300 mil unidades motoras – 300 mil neurônios motores medulares.

É com números dessa ordem que lidamos ao falar do aparelho motor. A força da unidade motora é muito variável. Mas a ordem de grandeza é de gramas.

Porém, o número real de esforços que podemos realizar é de uma ordem maior, pelo seguinte: cada unidade motora é passível de, no mínimo, dez graus de tensão diferentes, em função da frequência de descarga do neurônio motor. O *número de esforços* que nos move e imobiliza é, pois, de 300 mil x 10 = 3 MILHÕES!

De regra, na maior parte dos nossos movimentos, funcionam simultaneamente – e precisam coordenar-se – *dezenas a centenas de milhares* de esforços elementares.

NOSSO MOVIMENTO: INTEGRAÇÃO CONTÍNUA DE MICROESFORÇOS

Com técnicas de *biofeedback* pode-se obter ativação voluntária ISOLADA de *um* neurônio motor. Além da prova anatômica e fisiológica, temos mais essa, de que nosso vetor (ou tensor) elementar não é o músculo, mas a unidade motora.

Todos os nossos movimentos e posições dependem, portanto, de um número considerável de esforços minúsculos, o que dá ao movimento bem organizado – fluente – seu inconfundível aspecto de onda, onda feita de milhares de microempurrões de partida, milhares de

5 GESELL, A. *Embriología de la conducta*. Buenos Aires: Paidós, 1974. Segundo o autor, há cerca de 40 milhões de fibras musculares em nosso corpo. (Se cada unidade motora tiver 100/150 fibras, temos 200 mil a 400 mil dessas unidades.)
6 ECCLES, J. C. *The understanding of the brain*. Nova York: McGraw Hill, 1973. Segundo Eccles, há 200 mil neurônios motores medulares. Ponho por minha conta mais 100 mil dos cranianos – 300 mil ao todo.

empurrões de correção de rumo e velocidade e, por fim, milhares de microfreadas – na chegada.

Espero que o leitor esteja surpreendido com as *freadas na chegada*. A verdade é que posso *jogar* o braço com certa velocidade numa direção, mas depois preciso segurá-lo de um jeito ou de outro. O que é claro nos movimentos fortes continua verdadeiro nos movimentos ligeiros. É muito estranho ver uma pessoa com lesão cerebelar fazer o gesto de apanhar alguma coisa em cima da mesa. A mão avança oscilando, ultrapassa o objeto, volta atrás por força do controle visual, mas aí recua demais, bate no apoio... É a dissimetria, a falta acentuada de medida nos movimentos, sintoma característico de comprometimento daquilo que Sherrington chamava de o grande gânglio central do sistema proprioceptivo – o cerebelo. Para que não se pense apenas em lesões graves do sistema nervoso, digamos logo que as dissimetrias funcionais são comuns, acontecem com todos de vez em quando e com alguns frequentemente: o desajeitamento, o atabalhoamento, o deixar cair coisas ou quebrá-las durante sua manipulação, o tropeçar fácil. Não estamos discutindo a possível intencionalidade da falha (que cabe inteira na noção freudiana de lapso), mas apenas o processo neurológico correlato.

Na verdade, toda a patologia da neurose pode ser expressa, pode ser compreendida e modificada se adotarmos a noção de que ela é sempre um distúrbio funcional de motricidade.

Uma das vantagens operacionais do conceito de couraça muscular é exatamente esta: favorecer a descoberta e o aproveitamento das correlações entre o psicológico e o motor. Porque o motor, no limite, está ao alcance do querer e, portanto, pode ser *modificado* por querer (exercícios).

COMEÇANDO COM A POSTURA

Voltemos ao aparelho locomotor – que é predominantemente extrator (postural). Ele é locomotor porque nos translada (move o corpo todo através do espaço) e porque nos move (realiza todos os gestos, caras e atividades que nós fazemos). Ele é extrator porque nos arma e nos mantém armados, ao modo como se arma um guarda-chuva!

Assumida certa posição, podemos permanecer nela vários minutos com pouco ou nenhum movimento. Nesse caso o aparelho extrator compôs uma postura, isto é, modelou o corpo em uma forma tal que ela para em pé com facilidade. Essa é a primeira função postural.

Mas há funções posturais menores que convém visualizar com clareza. A maioria dos burocratas trabalha sentada e, de regra, com os cotovelos apoiados na mesa. Essa é a sua postura básica, global. Seu trabalho propriamente dito, quanto ao corpo, limita-se a pequenos movimentos com as mãos, com a cabeça e com os olhos – e a fala! Essa descrição vale para todos os trabalhos que se realizam estando o operador sentado.

O marceneiro tem de mover-se bem mais amplamente.

Sobre a postura básica (parar de pé), que está na metade inferior do corpo e na coluna vertebral, instala-se a postura de trabalho, mais limitada na extensão, e muito variada na configuração. No caso do marceneiro, há uma boa postura de ombros e um bom balanço de tronco como parte dos automatismos centrados na plaina. A postura muda no momento em que o marceneiro deixa a plaina e pega um martelo, por exemplo.

Guardemos bem essa noção de que existe uma postura de corpo ligada ao equilíbrio do corpo no espaço (é aquilo que se opõe ou impede a queda), e uma postura de trabalho, de regra bem perceptível na região dos ombros e braços – postura da atividade.

Quando o trabalho manual é muito minucioso (relojoeiro, joalheiro), por vezes temos uma terceira postura, a que fixa braço, antebraço e pulso para que as pontas dos dedos possam mover-se com precisão.

A posição dos ombros – braços – mãos do motociclista – quando em exercício! – é diferente da do marceneiro. Ela é simétrica até os cotovelos e assimétrica nas tensões musculares do antebraço e da mão, porque a mão direita tem a preparação para o movimento giratório da manopla do acelerador e para o movimento de agarramento em relação à alavanca do freio; a esquerda só tem o movimento de

J. A. GAIARSA

agarramento da alavanca da embreagem. Enquanto dirige motocicleta com medo, a pessoa *se agarra* às manoplas com as mãos e tende a se agarrar *também* aos estribos com os pés, como se fosse um quadrúmano! Essa hipertonia nas extremidades (contratura *estável* de agarramento) pode prejudicar seriamente os movimentos efetivos das mãos e dos pés sobre as alavancas de comando: na velocidade comum de automóvel e motocicleta, o retardamento de um reflexo – ou seu adiantamento! – pode ser a diferença entre a vida e a morte.

Muitos motociclistas *vão vencendo aos poucos seu medo à custa de tornar crônico o agarramento de mãos e pés* – processo de formação de couraça muscular.

A marca de quem se põe *bem* numa moto é a sensação de peso do tronco sobre o assento. Quanto mais *agarrado* à máquina, menor essa sensação de estar sentado.

Estamos chamando de postura aqueles conjuntos musculares que em dado momento se configuram e permanecem (contrações isométricas), ou que começam a atuar automática e ritmicamente a fim de que outro dispositivo motor, ou uma ferramenta, possa operar apoiado nela – na postura.

A VIDA PESA

O trabalho mais pesado que *todos* executam a *vida toda* é carregar o próprio peso – 70 quilos!

Alguém já disse que a primeira lição que se aprende na família, e a que mais se exerce depois, tanto na vida de cidadão como na profissional, é:

AGUENTE
(a carga, o peso das preocupações,
das obrigações, da responsabilidade,
da culpa, da vergonha).

De que modo um pai *carrega* uma família, o presidente *carrega* as responsabilidades da firma, os filhos *carregam* os pais? Contendo-se em função deles, isto é, mantendo no corpo tensões musculares equi-

44

valentes às de um indivíduo que carrega um peso real, concreto. O peso externo, pois, *não existe* (um pai NÃO carrega a família nas costas), mas o *esforço de contenção* – real, muscular e cansativo –, sim.

Não é *energia psíquica ou libido imobilizada/fixada* numa *estrutura inconsciente*. É um esforço muscular real, que pode ser *sentido pela pessoa* e visto pelos outros, como deformação *mantida* da postura.

A *couraça muscular do caráter é todo o esforço de carga/contenção que despendemos a fim de controlar a fluência dos afetos. É o dispositivo que transforma fluência em estrutura.*

Consideremos também o *peso das responsabilidades* e/ou *das obrigações* – e ao falar dele as pessoas apontam os ombros com as mãos ou os inclinam para a frente. Grande número de pessoas *leva alguma coisa nos ombros.* Quer isso dizer que os ombros das pessoas se comportam:

• como se de fato estivessem carregando um peso (um saco às costas);
• como se houvesse uma corda amarrando ou uma carga solidarizando os ombros;
• como se um ombro – digamos, o direito – fosse levado sempre mais alto e um pouco para a frente, lembrando um arrogante. No ombro esquerdo, um ressentido assustado – ombro sempre puxado para baixo, para trás e para dentro;
• como se o indivíduo andasse derivando: ombros oblíquos em relação à direção da marcha. Digamos – outro exemplo –, ombro direito avançado, *aberto* e alto – em desafio – e o esquerdo recuado e encolhido, tendendo a girar para trás, num esboço de fuga, de *ir embora*; ou apenas como se o ombro estivesse encolhido de medo, mais junto da coluna que o outro.

Tudo isso são *expressões dos ombros*:
• isto é, partes da couraça muscular do caráter;
• isto é, um conjunto de tensões musculares crônicas, inutilmente mantidas (também, hipertonias, contraturas);
• isto é, um dispêndio mensurável de energia (calorias produzidas, oxigênio e glicose consumidos) *sem* função objetiva (ao contrário: com efeitos demonstravelmente maléficos sobre a pessoa);

- a tensão pode ser registrada milimetricamente; é também fotografável e filmável (o *inconsciente* não o é);
- os ombros presos intervêm em todos os movimentos que a pessoa faz; se ela se movesse *sem* as tensões anômalas, seus movimentos sairiam mais fáceis, mais bem organizados, mais eficientes e mais graciosos;
- é difícil para um indivíduo com essas tensões nos ombros abraçar alguém ou fazer um gesto de carícia que *comunique* sentimentos e intenções, ou que desperte sensações agradáveis e convincentes de contato;
- a posição dos ombros faz que a pessoa sofra de forte tendência a entrar em muitas situações *sempre do mesmo jeito*. No exemplo: afirmando-se no desafio do ombro direito (ego: *O que é que há?*) e *negando-se* no recuo do ombro esquerdo (*Medo, eu?*);
- essa *expressão corporal* do personagem – que é visível – faz que alguns indivíduos respondam ao desafio com outro desafio, ou recuando/desinteressando-se, ou com alguma atitude de ofendido, desrespeitado, ameaçado. Já os que percebem melhor o medo (ombro esquerdo) podem assumir atitude de ameaça, de crítica, de desprezo; como é fácil imaginar, *qualquer* uma dessas respostas *reforça* o medo/recuo no ombro esquerdo, que se afasta (recua) mais ainda, e estimula um avanço maior do direito (intensificação da atitude de desafio);
- dito de outro modo, uma atitude típica ou habitual *tende a suscitar nas pessoas próximas uma ou outra das atitudes complementares – o que leva a um reforço dessa atitude*;
- a atitude produz também efeito subjetivo (*para dentro*): a pessoa *se percebe* de acordo com a atitude. Se ela sente como *mais eu* o desafio, tenderá a perceber com mais clareza e/ou facilidade todas aquelas manifestações dos próximos que tenham uma nota ou um sentido de depreciação e de dúvida sobre seu valor. Se ela está mais próxima do ombro esquerdo (do seu medo), não compreenderá por que muitos a agridem ou se fecham (não percebe/não vive/não aceita sua atitude de desafio, que os outros *veem* e à qual reagem).

Esclarecer estas coisas para o paciente,
1) nos momentos em que a gente está vendo,
2) nos momentos em que ele age ou reage em função delas,
3) nos momentos em que acaba de referir fatos pertinentes, é:

A) realizar uma análise polidimensional de um elemento da couraça muscular do caráter;
B) ANALISAR a couraça muscular do caráter;
C) INTERPRETAR (correlacionar) posições, expressões, situações e relatos.

Na prática, muitas vezes há também sonhos – e fantasias – que podem ser interpretados nas mesmas linhas.

O ombro que desafia, por exemplo, pode aparecer no sonho como um pistoleiro do Oeste; o ombro medroso pode ser o covarde do filme ou até, e simplesmente, o medo que ele sentiu no sonho.

Quero dizer que se durante o relaxamento, que é próprio do sono, o ombro esquerdo relaxar *sozinho* a pessoa poderá sofrer de um pesadelo, porque tudo se passa como se as tensões crônicas *segurassem ou contivessem* sentimentos; *no momento em que a tensão cede, o sentimento flui.*

Digo esse fato assim: afeto e postura se combinam, podendo haver, num extremo, posturalização do afeto, que continua a existir na posição crônica do ombro. Tal posição ao mesmo tempo *faz parte* da e *perturba* a postura. No extremo oposto, podemos ter a transformação de uma estrutura postural *em fluência afetiva* (tudo em movimento) – sentimento/sensação que se sente/percebe como sentimento e sensação. A raiva, por exemplo, é sentida como raiva, quente e forte, e não como atitude de distanciamento, de suspeita, de superioridade etc.

O psicanalista chama de reprimido o afeto posturalizado – transformado em estrutura, em defesa.

RELAÇÃO ENTRE FORÇAS CONSCIENTES (VOLUNTÁRIAS) E INCONSCIENTES

(Automáticas: Fiz *sem querer* – *Quando vi já estava feito* – *Fui levado* – *A culpa é dele* – *Fui obrigado...*)

Cremos que uma consideração detida da motricidade pode lançar certa luz sobre o difícil problema das relações entre consciência e inconsciência, sobre ação voluntária e involuntária, inclusive sobre os limites da vontade humana.

Diante do número e da complexidade das forças musculares, podemos dizer com certeza que jamais alguém se moverá *inteiramente por querer*, no sentido de atuando e ao mesmo tempo presente e decidindo a respeito de todas as unidades motoras, dos vários escalões posturais, da complexa movimentação do sistema oculomanual.

Precisamos de servomecanismos complexos que só se prestam a modificações voluntárias dentro de certas condições.

O GIGANTE (O GÊNIO DA GARRAFA) QUE FAZ TUDO POR MIM – BASTA DIZER: "TENHO VONTADE DE"

Além desse argumento a seu modo numérico, acrescentemos o exame de consciência. Se em casa, vendo televisão, começo a ficar com sede, bastará a menor sugestão oriunda da tela – um anúncio ou imagem de qualquer bebida – e, praticamente sem pensar, sem querer, sem nenhum esforço deliberado, levanto-me, vou até a geladeira, sirvo-me e volto. Note-se que o percurso até a geladeira, o abrir e fechar dela, o pegar do copo, o abrir da garrafa são ações bem complexas e vão se realizando como que por mágica, enquanto eu continuo a pensar no que acabei de ver. Para a execução desses automatismos, basta que num e noutro momento *eu dê uma olhada rápida* em torno de mim para achar as coisas, ou para as mãos que estão trabalhando. Essa *vontade de beber água*, que atravessa nossa mente por apenas um instante, mostra-se suficiente para desatar uma longa e complexa sequência de automatismos, que se executa com um controle consciente mínimo – uma olhada rápida a cada vários segundos.

Posso realizar tarefas *prestando atenção* – concentrado –, olhando o tempo todo para o trabalho das mãos e vendo; ou *distraidamente*, olhando só de vez em quando – olhando sem ver ou olhando só para verificar se *está certo*.

Analisemos agora uma atividade que vamos considerar pouco automática – uma atividade na qual a pessoa esteja empenhada e que seja difícil para ela. Digamos, aprender a costurar a máquina – e que a máquina seja mecânica (de pedal). Na certa a pessoa conseguirá primeiro a movimentação dos pedais, que exigem esquemas motores semelhantes aos da marcha ou da corrida, bastante automáticos; logo depois, é certo que ficará olhando a maior parte do tempo para a pequena área de trabalho situada próxima da agulha. É provável que ela veja desde o começo todos os erros que vai cometendo; mas é pouco provável que suas mãos consigam consertar os erros em tempo; por vezes, o esforço de corrigir o erro pode ampliá-lo. Isso porque entre as mãos e os pontos está a fazenda, que não é material rígido; posso dobrar uma extremidade do pano enquanto a outra extremidade continua lisa e imóvel – o que não aconteceria com uma tábua.

Ver e tentar corrigir erros com atraso é próprio do principiante. O segundo erro do principiante é o descuido – a inconsciência – em relação à *postura de trabalho*, ao jeito como o corpo e suas partes se arrumam a fim de bem desempenhar a tarefa.

Certa vez, vendo o cozinheiro de um restaurante fazer o tempero, eu lhe disse: "É bem verdade, moço! No seu mundo cada um é rei".

Ao temperar, ele assumia uma atitude deveras real, de ombros e coluna para trás, olhos e sobrancelhas vendo o mundo lá embaixo, cotovelos abertos, mãos mais altas e afastadas em relação à travessa do que seria conveniente a fim de acertar os temperos nela!

Gesto, postura, face, prazer e competência, todos reunidos: uma ação Real...

Vejamos o que acontece com quem prega um prego pela primeira vez. Tudo está na cabeça do prego – além da qual só existe, em algum lugar do espaço, uma cabeça de martelo que precisa acertar na do prego com impacto! Se o neófito ousar o ato e, a mais, pretender executá-lo em pé sobre uma cadeira (prego de quadro a ser fixado na parede), ai dele! Ou martela o dedo ou – se for muito teimoso – pode levar um tombo.

O principiante só organiza – e minimamente – o sistema oculomanual; o *resto* (o corpo todo!) fica atrapalhando, de regra com dois ou três nós musculares tão ruins que não lhe permitem permanecer naquela posição mais do que alguns segundos. E mesmo assim, que incômodo, que dificuldade e que perigo!

A postura de trabalho é o último passo da profissionalização!

A POSE É UMA POSTURA PROFISSIONAL

Falo da profissionalização de artífices e industriários, e falo também da pose e dos trejeitos profissionais do advogado, do sacerdote, do político, do patrão, do executivo, do publicitário, do artista, do psicanalista, do universitário...

O principiante é inevitavelmente desajeitado e atrapalha-se com os gestos, os materiais, os colegas, as situações e os instrumentos de trabalho. Quando não, apresenta-se rígido de formalismo (mantido de algum modo voluntariamente), para que ninguém duvide de sua competência.

Aliás, essa é a razão da maior parte da insegurança profissional; quanto menos o indivíduo se formou no contato e na interação com seu objeto e seu campo profissionais, mais ele imitará um professor, um instrutor, um chefe, um colega. Mas essa imitação *puramente visual* é uma verdadeira casca sem substância.

Quando o processo é muito acentuado desde o começo, ele tem outro aspecto negativo: IMPEDE o aprendizado real, porque o indivíduo de muita pose profissional é totalmente incapaz de reconhecer os erros que comete; tal reconhecimento abalaria demais sua posição que, de si, é quase só aparência.

Além disso, aqueles que o procuram profissionalmente são intimados e coagidos pela pose, comportando-se de forma dócil – sem causar problemas para o profissional; os poucos que se rebelam encontram uma expressão tão forte de dignidade ofendida que se calam... E o formalista continua impávido na sua respeitabilíssima incompetência. O aprendizado em situação tensa, ameaçadora leva a pessoa a fixar-se fortemente naquilo que deu certo na primeira tentativa, mesmo que o gesto tenha sido mal organizado ou executado com grande dificuldade.

Aprendizado sob ameaça forma aptidão rígida.

Note-se que o aprendizado de atitudes *emocionais* comuns se faz quase sempre assim. Quando uma criança é obrigada a *segurar* o choro (a raiva, o medo, o amor), ela se endurece/imobiliza e fará assim depois, e para sempre, toda vez que tiver de conter o afeto fluente.

As situações fortes, tensas tendem a funcionar como o *imprinting* dos animais: forçar/fixar UMA resposta – a primeira que der certo –, fixá-la como ritual ou compulsão.

Essa é também a psicologia da neurose traumática.

No caso das expressões emocionais – *de mostrar ou conter* raiva, amor, medo –, a essas condições adversas soma-se mais uma, social: *ninguém sabe e ninguém ensina* como se faz para deixar *que fluam* ou como se faz para *conter* afetos de um modo bom, *que não machuque* e que respeite o valor do sentir como dado importante da situação.

É FÁCIL SEPARAR O DE SEMPRE DAQUILO QUE ESTÁ ACONTECENDO PELA PRIMEIRA VEZ

É fácil para qualquer um separar a pessoa habituada com certa atividade da pessoa que pouco ou nunca a realiza. O mesmo pode ser dito em relação ao conhecimento. (De regra, repetimos ou recordamos o *que já sabemos*.)

Pergunto: não será fácil na entrevista clínica, *desde os primeiros instantes*, separar o que o paciente *já sabe* e expõe organizada e facilmente das coisas que ele está aprendendo agora, das respostas novas que está emitindo, da surpresa que experimenta?

Se essa distinção for fácil – acho que ela é –, teremos resolvido um enorme problema técnico de psicoterapia: *quando* intervir. Posso intervir *sempre que percebo o paciente entrando em ações ou reações automáticas*, repetitivas, HABITUAIS para ele.

Entre outras coisas, a psicoterapia é uma revisão de nossos hábitos; começar a percebê-los é o primeiro passo. Examinar – a dois – sua oportunidade e sua adequação é o segundo. Adiante voltaremos à questão.

A FORÇA DE VONTADE VAI DE UM GRAMA A CINCO TONELADAS

Continuemos examinando a neurofisiologia do movimento, e quanto ela esclarece as relações entre voluntário (consciente) e involuntário (inconsciente).

O alcance da vontade é deveras espantoso.

Em experiências de *biofeedback* demonstra-se que qualquer pessoa pode aprender, em poucos minutos, a controlar voluntariamente UMA unidade motora, a ponto de poder decidir a cada instante se certo neurônio motor medular vai disparar ou não, se vai disparar 50, 20, cinco ou *dois* impulsos por segundo!

O limite da ação voluntária é, portanto, a unidade neurológica menor. A força desse impulso voluntário é de algumas gramas na maior parte dos músculos, podendo ser de decigramas e até centigramas nos músculos oculares e laríngeos.

No extremo oposto: se fizermos todos os músculos do corpo se contraírem ao *máximo* (tetania), e se conseguirmos reunir todos esses esforços em um gancho único, este teria força para levantar no mínimo cinco toneladas.

Nunca nos será dado o controle voluntário do corpo inteiro. Para desempenhar-se bem, a vontade precisa *aprender a interagir com automatismos* natos e adquiridos, podendo no limite influir bastante na edificação e desarticulação de esquemas motores, assim como interagir com um grande número de outras organizações automáticas que são dadas e indestrutíveis – fazem parte do plano básico de organização do sistema nervoso. Falo da organização dos subsistemas motores situados na medula, em todo o eixo nervoso encefálico e em muito do cerebelo; é aí que se regula e se coordena o funcionamento de uma porção de mecanismos motores que são usados quando agimos voluntariamente – mas sobre os quais não temos controle direto.

Primeiro, os famosos reflexos de estiramento, que o neurologista pesquisa nos joelhos, nos tornozelos, no braço etc.; são os reflexos mais difundidos do sistema nervoso. *Qualquer* músculo estriado *rapidamente* estirado, mesmo que em apenas três por cento do seu comprimento, responde *rapidamente* com uma contração fáscia forte. A função desses reflexos – *os mais rápidos do corpo* – é essencial para o equilíbrio. Sempre que o corpo se inclina bruscamente em uma direção, os músculos do lado oposto são estirados e automaticamente *puxam o* corpo de volta. Tais reflexos são tão rápidos que agem *antes que se perceba a inclinação.*

Depois, os subsistemas alternantes que integram os reflexos cruzados dos membros, herança nossa havida dos quadrúpedes, essenciais no mecanismo da marcha, da corrida e, na verdade, a todas as atividades realizadas em pé.

Em seguida, os reflexos locais de defesa – classicamente, o encolhimento brusco de uma pata quando se aplica a ela estímulo prejudicial, doloroso. Nesses casos, faço antes de perceber (!), mas *assumo* o ato facilmente, digo que fui *eu* que fiz.

"Eu" e propriocepção estão muito próximos.

Depois, subindo pelo eixo nervoso, os reflexos de enrijecimento dos membros isoladamente, quando o peso do corpo cai mais sobre uma pata que sobre a outra (fazem parte dos mecanismos posturais).

Em seguida, as reações de colocação, que nos permitem, por exemplo, subir uma escada no escuro. O pé sente o nível do degrau e praticamente sem nenhum esforço consciente assentamos o pé na superfície do degrau seguinte.

Depois, também posturais, os reflexos tônico-cervicais, automatismos que funcionam estimulados e guiados por sensações (proprioceptivas) geradas nos músculos e articulações profundos do pescoço, com os seguintes efeitos: quando um animal chega a uma esquina e vira o pescoço (o focinho), digamos, para a direita, automaticamente a pata anterior direita enrijece (eixo de giro), a anterior esquerda flecte-se (prepara-se para empurrar – como a pata posterior direita) e a posterior esquerda também se estende. Algo semelhante ocorre quando o animal – digamos, um gato – se detém diante de um móvel sob o qual entrou um rato: quando o gato baixa os olhos, a cabeça baixa também, o que altera as tensões dos músculos cervicais. Esse movimento de face para baixo logo favorece a flexão das patas dianteiras e a extensão das patas traseiras; o gato aprontou-se automaticamente para entrar embaixo do móvel. O movimento inverso da cabeça – olhar para cima – produz uma alteração inversa no tônus da musculatura dos membros; basta o gato olhar para cima e já está automaticamente colocado e preparado para o salto: patas dianteiras retas (em extensão) e traseiras flectidas.

Nós também temos tais reflexos. Se uma pessoa, andando de bicicleta, voltar a cabeça para um lado, poderá perder a direção porque inadvertidamente um braço agiu ao contrário do outro, e os dois juntos mudaram a direção do percurso sem que, de momento (é uma fração de segundo), a pessoa sequer se aperceba do desvio que seus braços imprimiram no guidão (não ela!). É como um outro agindo à minha revelia!

Eu e propriocepção estão muito próximos.

MEU GIGANTE TAMBÉM RESPIRA POR MIM

É bom chamar a atenção para o fato de que a respiração é a única função visceral executada inteiramente por músculos voluntários e controlada diretamente pelo Sistema Nervoso Central; daí que se possa (no limite é necessário) aprender a coordenar a respiração com todos os movimentos e posições do corpo, como procuramos resumir em outro livro[7]. É no bulbo que estão os centros respiratórios de funcionamento bastante complexo.

7 GAIARSA, J. A. *Respiração, angústia e renascimento*. São Paulo: Ágora, 2010.

No bulbo e dele para cima temos mais alguns subcérebros, de si bem estruturados, com regência total sobre certos conjuntos de movimentos e que a vontade pode usar (imitar) mas, em relação a muitos deles, não pode modificar: bocejo, deglutição, vômito, tosse, espirro. É bom resumir agora o que entendemos por propriocepção.

QUEM É O OUTRO EM MIM (MEU FAMOSO ALTER EGO)

Todas as *sensações* que se referem aos movimentos e à postura (propriocepção) são SENTIDAS por nós como se fossem determinadas por uma VONTADE com a qual por vezes concordamos, sentimos como nossa ou como própria; o eu concorda, sintoniza, assume. Outras vezes, essa vontade nos parece inimiga e nos sentimos COAGIDOS (compulsão).

Mas nos dois casos – sentindo o gesto como meu ou como feito por outro em mim – é

ALGUÉM

que me move, uma pessoa ou algo

muito parecido com uma pessoa, um agente

que tem vontade ou que parece *ter intenção.*

Exemplos: em pé em um ônibus que faz uma curva – *sem* agarrar em nada. A luta *contra* a queda tem aspecto de "eu contra ele", eu e o inimigo (que me empurra). O ego como intenção e como vontade de atuação (de movimento) interage com os velozes automatismos posturais, os quais acabamos de descrever alguns.

Esses automatismos fazem por nós e conosco noventa e cinco por cento do que fazemos, isto é, SÃO a maior parte do inconsciente.

No caso do ônibus, há uma força impessoal (aceleração tangencial) desequilibrando o corpo, *jogando o corpo para fora.* Os reflexos de estiramento, solicitados pelo empurrão, nos mantêm na posição. A essa resposta *automática* (mas SENTIDA) se somam mais duas pelo menos, igualmente automáticas: o esforço que se faz no pescoço para a cabeça não sair pela tangente; e a ativação dos estatocistos do ouvido interno, que nesses momentos funcionam como se a cabeça se *tivesse inclinado* para o ombro externo (em relação à curva).

Toda essa luta primariamente reflexo-postural é sentida de modo drástico como muito *nossa* – muito do eu, muito ligada a/dependente do eu. *O eu como antagonista das forças impessoais que tendem a nos derrubar e como protagonista das forças igualmente impessoais que tendem a nos manter de pé.*

Também o momento de um escorregão é bom para examinar o que acontece entre o eu e a motricidade. Admitamos que a pessoa escorregou mas não caiu. Não foi ela que parou em pé; ela *foi mantida* assim por automatismos poderosos – posturais – equilibradores, muito mais velozes que a deliberação. No instante em que o pé desliza, o eu desaparece – para voltar logo que o equilíbrio se firma. Aí a pessoa acha – tem a sensação de – *que foi ela que se equilibrou* (foi o eu que a equilibrou).

Já quando a pessoa cai, em geral se levanta com ar de quem pergunta: *quem* foi que me EMPURROU?

De momento bastam esses exemplos para se começar a perceber como a propriocepção é sentida pela consciência.

À luz desses reflexos posturais parciais, a couraça muscular do caráter pode ser considerada:

- uma perturbação funcional crônica do sistema extrapiramidal e/ou do cerebelo;
- uma organização viciada da postura *no espaço* (má distribuição das forças que atuam *simultaneamente*) e *no tempo* (sequências motoras mal ordenadas no tempo).

INSTINTO DE ORIENTAÇÃO

É provável que o grupo de sensações mais característico da neurose seja: *estou mal orientado, mal colocado e maldisposto* – sensação persistente de ator fora da sua deixa e de seu papel – fora da cena (e da peça...).

Isso é identificação/projeção e transferência – uma coisa só; três aspectos da postura. Se *estou posto como minha mãe* (identificação), que se queixava e criticava muito, *projeto* no mundo, nos outros, o papel complementar – o de quem é mau e errado: *ele* (o mundo) é assim, então eu *tenho de* ser queixoso e crítico.

O que é transferido? O tempo. Estou sempre no tempo de minha mãe – no cenário de infância. Sou *sempre criança* (estou sempre com ela).

Dizemos que uma pessoa está *mal orientada* numa situação, diante de um ou mais personagens, sempre que ela não esteja *voltada para* e *olhando de frente* o foco da situação. Voltada quer dizer de corpo todo – de frente para.

O *foco da situação* refere-se à pessoa, àquilo que lhe importa naquele momento, que lhe interessa, de quem ela precisa ou gosta.

ENFRENTAR E FUGIR

A expressão enfrentar merece exame. É clássica nos livros de psicologia dinâmica, e com eles se fez popular o termo e a coisa que chamamos de *fuga*; para algumas pessoas mais simples – inclusive certos terapeutas –, a fuga explica quase tudo...

Quase sempre que usamos essa palavra na presença da pessoa envolvida, vai no tom de voz e no jeito de dizer algo de condenador, algo de desprezo e um pouco de irritação: *Você não devia* (fugir...).

De regra, as pessoas não se dão conta de que inúmeras *explicações* dadas a respeito do procedimento desse ou daquele indivíduo têm duas funções primárias: xingá-lo porque ele está me incomodando, e isto desperta minha raiva (como sempre, em vez de dizer *não gostei*, dizemos *ele não devia*); além disso, arquiva-se o problema.

Ao dizer *é assim mesmo, fulano é o dono da verdade*, estamos colocando o personagem numa gaveta de arquivo classificador. Um processo (uma relação pessoal) virou uma coisa (um tipo, um modelo, uma estátua). Uma vez classificado o personagem, cremos todos que *sabemos o que fazer com ele*, não temos mais com que nos preocupar. O genérico absorveu o específico.

Voltemos à fuga e a seu contrário, não menos famoso nem menos usado: ENFRENTAR.

O que isso quer dizer? Olhar de frente – estar de frente –, pôr-se de frente.

Como quase tudo que fazemos é feito com as mãos, enfrentar, na verdade, quer dizer estar ao alcance da mão direita, porque (nos destros) esse é o lugar ou o espaço de nossa eficácia máxima, seja no ataque, seja na defesa, seja na manipulação de qualquer objeto. Esse lugar é muitíssimo irregular porque basta avançar ou recuar um passo e ele já mudou, e não só de lugar – mudou também de estrutura; o passo muda de todo a distribuição das forças corporais que, em geral,

• convergem para a mão direita; ou

• todas as linhas de força que compõem o gesto *aguentam* e equilibram a ação da mão direita – controlada pelos olhos.

Enfrentar quer dizer, portanto e principalmente, ter ao alcance da mão – ou estar ameaçado de perto.

Podemos atribuir a essas duas estruturas de forças e a esse espaço o valor de realidade máxima.

LONGE DOS OLHOS...

Na medida em que um objeto ou uma pessoa *vão-se afastando dessa região* – ou na medida em que *a gente se afasta* –, o objeto vai-se fazendo cada vez *menos real*. Primeiro porque, em condições naturais, objetos e seres distantes dificilmente nos poderão prejudicar. São quase cenários ou cinema, isto é, puramente visuais – imagens. (No caso do homem temos armas que mesmo de muito longe podem nos atingir e matar – e aí eu não sei como as coisas se passam.) Segundo porque, se um perigo vier de longe, a regra é que a gente terá tempo de se defender – ou fugir. Em sentido contrário – ação do sujeito sobre o mundo –, o esquema é mais fechado ainda: o principal que nós fazemos é feito com as mãos. Logo, o que está longe das mãos não pode ser modificado.

Lembremos que nossa estrutura corporal depende da história da vida no planeta, das condições concretas em que o fenômeno vivo se desenvolveu. Como durante um milhão de anos fomos caçadores errantes, há 10 mil somos agricultores e a tecnologia mal tem 300 anos, estamos todos como *velhos* animais em um mundo novo. Daí a validade de compreender a estrutura do *espaço do corpo* do modo como estamos fazendo.

A palavra e certos instrumentos (armas) que *agem a distância* modificam as fórmulas que estamos usando, mas modificam por sobreposição e não por substituição.

Quanto mais longe um objeto, menos se consegue atuar sobre ele (o controle remoto é invenção recente).

O distanciamento tem valor diferente nas várias direções do espaço. Sabemos que *atrás de nós* o mundo não existe para os olhos – mas existe para os sons. O que vem de trás é traiçoeiro, e ao qualificar a traição todo mundo faz cara de quem diz *não é certo, não se deve.* Mas atrás é também o contrário: *deixo para trás ou dou as costas* a tudo aquilo que não me interessa, sobretudo àquilo que não me intimida, não me ameaça.

Dar as costas ao inimigo é o supremo gesto de bravura, e voltar as costas para o outro é um gesto, que acredito universal, de desprezo. Equivale a dizer: *Você não existe.*

Mas *atrás* do sujeito e *as costas* do sujeito são coisas diferentes. Nas costas (na metade *de trás do corpo* – dividido por um plano frontal) *acumula-se tudo que a pessoa reprime/segura.* Porque aí – atrás – *nada nos observa nem vigia.*

Minha frente conheço mal, mas conheço. Minhas costas só posso vê-las *bem* com espelho.

O outro, por sua vez, conhece bem minha frente, mas também conhece mal minhas costas. *Ninguém observa longamente as costas do outro* – ou o outro pelas costas.

Esse silêncio ou essa opacidade *social* das costas permite compreender, em parte, um paradoxo sensorial. Contagens diretas de fusos musculares em várias regiões do corpo mostram a proporção 1:5:10 nos músculos do ombro, do antebraço e da coluna.[8]

Além disso, a coluna contém 160 pequenas articulações, o que também contribui para fazer dela, na certa, a região proprioceptivamente *mais clara* do corpo. Mas o paradoxo é completo: apesar desses fatores favoráveis, *quase ninguém sente ou percebe a própria coluna.* Enfim: a imensa maioria das pessoas, além de NÃO VER, NÃO SENTE as próprias costas e a coluna – que é a região mais sensível do corpo em relação à propriocepção!

É aí que se acumula *o inconsciente.*

Observar simultaneamente (com espelho) a face anterior e posterior do corpo é experiência básica, a ser feita muitas vezes nos cursos de sensibilização para leitura de corpo. Exemplo típico: de frente, *coragem* – peito aberto, amplo; atrás, *medo* – escápulas mantidas juntas da coluna pela hipertonia crônica dos músculos que ligam a ambos.

Enfim, o que se segura na coluna segura-se de vez, pois ela é o eixo necessário de todos os movimentos. Consciência e controle *da coluna* é o ÚNICO exercício do zen-budista, cuja atividade é *ficar sentado* – sem apoio.

Até onde cabem expressões assim, as costas (coluna) são o inconsciente? *Tudo sustentam e a tudo movem*, mas não as percebemos. O amor-próprio, o narcisismo secundário (Freud), o *pride system* (Karen Horney), o pai crítico (análise transacional), a *atitude predominante da couraça muscular do caráter* (Reich) e a superioridade (Adler) estão TODOS – são uma coisa só – *centrados* na coluna.

A reação típica desse sistema é o endireitamento forçado do corpo (empertigação) sempre que o sistema é contestado, negado ou contrariado. Ao me endireitar com força (empertigação), me autoafirmo (sou *muito eu*) ante ou contra o outro; *diminuo* o outro – me ponho *acima* dele.

Posto em palavras, essa resposta – que é também a reação do corpo à queda quando empurrado *por trás* – poderia ser: *Quem você pensa que eu sou ou quem você pensa que é? Veja com quem está falando!*

8 GRANIT, R. *The basis of motor control*. Londres/Nova York: Academic Press, 1970.

No plano proprioceptivo, a palavra em contracanto é:
"Você não percebe que está me empurrando?"
"Você não percebe que está perturbando meu equilíbrio?"
"Você não percebe que está me fazendo balançar?"

Na frente há subdireções de espaços também significativas. Ao terminar uma tarefa, a gente *a põe de lado* – de regra, do lado direito. Quando me coloco diante do outro de tal modo que ele fica 45 graus à minha direita (ainda meio de frente para mim), essa posição corporal e ocular pode significar uma de duas coisas: *estou pondo você de lado, você não é muito importante*; mas pode dar-se, ainda neste caso, que a gente esteja *começando* a se voltar um para o outro, caminhando para um enfrentamento: *você está começando a ficar importante para mim ou começando a me interessar*.

Em relação ao lado esquerdo, o sentido deve ser diferente porque o espaço da mão esquerda é menos complicado que o da direita (a mão esquerda é menos hábil) e de regra ela é pouco autônoma, tendo sido exercitada quase sempre como auxiliar da direita. A mão esquerda funciona, quase sempre, como *ajudante* da direita, como morsa, como alicate – prendendo, firmando, girando e oferecendo um objeto para que a mão direita execute a tarefa propriamente dita.

Nossas mãos, aliás, são o exemplo mais claro de duas partes do corpo que podem interagir, entre si ou com este mesmo corpo, de mil maneiras, como se cada uma delas fosse um personagem bastante complexo, relativamente autônomo, capaz de fazer muita coisa sozinho – e também de cooperar com o conjunto.

A noção de partes da personalidade (parte ativa, parte maníaca, parte depressiva etc.) poderá ganhar nomenclatura e inteligibilidade se começarmos a estudar e a sentir como interagem as partes do nosso corpo – cujas partes têm sentido. Não sei se parte psicológica tem.

É fácil *psicologizar* as mãos. Depois da face e da voz, as mãos são as partes mais expressivas do corpo.

A capacidade expressiva de qualquer parte do corpo é proporcional ao número de movimentos que ela pode fazer – ao número de sinais que ela pode emitir.

Na frente (e no alto!) temos também

OLHAR e/ou SER OLHADO

DE CIMA		CIMA
PARA		PARA
BAIXO	OU	DE BAIXO

Esses são os sinais mais frequentes, mais evidentes (e não muito bem percebidos) em todas as pirâmides de poder, das internacionais às familiares. Mas é preciso sublinhar que o simples desnível de olhos entre os participantes da dupla não garante a obliquidade do olhar. Há pessoas tão superiores que conseguem olhar para o outro *de cima para baixo* mesmo quando estão sentadas – e o outro, em pé!

Acho que Napoleão olhava assim... O contrário também existe: há pessoas tão submissas que conseguem olhar o outro de baixo para cima mesmo quando seus olhos estão bem mais altos que os do outro.

As direções oblíquas, as bissetrizes entre a horizontal e a vertical, têm valor específico, mas se acompanham quase sempre de uma ligeira inclinação da cabeça em sentido contrário ao do olhar. A direção para baixo e para o lado é muito característica da atitude de desdém – olhar que põe o outro de lado, o diminui (olhar para baixo) e o afasta, como o *zoom* de cinema. O desdém é um desprezo que põe o outro por baixo, de lado e distante!

Esse triplo movimento é a melhor defesa que posso usar contra tudo que o outro possa fazer para me atingir.

O olhar oblíquo para o lado e para cima – com a cabeça inclinada – parece nítido no ressentido, no segundo ou no vice de qualquer grupo, quando ele olha para o rei – nos momentos em que o rei não está olhando, nem os outros! O desconfiado se caracteriza pelo movimento vivo do olhar *sem que a cabeça se mova*; se a cabeça se mover, o *outro* vai perceber que ele está interessado; se só os olhos se moverem – e rápidos –, pode ser que o outro não perceba. Mas também podemos dizer que o desconfiado é alguém assustado ou enraivecido, que tenta disfarçar/controlar o medo (ou a raiva).

Convém esclarecer o porquê do sentido desses movimentos. Eles têm *valor e significado* porque nossa máquina motora assim o determina. O espaço se faz simbólico porque as aptidões motoras do corpo são assim. O que vem de frente é leal – *mostra* tudo. O traiçoeiro *eu não vejo*. O destro é como eu; o outro é... sinistro (ele *não faz* como eu; seu espaço é diferente do meu).

O MODO DE VER E O PONTO DE VISTA DEPENDEM DA POSIÇÃO

Voltando: colocar-se e ENFRENTAR a situação, ou o outro, é pôr-se da melhor maneira possível, tanto em relação às minhas *ações possíveis* como à *percepção* da cena – que mostra as *intenções* dos outros, ante as quais tenho de me colocar. Esclareçamos esta parte: é diferente a impressão que recebo do mesmo objeto conforme a maneira como me coloco diante dele.

Se me coloco de superior olhando o outro bem de frente *e de cima para baixo*, tudo aquilo que ele fizer será percebido por mim como um rei percebe as reações do súdito. Se ele fizer ou disser algo CONTRA mim, percebo (recebo) seu atuar como insubordinação, desrespeito ou subversão (ele me quer *derrubar* da minha alta posição). Se ele disser ou fizer algo a favor, então está tudo certo; não preciso me incomodar: ele sabe qual é sua posição!

Desse modo podemos compreender com clareza como uma defesa ou resistência psicológica defende.

Se minha atitude o *põe* abaixo de mim, como posso, depois, me incomodar com o que ele faz? Claro que ele *não me atinge*.

O povo só atinge o rei na hora do atentado – dois segundos a qualquer momento.

Idealizar, divinizar, mistificar, *submeter-se à autoridade* – é olhar o outro *de baixo para cima* e de longe; é pô-lo lá *no alto*, e desse modo também o *afasto* e me protejo.

Estamos examinando e dando exemplos de fatos relativos à couraça muscular do caráter. Estudamos alguns pormenores do funcionamento do segmento ocular da couraça que, porém, vai sempre junto com a posição da cabeça, da coluna e na verdade do corpo todo.

ENCONTRO (AGRESSIVO) E AVALIAÇÃO INSTANTÂNEA DO OUTRO

Colocar-se é um dos momentos fundamentais do instinto de conservação, ou de autodefesa.

É o momento decisivo do encontro agressivo (presa-predador) e podemos vê-lo totalmente desabrochado – na esfera humana – no duelo singular de espadas dos samurais.

Os oponentes, distantes cinco ou seis metros um do outro, ficam olhando-se atentamente, e ao mesmo tempo fazem uma dança lenta um em torno do outro; vão colocando o corpo e a espada em posições diferentes, às vezes como ameaça, às vezes como defesa. No grande combate clássico, essa dança demora algum tempo, mas de regra finaliza-se o ritual, a luta e a vida num instante só: quando um dos oponentes percebe que a posição do corpo e da espada do outro abriram uma brecha de fração de segundo.

Isto é, mesmo que o outro *se mova a partir de agora com toda a rapidez possível, não mais conseguirá aparar o golpe.*

O exemplo equivalente entre os animais temo-lo, modelar, nos gatos – pequenos e grandes –, espantosas máquinas de caça e morte. Os gatos vivem de sua coordenação motora mais do que qualquer outro ser vivo. Que é a caçada senão a busca do *momento* em que minha postura (dinâmica) encontra a postura da presa, postura tal que não é defensável? O *jeito* do corpo fica bom para que o predador dê o golpe de morte.

Enfrentamento e colocação podem ser tidos como sinônimos. Poderíamos dizer colocação adequada ou inadequada, mas prefiro as expressões tradicionais *bem colocado e mal colocado.*

Assinale-se com força: *bem colocado* é
UMA posição e só uma. *Mal colocado,*
porém, pode ser *uma porção de
posições* que vão de aceitáveis a
péssimas.

MEUS OLHOS VEEM O QUE MINHA ATITUDE PERMITE, EXIGE OU CRIA

Convém ampliar também esse outro ponto, que ainda cuida da influência da posição do sujeito sobre sua percepção.

É do conhecimento popular e tem servido a anedotas sem conta, isso que algumas pessoas conseguem, como Midas, transformar tudo na mesma coisa.

O exemplo mais frequente talvez seja a vítima. Algumas mães são incrivelmente hábeis em sentir e mostrar, em tudo que lhes acontece, quanto sofreram, quanto foram incompreendidas, esquecidas, injustiçadas, perseguidas, maltratadas...

Um dia imaginei fazer um filme com um personagem assim. O filme, depois de caracterizar o tipo, mostraria um milagre que Deus faria em benefício da vítima: pô-la num mundo absolutamente perfeito – onde não houvesse a menor razão de queixa.

Não custa imaginar que ao cabo de poucos dias, senão de poucas horas, a pessoa ficaria completamente perturbada por não poder exercer sua habilidade mais bem cultivada – o sentido de sua vida. Ela se sentiria exatamente assim: sem sentido.

A vítima sofre de uma aptidão específica, milhares e milhares e milhares de vezes exercitada e reforçada ao longo de muitos anos; a vítima é uma especialista, e a resposta de vitimização é a mais veloz das suas respostas; por isso chega sempre primeiro, com forte tendência a bloquear qualquer outra resposta.

Sabemos todos que nos nossos momentos ruins tudo parece ruim: se vou pela rua deprimido, percebo com clareza a sujeira da cidade, os buracos, os mendigos, os preços altos nas vitrines, tudo aquilo que não posso ter.

E fico mais deprimido.

Já se estou bem-disposto ou alegre, sou capaz até de olhar para o céu, de me encantar com as nuvens e os passarinhos...

As coisas da percepção acontecem muito de acordo com a expressão da face e a atitude do corpo.

Pessoas – mais mulheres que homens – com uma expressão fácil de surpresa nos olhos tendem a perceber a maior parte das coisas que acontecem em torno delas como se fossem... surpreendentes!

São as deslumbradas.

O preocupado (apreensivo), caracterizado pelo sulco forte e rugas no sobrecenho, visivelmente consegue *caçar* perigos, possibilidades negativas e ameaças em qualquer situação. Ele é um especialista em achar coisas erradas que podem ter más consequências. O fato de o nó principal estar junto aos olhos também mostra, por si só, que o preocupado *antecipa* perigos.

Note-se, com força: tudo que ele vê existe; a repressão é aquilo que o impede de perceber OUTRAS coisas, que também estão aí – ou outros significados dos mesmos objetos. A pior palavra usada em psicologia – projeção – faz acreditar que todos veem o que não existe, mas nem um demente completo pendurará o paletó numa parede que não tenha ao menos um ponto escuro para lembrar um prego...

OLHAR É PREVER

Os olhos são o começo de qualquer previsão, antecipação ou preparação – especificamente, daquilo que está *na frente* da gente. O ouvido também permite antecipar (e o olfato), mas no todo dia, quando o ouvido percebe algo inusitado, no décimo de segundo seguinte já *olhamos na direção* de onde veio o som.

O ouvido, portanto, não antecipa em sentido próprio: ele dirige ou chama o olhar.

Na situação de conversa ou diálogo, as variações de tonalidade da voz, mesmo sendo sons, não chamam o olhar, mas note-se que tal situação *quase nunca é de ação nem de risco imediato.*

Dentro do campo conceitual da *colocação*, convém isolar o conceito menor de *disposição*, que se refere ao arranjo das partes do corpo umas em relação às outras. O conceito tem utilidade analítica. Uma mãe pode estar interagindo com o filho enquanto cozinha. Nessa situação, frequentemente a mãe estará atendendo mal tanto ao filho quanto à comida, havendo discordância na posição das várias partes do corpo, de tal forma que ela nunca estará verdadeiramente empenhada no preparo da comida nem no cuidado com o filho.

"Ninguém pode servir a dois senhores..." (Jesus Cristo)
Quando se começa a olhar para as
pessoas, logo percebemos que várias
partes do corpo podem se apresentar
cada uma com uma tendência, uma
direção ou uma inibição própria, diferente
das demais, e não raro contrárias
ou divergentes entre si.

O EU (O CORPO) DIVIDIDO
Exemplo. A pessoa pode:
gesticular dramaticamente com as mãos enquanto
olha friamente,
enquanto a *boca* mostra uma *expressão de enjoo*;
enquanto as *pernas* paralelas e os *pés juntos* (a pessoa
sentada) sugerem fortemente *a menina bem-comportada*;
enquanto *a posição da coluna e da cabeça* põe a pessoa
acima do outro.

Basta a descrição para compreender o que quer dizer *disposição* das partes do corpo – que também pode ser considerada um instinto, pois tem tudo que ver com a postura.

Se um animal entrasse em luta de sobrevivência atuado por tantas tendências contraditórias, na certa pereceria.

Aproveitamos o exemplo para examinar ligeiramente as dificuldades do interlocutor dessa pessoa – que poderia ser um terapeuta. Claro que é possível responder *a cada uma* das expressões/tendências, mas é clara também a impossibilidade de responder *a todas elas ao mesmo tempo*, e será difícil responder a uma delas sem frustrar as outras.

Desde que me iniciei na arte, sempre senti uma aversão quase instintiva de falar e admitir *partes* na personalidade; a parte feminina, a parte exibicionista, a parte agressiva, a parte infantil, o id, o pai crítico...

De outra parte, nosso exemplo mostra que essas partes podem existir NO CORPO, de forma plausível e demonstrável (posso fotografar a pessoa e mostrar-lhe as coisas que vi nela).

Mais do que isso: parece-nos que esse modo de colocar o problema permite aprofundar como são e como se relacionam essas várias partes do corpo; e, bem freudianamente, partir daí, do corporal, para compreender o *mecanismo* psicológico correspondente.

A nosso ver, a melhor intuição psicanalítica foi a da analogia estrutural entre o corpo e suas funções fisiológicas e, de outra parte, o psíquico, sua dinâmica, sua configuração/organização.

De novo, não se compreende como foi possível intuir esse princípio naquela situação – a analítica – em que o corpo não existe (em que o corpo não é visto, é apenas falado).

A descrição que fizemos, com cada segmento do corpo emitindo um sinal diferente, coloca de modo claro, registrável e experimental:

1) o problema de *qual é a interpretação a ser dada aqui e agora* – entre as muitas possíveis;
2) a possibilidade da existência de vários *complexos* relativamente autônomos, coexistentes e coatuantes;

3) o problema das mensagens duplas. Como se vê no exemplo, não são apenas duplas; podem ser *múltiplas* – e de regra são.

Deve-se dizer que *inconsciente*, nesse caso, significa que o *terapeuta não tem consciência daquilo que está vendo*; mais radicalmente, ele nem percebe, nem parece estar interessado em perceber, o *que está diante dos seus olhos*.

Ao longo do nosso caminho voltaremos a essas questões muitas vezes.

ORIENTAÇÃO – INSTINTO PRIMORDIAL

Além da colocação e da disposição do corpo no espaço, temos a orientação, que é o conceito mais abrangente.

Orientação refere-se a direção; trata-se, portanto, da direção da colocação! Em psicologia, o termo está muito longe do sentido original. Fala-se em orientação vocacional, fala-se, às vezes, em orientação de vida, mas o conceito não é usado com a frequência que merece, nem se lhe atribui o valor que tem.

DESEJO vem do latim de-SID-erio: SID, do Zenda, significa estrela, como se vê em sideral; seguir o desejo é seguir a estrela: é estar orientado, é *ter sentido*.

O nível do qual se fala na orientação vocacional e de vida é um pouco alto demais para meu gosto, e de regra baseia-se em testes. Estou me referindo a algo mais próximo e mais imediato. Se a boca do lactente *não encontrar* o mamilo, não há alimentação; se o pênis não encontrar a vagina, não há sexo; se o animal ou o ser humano não encontrar a comida, ele morre.

Para os animais, *encontrar o que é preciso* para a sobrevivência e dispor de mecanismos que permitam a abordagem e a interação é com certeza a condição primordial para a continuação do indivíduo e da espécie.

Nos textos de psicologia (humana) esse verdadeiro instinto é pouco e mal falado. Na verdade, é o que está na base de qualquer outro instinto, aceitando-se que o objeto do instinto esteja sempre fora do sujeito.

Aí vai todo o valor do aparelho locomotor; ele é, precisamente, o dispositivo que, atuado pelo desejo, pela necessidade ou pelo hábito, leva-nos pelo mundo em busca do que queremos e nos permite contatar o objeto do instinto e interagir com ele – *realizá-lo*.

Aqui, também, o preconceito que sistematicamente ignora o valor das ações, achando que basta a elaboração interior e depois *tudo acontece sozinho*, nos impede de perceber que é a movimentação que determina a eficiência, inclusive nos desempenhos automáticos inatos, nas *ações instintivas* propriamente ditas.

Como sabemos, um dos grandes dramas de todos é não alcançar certas metas ou, inversamente, não conseguir *deixar de fazer* coisas prejudiciais, por mais que a pessoa queira e se esforce.

Por exemplo, a esposa que, com gestos carinhosos, tenta agradar ao marido frio, reservado ou distante; mal recebida de início, ela *redobra* os gestos carinhosos que vão fazê-lo *mais* frio, *mais* distante, *mais* reservado... O impasse se estabelece cada vez mais depressa a cada novo encontro. Depois de um tempo, os dois não conseguem nem se olhar e a briga – parada – está aí.

O equilíbrio é *ruim* para ambas as partes, mas é MUITO estável, e a cada dia que passa fica MAIS estável.

Também se pode dizer: dialética. Um dos personagens é a tese e o outro, a antítese. Os dois estimulam um ao outro, ou os dois alimentam uma interação cíclica estável: uma *síntese*!

Pessoalmente, quando explico ou compreendo uma manifestação do paciente deste modo, fico satisfeito. Parece-me o tipo ideal de interpretação: como *eu faço* (gestos, caras, olhares) para *fazer o outro entrar na minha roda* e ficar preso nela JUNTO COMIGO, os dois parados: ele a achar que a culpa é minha e eu a achar que a culpa é dele – os dois pouco convencidos... Ou então digo que *ele deve* e ele diz o mesmo para mim – e nada mais acontece.

O caso dos conselhos maternos repetitivos é um drama cósmico – pela frequência. Muitas mães repetem *milhares de vezes* conselhos, pedidos e súplicas, conseguindo com isso, apenas, *que o filho ouça cada vez menos* (o que a faz falar cada vez mais). Isso torna *ambos* muito infelizes e nenhum dos dois consegue FAZER diferente. Ainda *antes das primeiras palavras*, as *atitudes* já são de antagonismo, teimosia, desprezo...

Na maioria desses casos, talvez em todos, é essencial abandonar o *circuito verbal de controle do outro* – ou de controle recíproco – e iniciar o controle visomotor: *o único jeito de acertar em educação (e em tudo mais) consiste em* VER *as consequências do que se disse ou se fez.*

Tanto o nosso Jurídico (explicações, justificativas, desculpas) como a Escola se coligam na determinação desse hábito fundamental das pessoas alfabetizadas: o *importante* – na vida – é dar a resposta certa! É assim que se passa no exame!

E todos confundem implicitamente resposta verbal *certa* (passar no exame) com *atitude assumida* ou ação realizada. Na verdade, entre a declaração e a atitude das pessoas, de regra, vai um fosso intransponível: o que as pessoas *dizem* tem pouco que ver com o que fazem e *falar certo* – sabemos – tem pouco que ver com agir certo. Mas, na escola, as duas coisas são uma só. No Jurídico também.

É preciso passar então do diálogo verbal – ou da *jogada verbal* – para o exame e a reorganização da orientação, da colocação e da disposição das partes do corpo do outro, e sua CORRELAÇÃO com a *minha* preparação.

Dito de outro modo, passar das palavras às atitudes.

Na maior parte dos diálogos entre os indivíduos, o principal se resolve com duas ou três idas e vindas verbais – quando se pretende resolver. Tudo que vai além dessas poucas idas e vindas, sabemos, é lenga-lenga jurídica: *mas você não compreendeu, não fui claro, desculpe, não sei me exprimir, não foi bem isso...*

QUANDO UMA DISCUSSÃO AMEAÇA NÃO TERMINAR, É HORA DE DEIXAR DE OUVIR E COMEÇAR A VER

Um dos dois está, por exemplo, *na atitude* de quem cobra explicações (autoritário, juiz), e o outro entra no papel de acusado – e explica, e explica... Quando se denuncia o tribunal, muitas vezes a discussão cessa.

Outras vezes é o entusiasmado e o pessimista, o dogmático e o crítico, o professor e o aluno...

Por vezes, há mensagens duplas ou múltiplas exclusivamente no falar. Se a mãe dá uma ordem em tom de súplica, ou se pretende mostrar paciência mas está sentindo raiva – e isso aparece –, é claro que ela não conseguirá o que pretende.

Pode-se dizer:

A COURAÇA MUSCULAR DO CARÁTER É O
CONJUNTO DOS FATORES QUE FAZEM A
PESSOA ERRAR A ORIENTAÇÃO, A
COLOCAÇÃO E A DISPOSIÇÃO DO
CORPO, DENTRO DA SITUAÇÃO,
EM RELAÇÃO A METAS PRETENDIDAS
OU NECESSÁRIAS.

O *paciente* (alguns pacientes) é monótono e insistente; o terapeuta na certa MOSTRA-SE tolerante e paciente – alimentando assim a monotonia e a insistência do outro. Ele – o terapeuta – faz *de conta* que tem paciência e julga poder disfarçar seu tédio ou sua irritação. Pensamos que, ao negar essas coisas em nós, elas ficam escondidas. Mas não ficam. São percebidas e reforçam a monotonia e a insistência do paciente (que é uma agressão – à qual eu, surpreendentemente para ele, não respondo).

UM HOMEM PREVENIDO (PREPARADO) VALE POR DOIS

Frequentemente neste livro resumiremos a colocação, a disposição e a orientação no termo PREPARAÇÃO.

Gostamos muito desse conceito, que contém preciosa sugestão postural. Preparado quer dizer "pré-parado"! Parado antes de parar é a tradução literal; na verdade, preparado para parar de certo modo. A palavra contém a intuição de que as ações – quaisquer – partem de uma base postural *específica*.

Embora grosa, lima e formão (escopro) sejam semelhantes no que se refere ao gesto de uso, a verdade é que *cada uma* dessas ferramentas, para ser *bem* manejada, com eficácia máxima e esforço mínimo, exige atitude de base própria. Isto é, elas demandam *preparações posturais diferentes*.

Convém perceber que a preparação, em ampla medida, é automática – ela se faz *sozinha*; mas a atenção (ou a consciência) pode ajudar bastante na sua elaboração mais fina.

Situação ideal para estudar o problema é a do indivíduo que se inicia em uma nova atividade. Se a atividade é *grande* – casamento, formatura –, sabemos que ela se pode fazer necrotizante, justamente porque exige grandes mudanças no conjunto de automatismo que é a PERSONALIDADE.

Queremos sublinhar que as *posições* corporais das pessoas, quando *se relacionam* entre si, são tão analisáveis visual, biomecânica e significativamente quanto as posições dos artífices ou dos esportistas.

O otimista, o deprimido, o autoritário e o sentencioso – para lembrar uns poucos exemplos – são tão típicos posturalmente quanto o halterofilista, o nadador e o bailarino.

Um bom ator desenvolve a postura – atitude – certa para seu personagem; caso não o faça, o personagem não terá consistência nem realidade. Pessoa CENTRADA é a que está sempre bem-posta, bem colocada e bem orientada no aqui/agora.

IBOPE E SIMPATIA

Quando duas ou mais pessoas estão em presença, forma-se uma estrutura teatral. Uma ou mais pessoas OLHANDO PARA alguém já são uma audiência; o ponto de encontro dos olhares é o palco, e o personagem que está nesse ponto é o protagonista.

Quando juntas, as pessoas rapidamente assumem poses mais ou menos típicas: o falante monopolizador, o eterno ouvinte, o que tenta interferir e desanima, o que fica na moita até o falador perder o fôlego, o que acha graça de tudo, o que acha tudo muito importante e vai dizendo sim com a cabeça o tempo todo...

As coisas se passam como se as pessoas brigassem entre si (de forma insinuada) e quisessem – cada uma – ocupar o palco (o centro); ou fugir dele quando as coisas ficam quentes demais.

Ao mesmo tempo, os olhares, os sorrisos, os gestos vão deixando entrever as relações de simpatia e antipatia entre os presentes (a política latente, a formação de partidos, alianças e conchavos – tudo no maior silêncio...).

E depois vem Melanie Klein dizendo que a ansiedade persecutória começa nos primeiros dias da vida e que é uma vivência infantil a ser superada!

Note-se, nessa descrição: os dois papéis. A relação coletiva com o grupo e a formação do palco/audiência de um lado e, de outro, a relação afetiva entre este e aquele ocorre de regra SIMULTANEAMENTE, o que nos permite falar de *vários personagens* agindo *em cada* pessoa AO MESMO TEMPO.

Essa atuação múltipla tem sempre um efeito: NENHUMA das reações das pessoas é pura – em nenhum desses gestos e movimentos a pessoa estará INTEIRA.

Quem está preparado para várias coisas não está pronto para nenhuma.

PERDIDOS NA MULTIDÃO

Quando o diálogo é atento de parte a parte, ele é sempre terapêutico, faz sempre bem, é construtivo, permite estabelecer posições mais ou menos claras; quando as posições são claras, a interação inconsciente se reduz, e o que possa surgir como desentendimento pode ser bem percebido, denunciado e muitas vezes resolvido.

Mas é claro que o personagem precisa *ser visto inteiro*, e por mais que ele pareça estar comigo a regra é que ele esteja (e eu também), em maior ou menor medida, encarnando um ou mais personagens interiores (suas identificações).

A couraça muscular do caráter é a soma desses personagens. Tal soma complexa atual tal qual correção paramétrica, influindo no significado de tudo que ele percebe, do que lhe dizem ou do que fazem com ele. Do que ele percebe do mundo e EM SI MESMO.

É o viés ligado à atitude.

O indivíduo respeitável se ofende à toa, o medíocre espanta-se ou infla-se ante o elogio (que nunca recebe), o pessimista, ao ver uma criança sorrindo, pensa: *Coitada, se ela soubesse o que a aguarda...*

CONTATO OU NÃO? (PRESENÇA OU NÃO? EU E VOCÊ AQUI E AGORA OU NÃO?)

Consideremos o que acontece na entrevista clínica, quando ela ocorre face a face – os dois sentados. Será que o paciente está falando comigo – *bem comigo, só comigo*? Caso ele esteja declarando sensações ou sentimentos pessoais, será que ele está falando *bem consigo mesmo*? Quando falo, será que ele está ouvindo? Ouvindo bem ou apenas ouvindo – e ao mesmo tempo seguindo um pensamento próprio que corre paralelo à conversa comigo? Ou está completamente alheio (olhar longe, vazio, a cabeça concordando automaticamente)? Essas perguntas, em geral, podem ser respondidas pela observação atenta da posição de seu corpo e do meu, pela posição da cabeça e dos olhos – dele e meu; pelo tom de voz e, na verdade e bem no fundo, por uma espécie de coerência entre a *palavra articulada*, a música da voz, a *atitude* do corpo e as *expressões da face e das mãos*. Essa coerência pode existir – e então está certo –, sendo isto que se pretende: a pessoa está *enfrentando* a situação, o terapeuta e a si mesma, falando de modo que não deixe dúvidas no interlocutor. Mas os gestos – expressões – podem discordar, gerando no interlocutor a sensação de dissociado, dividido, indo em várias direções ao mesmo tempo. A pessoa não convence e seu agir é forçado – na verdade, seu agir NÃO TEM FORÇA para interessar. É chato.

Quando *estamos interessados* percebemos melhor o outro – se ele está com a gente. Mas se estou pouco interessado, apenas cumprindo um *dever profissional*, pode ser difícil saber se o outro está comigo ou não.

Ouvir com atenção quer dizer: inteiramente presente, sem estar sendo influído por mais nada a não ser minha fala, e ouvindo por inteiro – *com todas as partes do corpo* – sem que nada esteja fora, longe, de lado.

Em família, as pessoas não ouvem talvez nem dez por cento do que é dito; em reuniões sociais entre indivíduos pouco conhecidos, idem. Entre amigos, talvez se chegue a 30%. Só nas horas ditas importantes – de crise –, quando uma decisão não pode mais ser postergada, as pessoas *falam a sério* (PENSAM antes de falar). Porque de regra elas falam antes de pensar... A fala também é MUITO automática.

Uma boa característica de diálogo verdadeiro – durante o qual ambos os interlocutores estão *pensando no que dizem* e depois *pensando no que ouvem* – é a presença de intervalos longos de silêncio entremeando as falas.

Melhores que *pensando em* seriam expressões como *presente a,* considerando, *ponderando* (pesando).

AS CONDIÇÕES DE EFICIÊNCIA MÁXIMA DE NOSSOS MOVIMENTOS

Vamos aprofundar outro aspecto da nossa organização osteomuscular e depois estabelecer as correlações fenomenológicas.

O esqueleto humano é um sistema de suporte e movimento bastante complicado e muito exótico – se o confrontarmos com engenhos mecânicos. O confronto com guindaste é frequente nos textos didáticos. Mas no guindaste cada movimento é feito por *um só órgão*: a cabina apenas gira dentro de um círculo *regular e único*; a lança apenas sobe ou desce *no mesmo plano*, atuada por *um* cabo ou por um conjunto de cabos paralelos; o gancho apenas sobe ou desce, segundo uma *vertical*, atuado, ele também, por *um só* cabo pelo qual passa o esforço principal. Esforço e estrutura material, por meio da qual ele se exerce, têm uma única direção e são coaxiais.

Consideremos nosso braço, como se ele fosse um guindaste. Temos primeiro o deltoide que, em vez de ser parecido com um cabo, é uma superfície triangular de esforços; mecanicamente ele se comporta como dezenas de milhares de cabos de tração dispostos *em leque* com o cabo no úmero (vértice externo) e a base, curvilínea e convexa para fora, inserida continuamente na borda externa de quase toda a espinha da escápula e no terço externo da clavícula.

Dada essa disposição, vemos que o braço poderia ser elevado pela contração das fibras medianas do deltoide, por essas e mais todas as outras ou, ainda, apenas pelas fibras extremas, anteriores e posteriores.

O abaixamento do braço não precisa de músculo nenhum para se realizar – basta que se deixe de fazer força. Mas se estamos agarrados pelas mãos a uma barra fixa, os músculos *abaixadores do braço* (adutores) podem... levantar o tronco, *enganchados* nos úmeros fixos na barra. Para essa função, temos pelo menos dois grandes músculos agindo: o grande dorsal e o grande peitoral; e vários músculos menores: o redondo maior, o corpo maior do tríceps e do bíceps e o coracobraquial, auxiliados pelo supraespinhoso, o subescapular e o pequeno redondo.[9]

Note-se o número e a diversidade dos cabos de tração ligados à adução do braço. Logo ocorre a pergunta: por que essa redundância? Por que tantos músculos adutores do braço? Não seria mais simples e eficiente ter um só?

Como em nossa musculatura tal redundância é a lei e não a exceção, se cada junta do corpo tivesse uma só qualidade de movimento e fosse atuada por um só músculo, parece que a organização dos nossos movimentos ficaria consideravelmente facilitada. Mas não é assim. Em torno

---

9 Na descrição das posições e ações dos músculos, nossa referência constante é o homem em *posição* (*de descrição*) anatômica: em pé, de frente para o observador, pés paralelos, palmas das mãos abertas voltadas para a frente.

de cada junta existem sempre vários músculos, todos eles variavelmente oblíquos em relação à direção do movimento que produzem.

A explicação dessa redundância é uma só: VERSATILIDADE.

Como as partes de nosso corpo são muitas e se dispõem variavelmente, para *cada posição relativa* de uma articulação existe *um músculo* que consegue atuar de *forma ótima* naquela posição; variando a posição, varia o músculo que entra em ação para produzir o mesmo movimento. Por exemplo: consideremos os músculos da perna na execução de um chute. A organização dos esforços musculares da perna para um chute é bastante diferente se o chute é de peito ou de bico, se ele é dado com a borda interna ou com a borda externa do pé.

O caso é mais complicado que isso. Consideremos o músculo grande peitoral, que se prende ao úmero por um tendão curto e largo e depois se abre como um leque, inserindo-se na metade interna da clavícula, em toda a borda lateral do osso esterno e em parte da caixa torácica.

As fibras superiores estão a 45° para dentro e *para cima* em relação ao úmero, e as inferiores a cerca de 30° para dentro e *para baixo*. É fácil imaginar que se eu tiver de manter o braço bem junto do corpo, o valor das contrações destas fibras na consecução do que se pretende é muito desigual.

O esforço muscular mais econômico é o das fibras musculares *que incidem perpendicularmente sobre a alavanca óssea*; quanto mais oblíquos em relação à perpendicular, menos eficientes. Se pretendermos maximizar o rendimento muscular – se quisermos resultados com economia de esforço –, então aprenderemos a usar o grande peitoral principal ou exclusivamente nas suas fibras horizontais, quando quisermos a adução precisa e econômica do braço.

Temos um grande número de músculos largos, mais ou menos triangulares, por vezes cônicos, por vezes piramidais, nas camadas mais superficiais das faces dorsal e ventral do tronco, e nas fortes junções dos membros (os quatro) ao tronco.

Para todos esses músculos vale o que estabelecemos para o grande peitoral.

Já quando entramos na musculatura dos membros, começam a predominar os músculos longos, mas em geral eles também são oblíquos em relação à alavanca óssea que movem.

Entre esses músculos dos membros, temos aqueles em forma de pena: numerosas fibras musculares curtas prendendo-se a um tendão – que pode ser curto ou longo –, mas a verdade é que músculos com grande número de fibras curtas podem exercer *tensões estáticas* poderosas com forte poder de imobilização, porém quase sem nenhuma influência sobre o *movimento* propriamente dito.

Além dessas propriedades mecânico-geométricas, precisamos considerar as propriedades dinâmicas da contração.

Um músculo – uma fibra muscular – só consegue exercer esforços dentro de comprimentos determinados, e mesmo aí o esforço varia em função do comprimento – a cada instante. Aqui não temos o problema da direção do esforço, mas outro, que acaba agindo de modo semelhante. *Para cada momento de um movimento, há um ou dois músculos em comprimento ótimo para realizar o esforço, e uma porção de outros cada vez menos operantes.*

A FORÇA QUE CONSIGO FAZER DEPENDE DA FORÇA QUE ESTOU FAZENDO

Mais precisamente: vamos definir o *poder mecânico* da fibra como o *produto da força* que ela é capaz de exercer pela sua *velocidade de contração*.

Força isométrica máxima é aquela que impede o encurtamento do músculo quando em tétano perfeito (quando em contração máxima). Agora podemos dizer: o poder mecânico da fibra é máximo a trinta por cento da força isométrica máxima (tais conceitos são de biomecânica). Essas duas propriedades da fibra muscular variam segundo curvas assaz fechadas, isto é, a força cresce rapidamente e depois decresce rapidamente em relação ao momento de esforço máximo – da execução perfeita.

Se examinarmos com cuidado essas análises mecânicas veremos
que elas convergem em um ponto:
Quando apuramos nossas aptidões
mecânicas até seu limite, alcançamos
níveis espantosos de eficiência, quer
no desempenho esportivo ou profissional,
QUER NAS ATITUDES E REAÇÕES
PSICOLÓGICAS – NA FORÇA
(dita moral ou psicológica) dos
gestos e posições que assumimos.
A imprecisão motora, ao contrário,
responde pela falta de poder de convicção,
de persuasão, de decisão, de despertar
fé e confiança.

NÓS TODOS – OS PARALÍTICOS (PARAPLÉGICOS)

Vamos repetir o que dissemos há pouco de outro modo. Nosso aparelho motor é tão bom que nós não o usamos quase nada, muito pouco
e/ou muito mal. Quero dizer que, para sentar, andar, correr, falar,
executar tarefas de todo dia, ninguém tem de aprender de modo especial; basta olhar em volta e ir fazendo.

Se confrontarmos agora a pobreza real de movimentos da grande
maioria das pessoas, com toda a riqueza que elas poderiam ter, a diferença, de novo, é espantosa.

Vamos rever mentalmente a amplitude da versatilidade motora do
homem. No circo temos o trapezista, o equilibrista, o ciclista, o mala-
barista, o atirador de facas, o homem forte, o prestidigitador etc.

No campo esportivo, temos o futebol, o vôlei, o rúgbi, o basquete,
a natação, os saltos ornamentais etc.

No teatro, temos todas as variedades de dança erudita, da dança
popular, do folclore, da representação teatral (o teatro, a seu modo,
também é dança).

Enfim, no parque infantil podemos nos divertir, encantar (e assustar!) com tudo que as crianças inventam.

SEMPRE se podem inventar OUTROS MOVIMENTOS.

Se é verdade que somos bonecos com mais de 200 juntas, movidos por 300 mil cordéis, então, no reino das probabilidades, NÃO PODEMOS SER OUTRA COISA senão CRIAÇÃO CONTÍNUA (necessariamente). O problema é perceber.

Dizendo ao contrário: nós jamais conseguiremos NOS REPETIR em sentido exato. As formas típicas, os esquemas e estilos de movimentos com os quais estamos lidando são isso mesmo, TÍPICOS (média estatística não de números, mas de formas sempre diferentes).

A couraça muscular do caráter – a atitude e a posição – é isto: formas típicas, isto é, formas IDENTIFICÁVEIS no fluir do comportamento: despertam a sensação de reconhecimento (*isso eu sei o que é* – sei o nome).

Portanto, a própria couraça muscular do caráter – a forma mais frequentemente identificável no comportamento – nunca é idêntica a si mesma.

Sua existência, porém, fica legitimada pela sua utilidade na área das modificações da personalidade.

Fizemos uma lista das 1.001 danças do nosso boneco.

Logo se dirá: mas cada uma delas exige um especialista que dedique a vida inteira a esse fim, a esse conjunto especial de movimentos. Não digo que qualquer um possa fazer tudo isso bem-feito, mas sabemos: o aprendizado motor por imitação é muito fácil, e se a pessoa não for por demais inibida, pode facilmente aprender a fazer *um pouco de cada um* de todos os movimentos acima enumerados. A essa luz compreendemos duas coisas contrárias:

- A imensa maioria das pessoas é funcionalmente paralítica – na certa não faz nem cinco por cento do que poderia fazer, em relação à variedade e à quantidade de movimentos. A paralisia do homem começou com o ficar sentado e falando: o paraplégico tagarela.

- Por ser bom demais, nosso aparelho motor é incrivelmente mal-usado. Gosto de dizer que usamos nosso computador de quinta geração apenas para fazer as quatro operações – e mais nada.

Ou: em relação às possibilidades sensomotoras de nosso corpo, comportamo-nos todos (o eu se comporta) como um chimpanzé em um foguete interplanetário. Não tem a menor ideia de ONDE está nem do que está fazendo!

Essas reflexões são essenciais para compreender a couraça muscular do caráter – que é a soma dos maus usos que fazemos, e dos bons usos que não fazemos, de nossa movimentação.

A COURAÇA É A FORMA CONCRETA DA NOSSA PARALISIA FUNCIONAL

Vista de certo ângulo, a couraça é uma soma de *pedaços de parede* aplicados ao corpo que o impedem de mover-se em certas direções; ou o impedem de fazer certas categorias de movimentos; ela é expressão concreta de todos os *não pode* e de todos os *não deve* que ouvimos desde que nascemos – e que nos são cobrados a todo instante pelos irmãos/inimigos que nos cercam, vigiam (e fofocam) o tempo todo.

Em sentido contrário, quem se proponha a explorar o aparelho motor em extensão e profundidade disporá de uma tarefa para a vida toda: a consciência motora (proprioceptiva) pode ser de uma riqueza sem par, pois retrata essa máquina complicada e sua capacidade de criação contínua de movimentos.

Caso o leitor estranhe tantas análises biomecânicas, recordo que todas as posturas e ações são analisadas:

- primeiro, por fora – correspondem ao que qualquer um de nós *pode ver no outro*;
- segundo, como *sensações internas* muito variadas – nesse momento se fazem psicologia e/ou fenômeno de consciência.

Entre outras *perseguições* sofridas pela carne (pelos músculos), é preciso declarar esta:
Praticamente ninguém sabe que o aparelho
motor é TAMBÉM um aparelho sensorial,
fonte de uma categoria especial
de SENSAÇÕES.
Portanto e desde sempre, o movimento não é perceptível *apenas* pelo observador – não é apenas *objetivo*; ele pode ser percebido TAMBÉM pelo agente, sendo então *subjetivo*.

É convicção nossa de que o conceito de pré-consciente (Freud) tem tudo que ver com a propriocepção e talvez só com ela.

Quando falamos da pessoa com sede que foi à geladeira beber água, lembramos a diferença entre agir com atenção e agir distraidamente.

Mas posso agir prestando atenção ao objeto e ao que as mãos estão fazendo com ele, assim como posso agir prestando atenção à minha estabilidade (postura) e à facilidade de execução de meus movimentos.

A propriocepção – sensação de si mesmo – está *sempre presente e atuando* JUNTO COM *outro sentido*. Ela é que dá o "mim mesmo" ENQUANTO atuo, de regra movido pelo objeto (pelo meu interesse, gosto ou necessidade em relação a ele). E o objeto me é dado, em geral, pelos olhos e/ou pelos demais sentidos.

A propriocepção me faz lembrar o famoso *sentido comum* (o sentido comum a todos os sentidos) da epistemologia escolástica.

MEXA-SE! ADIANTA?

Nesse contexto, convém dizer algumas coisas sobre o uso de exercícios corporais para conseguir modificações psicológicas.

Creio que posso ser incisivo e categórico: qualquer exercício executado automaticamente é apenas um novo hábito SEM NENHUM efeito psicológico. Isto é, ele NÃO TEM possibilidade de modificar estruturas conscientes, posições, atitudes, modo de ser e de estar.

TUDO QUE APRENDEMOS SOBRE
MOVIMENTOS, NO MUNDO
OCIDENTAL, NÃO TEM NENHUM
VALOR PARA A PERSONALIDADE.

Exercícios automatizados e forçados, na duração ou na forma, são prejudiciais e não benéficos.

Seguindo nossa *maldição da carne* – a pior doença do homem ocidental –, conseguimos desenvolver coletivamente um número enorme de movimentos padronizados – os *esportes, as danças, o circo* etc. – que não têm nenhuma influência psicológica sobre o indivíduo. Isto é:

um dos instrumentos mais fáceis,
mais seguros e mais simples de
transformação pessoal é completamente
inutilizado pela *técnica* de execução.
O jeito certo de fazer – de acordo com
nossos costumes – é o que menos influi
sobre a personalidade.

Nós fazemos ginástica a fim de NÃO MUDAR DE VIDA.

Visamos desde o começo ao mais alto nível de automatismo, de inconsciência corporal com hipertrofia dos músculos e atrofia do indivíduo. Os espetáculos esportivos são incrivelmente falados em nosso mundo, a toda hora se papagueia *esporte é saúde* ou, vindo de muito mais longe, *mens sana in corpore sano*, mas os atletas, quando se fala deles como gente, são *sistematicamente olhados como bruta-montes, sub-humanos, máquinas* de dar murros, de dar chutes ou de encestar bolas. Todo movimento feito segundo o modelo visual é *objetivante, extrovertido*, nos leva para e nos transforma no modelo. Se muitos seguem o mesmo modelo, na ordem unida militar, nas *modas* de roupa ou de danças, nos regulamentos olímpicos, então *todos se unem na forma comum:*

UNIFORMES (massificação, perda da individualidade).

Se o movimento é propriossentido – se se tende a excluir cada vez mais o modelo visual –, então ele se faz cada vez mais MEU e só meu, pois ninguém mais tem as proporções, os pesos e as forças do MEU corpo. Bastou falar em ginástica e todo mundo quer saber como se faz e daí a pouco todos estão fazendo um-dois-um-dois – e falando com o vizinho do lado a respeito do jeito ou do traje *daquele lá*! *Esporte faz bem, não é?*

Só recentemente, com Reich, Feldenkrais, Laban, Lowen, Ida Rolf, Alexander, G. Boyesen, Gerda Alexander, Gaiarsa e outros é que vem amadurecendo no Ocidente a mesma tendência que no Oriente gerou as muitas formas de ioga e as artes marciais da China e do Japão.

Mas achamos também, com orgulho, que o Ocidente pode ensinar muito ao Oriente com suas ciências sobre o movimento (anatomia, fisiologia, biomecânica, cinesiologia, *biofeedback*).

Podemos reavivar a tradição oriental e muito definitivamente ir *além* dela – fazer melhor. Na verdade, democratizar as elites: oferecer *a todos* possibilidades de aperfeiçoamento que no Oriente pertencem a muito poucos.

A ciência dos *biofeedbacks* permite a qualquer ocidental alcançar níveis de realização sensomotora de *alta* sensibilidade em um tempo bastante breve (um a dois anos).

Essa revalorização do indivíduo e de sua posição única aparece na psicologia humanista sob o termo *centrado* – pessoa centrada –, equivalente psicológico da pessoa bem-posta e bem colocada na situação.

É a situação vista a partir do sujeito – tendo o sujeito como centro. Centro de *peso* e de força – e não centro da figura/cena.

Nosso treinamento esportivo ignora completamente o indivíduo, sacrificando-o pelo resultado – ou pela vitória –, que é o que importa (para os outros!).

CARACTERÍSTICAS DOS EXERCÍCIOS FÍSICOS QUE TÊM EFEITO PSICOLÓGICO

Esta é uma boa hora para ampliarmos a questão com a seguinte pergunta: se motricidade é tão importante para a personalidade, por que os esportistas, os bailarinos e os ginastas circenses – pessoas que se exercitam muito, diariamente, durante anos – NÃO são personalidades excepcionais (isentas de crises emocionais e/ou defeitos sérios de personalidade)? O mesmo não se pode dizer da ioga (das iogas) e das artes marciais – muito mais ligadas à personalidade e à cultura do que o atletismo ou a dança no Ocidente.

Vamos então examinar alguns critérios úteis para se separar "exercícios físicos" que têm poder de modificar a personalidade dos que não têm essa propriedade.

Algo já dissemos, há pouco: a questão de modelos visuais em oposição à percepção muscular dos mesmos modelos. Se me movo SEMPRE em função de um modelo visual, externo ou interno, estou sempre MODELANDO A MIM MESMO POR UM MODELO DETERMINADO, ao qual devo, no sentido literal do termo, CONFORMAR-ME (assumir a forma). Como assinalamos, esse modo de aprendizado e de desempenho motor é o MESMO processo que o psicanalista chama de IDENTIFICAÇÃO.

Com efeitos iguais – ou defeitos –, eu me faço o outro e na própria ação de buscar-me eu me perco – pelo MODO de me buscar.

Eu não sou ele, a imitação não me faz ele e – com certeza – me afasta de mim, impede que eu encontre minha forma.

A forma de evitar esse obstáculo – ao mesmo tempo, de desfazer a identificação e de assumi-la, fazê-la minha – é manter os OLHOS FECHADOS, com toda a percepção voltada para o sentido muscular, para as FORÇAS que em certa medida controlo; é ao próprio sentir o modelo visual que passo a fazer AQUELE movimento a MEU modo. Ou no meu estilo – do meu jeito. Como vimos, só a propriocepção "sabe" como são minhas FORÇAS (pois que as retrata). Ainda: não é possível mudar minha figura (a forma de meu corpo em cada instante) apenas "pensando" ou trabalhando com a IMAGEM VISUAL.

PARA MUDAR A FIGURA TENHO DE ATUAR SOBRE MINHAS FORÇAS – E SÓ ASSIM CONSIGO MUDAR A FORMA DE MEU CORPO. A imagem visual não é modificável diretamente, seja ela imagem exterior ou interior. Se eu permanecer absolutamente IMÓVEL, minhas imagens ditas mentais TAMBÉM pararão.

Outro fator que exclui o valor psicológico do exercício físico é a intenção de vencer ou – o que dá na mesma – é a luta contra o cronômetro, a distância a percorrer, a altura a saltar ou o gol a marcar.

A intenção de vencer predispõe a atenção a se fixar no resultado ou no número, o que torna impossível ESTAR PRESENTE AOS MOVIMENTOS.

Quem está atento ao resultado não percebe o processo; portanto, e muito paradoxalmente, pode até ganhar o campeonato, mas na certa *não sabe o que está fazendo* (sabe apenas o que *consegue*).

Não falo só de atletas profissionais; falo da maior parte das pessoas que fazem *cooper*, por exemplo, ou a ginástica do exército canadense, esquemas de movimentos que vão cobrando aumento contínuo de rendimento medido contra o relógio. Podem ter certa utilidade quanto à saúde, mas correm o risco de se fazer prejudiciais porque não há relógio que substitua a SENSIBILIDADE orgânica e muscular, cujo *desenvolvimento coloco no centro de meu palco*.

Não quero ganhar; quero me sentir bem, gostoso, saudável, contente...

Tanto atletas como dançarinos, de regra, têm seu treinador ou seu professor; têm também, e ainda, as regras de sua atividade, mais dois fatores modeladores do movimento QUE NADA TÊM QUE VER COM O PERSONAGEM. São ainda modelos e medidas essencialmente EXTERNOS, forma às quais TENHO DE ME SUBORDINAR sem saber se estão na minha medida ou não.

A ginástica olímpica, com sua contagem compulsiva de "pontos" para cada tempo do exercício, é uma verdadeira camisa de força para o atleta, camisa de força dinâmica ("tenho de fazer exatamente assim e assim"), mas nem por isso menos restritiva e menos deformante em relação à mobilidade natural do atleta, àquela que resulta de suas proporções anatômicas e funcionais, únicas, como tudo que é individual.

Outro fator nessa área é a VELOCIDADE: exercícios rápidos jamais servirão para modificar a personalidade; o que é rápido a vista percebe, mas a PROPRIOCEPÇÃO não. Mesmo que se vise à velocidade. o *começo* deverá ser lento no período de construção do exercício, de apuramento da coordenação motora.

Depois temos os olhos, que estão sempre no começo, no meio e no fim de qualquer ação.

Raramente se vê instrução de ginástica indicando COMO PÔR OS OLHOS durante os movimentos. Sem essa indicação o movimento fica sem direção, sem sentido e sem propósito, como tantos passos de dança que não parecem nada – porque não têm finalidade, alvo, objetivo: os olhos não olham para nada.

Logo: a indicação da direção do olhar é básica para exercícios que pretendem exercer efeitos sobre a personalidade. Não quero dizer que todos os exercícios devam ter uma direção objetiva (para fora); pode ser para dentro – uma imagem interior; podem inclusive ser ou estar "sonhadores" (não dirigidos); mas a instrução do exercício deve sempre cuidar dos olhos.

Este livro mostra bastante até que ponto olhos são a REGÊNCIA NATURAL da AÇÃO; ignorá-los durante os movimentos é fazer movimentos sem ordem compreensível.

Depois, o exercício precisa ser construído por partes – na prática, fazendo cada "tempo" do movimento bem separado do outro e, depois, percebendo e aperfeiçoando o movimento de cada parte do corpo (braço, braço, perna, perna, cabeça, tronco); procurando depois a base mais adequada para cada tempo do movimento – a consideração pelo equilíbrio do conjunto; que o exercício pare firme e facilmente de pé. O toque final da construção analítica de um exercício é a respiração, como injetá-la ou incluí-la na movimentação para que ela se faça JUNTO COM os demais movimentos que constituem o conjunto.

Depois que o exercício está bem construído, bem coordenado, incluindo a respiração, aí podemos começar a acelerá-lo, se pretendemos movimentos rápidos. Também essa aceleração tem de ser lenta, porque à medida que aumenta a velocidade vão se acentuando os balanços do corpo e aumentando de valor os momentos de inércia – que têm forte poder de desequilibrar. Em função deles, varia a base postural em função da velocidade dos movimentos. Há mais três qualidades do movimento de valor psicológico que já foram estudadas no texto. É preciso que os exercícios cuidem da garganta, do períneo e da face.

E essa força não é de ideia, nem de valores, nem de significados; é uma força *física*.

Ela contém uma *ameaça* – é sinal de que algo ruim *pode* acontecer. Na imensa maioria das vezes, as pessoas, atentas ao que o outro *disse* ou ao que elas mesmas *estão pensando*, não percebem que *foram tomadas* por uma atitude. Quando começam a falar, *já estão dentro, presas e determinadas* pela nova atitude, e então só conseguem papagaiar as fórmulas dos papéis e preconceitos sociais de que estão possuídas, sem percepção nem crítica.

Reformulando: o único *exercício* ou *ginástica* com a propriedade de alterar a personalidade é aquele que se faz *em plena consciência, vivenciando* as sensações de estiramento, de contração, de movimento. O principal do exercício não é fazer e muito menos fazer muitas vezes – para criar músculos ou *prática*; o único exercício com poder de transformação psicológica é o que se faz para ir aos poucos descobrindo, ampliando e aprofundando a percepção das mil sensações complexas dessa coisa que chamamos de *meu corpo*. Ao longo do processo/pesquisa do desenvolvimento pessoal, vou assim, pela movimentação deliberada, percebendo, isolando, trabalhando e resolvendo os elementos da couraça muscular do caráter presentes em mim.

O MAIOR *PLAYGROUND* DO UNIVERSO

Aceitando-se que cada milímetro cúbico de corpo contém dez receptores sensoriais, teremos 70 milhões deles em nosso corpo.

Pergunta: quanto experimentamos dessa imensidão sensorial? Toda nossa incrível sensibilidade, que ninguém desenvolve e ninguém deixa o outro desenvolver, reaparece depois na forma de esoterismo, *transa de energia*, rosa-cruciantíssimo, parapsicologia, bruxaria e outras coisas assim. É convicção nossa que o iluminado é um ser humano que desenvolveu *toda a sua sensibilidade natural* – nem mais nem menos.

Acredito que ao longo desse desenvolvimento sensorial muitos outros fenômenos psicológicos vão sendo experimentados e desenvolvidos. Não digo que o homem tem apenas sensações; digo que as sensações humanas são preconceituosamente perseguidas onde quer que apareçam; digo que ninguém viu ainda um ser humano que tivesse alcançado o limite de sua sensibilidade; digo que nossa repressão sensorial é, ao mesmo tempo, nossa maior infelicidade pessoal e nossa maior desgraça coletiva Não sabemos sentir o que nos importa – e então, em vez de escolher pelo sentir[10], pelo *faro* ou pelos instintos, começamos a pensar, falar, discutir – e nos perdemos.

A avaliar pelo noticiário de todo dia, cada vez mais e cada vez pior.

---

10 É preciso assinalar sempre a ambiguidade do termo *sentir* – de regra tomado como *sentimento*. Sentir é também *perceber a direção das coisas* – como uma pessoa num barco que *sente* a velocidade, o balanço, as correntes, os ventos... Aí *sentir* significa: *soma de sensações*, sendo, implicitamente, *avaliação* (descoberta) da resultante.

3

COURAÇA MUSCULAR DO CARÁTER E POSTURA

A COURAÇA MUSCULAR DO CARÁTER SE RESOLVE NA BOA POSTURA

É tão confuso o que se ouve e se diz sobre postura que muita gente poderá sorrir diante da aparente simplicidade dessa declaração. Como um processo sociopsicopatológico e psicossomático tão complexo como a couraça muscular do caráter pode-se resolver nessa coisa tão simplória que é a *boa postura*, com seu sabor de menino de colégio de freira (que tem *compostura*) ou de soldado em posição de sentido?

Já propusemos vários argumentos e fatos e agora lembraremos outros, por força dos quais seremos obrigados a concluir que a boa postura é uma das coisas mais complexas do universo conhecido.

Mas primeiro convém divagar sobre semelhanças e diferenças entre os seguintes conceitos próximos ao de couraça muscular do caráter:

- Postura (compostura, impostura)
- Atitude
- Posição
- Modo de estar no mundo
- Perspectiva pessoal
- Ótica ou viés individual
- *Script* de vida (análise transacional)
- Plano de vida (Adler)
- Jogadas (análise transacional)
- Complexos (Freud)
- Arquétipos (Jung)

- Papéis sociais
- Papéis complementares (psicodrama)
- Personagens (uso literário)
- Porte
- Preposições!

A POSTURA é a mecânica da couraça muscular do caráter: a cada instante, a postura é a soma dos esforços mecanicamente necessários para se estar do modo como se está, e para se atuar do modo como se atua. Todo esforço mecanicamente desnecessário faz parte da couraça muscular do caráter.

A postura é a base real, muscular e concreta de todas as outras realidades já descritas. Todas elas são configurações estáveis, mais ou menos fáceis de identificar/separar no e do fluir do comportamento global; o comportamento TODO está sempre apoiado na postura, que é sua base – mesmo. A atuação intencional é carregada pela postura, como se fosse uma criança levada nos braços de um adulto.

Quando falamos em ATITUDE, esse termo coloca a postura em plano social e psicológico.

Há tempos folheei numa livraria um livro que se chamava *Atitudes sociais*. Não recordo o nome dos autores, mas mesmo eu, que não sou sociólogo, os conhecia – de longe. Folheei o índice, folheei os capítulos com cuidado, folheei os índices analíticos; não havia absolutamente nada nesse livro que se referisse a uma descrição das atitudes corporais vistas por fora. Ele cuidava inteiramente dos famosos valores e significados que se organizam desse ou daquele jeito, nessa ou naquela pessoa, e que os valores e significados mais constantes são a atitude, e assim por diante; mas não havia no livro inteiro de sociologia a menor referência aos elementos corporais das atitudes – digamos, de orgulho, de submissão, de opressor, de oprimido, de perseguido, atitude desdenhosa, atitude de distância e quantas mais.

As atitudes não são apenas processos
mentais, valores subjetivos; elas se retratam
inteiras no corpo. Por isso são um fato social.

É por serem visíveis que as atitudes influem, mesmo que as pessoas não queiram nem percebam.

Cada um de nós tem sua ou suas atitudes mais aparentes e mais marcantes; onde quer que estejamos, estaremos influindo sobre as pessoas próximas, de um modo ou de outro, mesmo que em silêncio, mesmo não querendo influir. Cada um tem seu modo de estar, e este influi no ambiente no mínimo como se fôssemos estátuas.

As atitudes, pois, não são apenas nem principalmente o número de votos que este ou aquele partido consegue por esta ou aquela *atitude* básica (de liberal ou de conservador). As atitudes influem no todo dia, no instante a instante.

São geralmente o principal do *aqui/agora*.

Sempre que duas pessoas cruzam uma com a outra, as atitudes de ambas estão influindo sobre ambas. O encontro com qualquer desconhecido é um encontro – isto é, tende a nos *obrigar a tomar posição*. Portanto, a *mudar* de atitude.

Os sociólogos lembrados, ao falar de atitudes, se referiam apenas ao que se consegue pôr em palavras: opiniões, intenções, desejos e propósitos das pessoas. Os propósitos inconscientes – *que constituem o principal do aspecto da pessoa* – lhes escaparam.

Dirão muitos que os julgamentos e interpretações de atitudes são por demais incertos ou por demais pessoais. São. A interpretação psicanalítica também é – como qualquer outra! Mas com interpretações incertas consegue-se mais, na prática, do que a crítica permite prever.

Depois, dois animais que se cruzam se observam e se colocam com cuidado quando passam perto. Nós fazemos o mesmo, queiramos ou não.

Além disso, que as atitudes existem, que são visíveis e que desse modo influem, creio que ninguém pode negar. E perder – ou negar – essa possibilidade de conhecer/influir é perder algo muito importante, é resignar-se a perder *para sempre* alguns aspectos *certamente* importantes – e objetivos! – para a compreensão do social. E não só da microssociologia (contatos diretos) como da macro também: influência da *figura* do líder conforme ela é VISTA – na TV. Se Hitler tivesse sido muito visto, talvez não tivesse chegado aonde chegou. O caso do presidente Kennedy é paradigmático – paixão coletiva pelo moço bonitão e idealista.

A diferença essencial entre atitude e postura pode ser dita assim:

Todos nós paramos em pé – POSTURA.

Cada qual para em pé *a seu modo* – ATITUDE.

Chamo, portanto, de atitude a *postura individualizada* de cada um; ao seu modo ou aos seus modos habituais de se pôr em pé ou de se manter ereto, total ou parcialmente (em pé ou sentado).

Se entendermos *modo de parar em pé* como algo *expressivo* do personagem, poderemos dizer então que esse é também o seu MODO DE ESTAR NO MUNDO, agora ao modo como o declaram os existencialistas.

A atitude não pode ser tida como processo apenas interior; ela é claramente *uma modificação mais ou menos estável da postura*, modificação que caracteriza bem o personagem, e todos os que o conhecem *percebem* – mesmo que cada um dê ao percebido um adjetivo diferente. O jeito (atitude) de quem desafia, por exemplo: peito cheio, um dos ombros para a frente, mais para cima e mais para o alto, face e olhar ligeiramente oblíquos, "medindo" o outro – preparação para agredir!

Diferença entre as atitudes de desafio e de enfrentamento: no enfrentamento, os ombros ficam iguais na altura, o peito não é tão cheio, a face fica bem para a frente e os olhos, mais diretos. No desafio, essa atitude simétrica começa a *entortar* na direção da atuação, começa a convergir para a mão direita, para o *gesto agressivo* – que é o limite ou o extremo do desafio.

O modo de estar no mundo do que desafia é *interpretação* de um lado (interpretação que o próprio personagem poderia dar de si mesmo nesse caso); é TAMBÉM sua PREDISPOSIÇÃO a agir e reagir deste modo: respondendo a desafios e desafiando.

O estar no mundo é sempre um projeto, uma intenção, uma busca, um caminho. Todo personagem tem sua orientação específica – função de sua *posição* habitual, que *olha* e *vai* em *certa* direção – de regra, bem determinada; se é assim, então a couraça muscular do caráter é também seu *modo de estar no mundo*.

Quando se está alerta e interessado, consegue-se ler, no modo das pessoas, muito da sua *história*.

O desein – ele também – depende da mecânica, e por meio dela pode ser modificado. Aliás, o existencialista fala bem da liberdade humana, isto é, das possibilidades de modificação da pessoa. Ora, a couraça muscular do caráter é precisamente a soma das *não liberdades* do indivíduo, resumo de tudo que ela pretendeu fazer e lhe foi proibido, de tudo que ela não pretendia e lhe foi imposto.

O trabalho bem-sucedido com a couraça muscular do caráter tem sempre como efeito um aumento na LIBERDADE DE MOVIMENTOS CONCRETOS da pessoa.

O dado tem valor na estimativa clínica. Uma psicoterapia bem-sucedida SEM modificação na liberdade de movimentos corporais provavelmente NÃO É uma psicoterapia bem-sucedida.

Complementarmente, o encouraçado grave chama muito a atenção pela sua *imobilidade*; a pessoa está *sempre de casaca* – armada, afetada, solene, lenta.

Essa descrição – note-se – não serve para as couraças *dinâmicas*, constituídas de movimentos sempre semelhantes, repetitivos. Nesses casos pode até haver excesso de movimentos; a pessoa age como uma ave presa em *gaiola pequena* (que não existe): mexe-se muito, mas não sai de seu pequeno espaço habitual.

Em um grupo de estudo havia uma mulher que se vestia, falava, gesticulava e se movia de modo altamente exibido. Existia para mostrar-se (para *chamar a atenção*). Na verdade, ela não mostrava absolutamente nada de si; só mostrava o que ela supunha que *se esperava dela*. Apenas respondia à audiência. AO MOSTRAR-SE ELA SE ESCONDIA (para se esconder ela se mostrava, para se omitir ela se exibia...).

Essa linguagem é adequada para todas as mensagens duplas das pessoas.

Outro exemplo: a mãe paciente – e distante. Tudo que ela faz para *disfarçar* a distância *mostra* a distância. Tudo que o comprador faz para *esconder* seu interesse mostra que ele *está* interessado: "Quem desdenha quer comprar".

Já o VIÉS OU A ÓTICA PESSOAL emergem sozinhos do que se acabou de dizer. Posso *olhar para* o mundo (ótica) de cabeça erguida ou de cabeça baixa; posso olhar para o mundo de peito aberto ou de ombros caídos. Cada uma dessas descrições sumárias marca ao mesmo tempo o somático da postura e o psicológico do modo de estar no mundo; o psicológico da ótica e da perspectiva pessoal sobre a vida, o biomecânico da orientação e colocação do corpo na situação concreta chamada *vivendo*.

Claro que a Couraça Muscular do Caráter não é SCRIPT DE VIDA, mas se, em vez de falarmos de *scripts* de vida (Adler: "plano de vida"), falarmos *no personagem* que vive esse plano, então o conceito de *script* pode ser considerado rigorosamente *complementar* ao de couraça muscular do caráter. Tradicionalmente se diz que o personagem age assim porque tem essa história e esse projeto; mas de regra, da metade da vida em diante, vale melhor dizer: o personagem tem essa história e esse projeto porque *age assim,* porque *se põe assim, porque está assim – desse jeito.* Ele *chama* pela repetição do passado, e a constante é a couraça muscular do caráter.

Quanto aos PAPÉIS SOCIAIS e/ou COMPLEMENTARES (aOS PERSO-NAGENS SOCIAIS), parecem conceitos eminentemente claros (com um reparo); eu os usarei com frequência, mas quero deixar claro que o personagem para mim *pode ser visto* e pela vista identificado – mesmo que não fale.

Ele é um *tipo,* sim – típico: de gestos, face, *postura e impostação* de voz perfeitamente determinadas e sempre as mesmas.

É notável como em psicodrama, por exemplo, as pessoas logo fazem muito a *mãe autoritária, o pai ausente, o chefe, o empregado, o cafajeste.* São estereótipos sociais de comportamento (iguais em todos).

O difícil da nomenclatura teatral
é definir/separar um comportamento
de outro, no sentido de: quando *começa*
e quando *termina o* comportamento?
Quais são os critérios de *corte de cena*

que separam um personagem do outro
quando os dois personagens fazem parte
da mesma pessoa?
E logo em seguida: dados vários
comportamentos SIMULTÂNEOS em
um só indivíduo, como separá-los?

Começo de resposta: de regra, a pessoa está em VÁRIOS papéis ao mesmo tempo – veremos que isso é possível e acontece. Conforme o palco (a situação) – e/ou observador! –, ressalta-se mais esse ou aquele personagem, mas os personagens estão *sempre aí* – todos. E de modo demonstrável, visível.

Se *imito* (me identifico) pai, mãe, professor, herói, marginal, então *faço* como eles, faço seus gestos, poses e caras. Aquilo que muitas vezes nem percebo – minha pose de herói, por exemplo – é o que o outro vê, e vê em primeiro lugar! O outro *toma posição* ante mim em função do que eu não sei – não vejo – em mim!

A noção de papéis complementares será mais bem esclarecida logo mais, quando tivermos entendido um pouco melhor os problemas do nosso equilíbrio corporal.

Vamos dizer de momento que, se *estou inclinado* a fazer isso ou aquilo, estou *tendendo a cair para aquele lado*, e o corpo tem de *me segurar* de algum modo; ativa-se automaticamente um conjunto de forças corporais, musculares, *puxando em direção contrária*. Essa composição de esforços, por vezes complexa, existe sempre e tem de existir.

Esse é o esquema que nos permite incluir, sob um título só, problemas de equilíbrio do corpo, problemas de equilíbrio psicológico, de equilíbrio dos contrários, da organização antitética – ou dialética – da personalidade; o porquê de personagens opostos dentro de mim, por que eles são ao mesmo tempo ilusórios (fantasia, expectativa, projeção) e necessários (atuam) – e outros problemas dessa ordem.

Falamos em ARQUÉTIPOS.

Temos em mente uma extensão do conceito junguiano. Acredito que as couraças musculares, se alguém se desse ao trabalho de descrevê-las, fotografá-las e catalogá-las, poderiam ser agrupadas em torno de modelos básicos. Esses modelos existem na ficção, na literatura, na astrologia, no cinema, na televisão. São classicamente o cínico, o cético, o descrente, o amargurado, a vítima, a apaixonada, o ressentido e outros personagens/atitudes semelhantes: todos podem ser identificados no momento em que os temos sob os olhos.

São grandes modos coletivos (de muitos – de todos) de exprimir/ organizar e/ou conter sentimentos; numerosos, porém não ilimitados. São parecidos em todos por causa das semelhanças entre as possibilidades básicas de movimento, do formato do esqueleto, da distribuição dos músculos.

Os arquétipos seriam modos psicomotores de conter e transformar afetos, dados ao homem em função da dinâmica de sua configuração corporal (e de sua termodinâmica).

Das nossas inúmeras possibilidades motoras, algumas são mais fáceis, mais simples, melhores ou simplesmente mais usadas, e outras não. As mais usadas podem ser chamadas de papéis.

É nessa linha que incluo as couraças musculares, sob o título também de arquétipos *funcionais*, modos típicos de viver/representar/ manifestar afetos e impulsos, mais os modos igualmente típicos de contê-los, desviá-los, reorganizá-los e, sobretudo, imobilizá-los.

AFETOS POSTURALIZADOS

Termo mais preciso para essa imobilização: AFETOS POSTURALIZADOS. Pode-se dizer de todos os afetos (amor, raiva, medo, tristeza) que eles existem em dois estados bem distintos: afeto fluente, vivo ou afeto propriamente dito, e afeto estruturado, cristalizado, contido ou posturalizado. Falaremos bastante sobre a conversão relativamente fácil dessas *formas* de afeto uma na outra.

As expressões (face, atitudes) de desprezo, de enjoo, de ressentimento, de desconfiança e outras podem existir *como gestos ou como atitudes* – estas mais demoradas, mais estáveis; no limite, crônicas ou permanentes. São *expressão posturalizada* da agressão e/ou da raiva. São, ao mesmo tempo, *repressão da agressão*, *disfarces* da agressão, defesas contra ela. O termo posturalização do afeto significa que a energia do afeto se integrou à postura:

1) como *reforço ou atenuação* – momentânea ou demorada – de algumas hipertonias posturais, como terminamos de exemplificar;
2) como energia (afetiva) que se consome em ciclos automáticos de movimentos estereotipados – pouco adequados e pouco conscientes.

Exemplos: encolher os ombros, jogar os cabelos para trás, tamborilar com os dedos, sorrir sem função (nem alegria), todas as expressões claramente automáticas – MAQUINAIS.

Alegoricamente podemos dizer que, quando um afeto se posturaliza, ele deixa de animar a dança e passa a sustentar a (a ser a rigidez da) estátua. Outro modo útil de explicar a diferença entre afeto fluente e posturalizado é este:

o *afeto fluente* funde-se em ato (o triste *chora*, o enraivecido bate, o amoroso *abraça*, o assustado *foge*); o *afeto posturalizado* se confunde com iminência de, pronto para, *ameaçando de.*

O conceito de afeto posturalizado é paralelo ao conceito físico de energia potencial (ou de posição), enquanto o afeto fluente é a própria energia cinética.

Na termodinâmica do corpo, porém, é preciso dizer que a energia de posição tem dois sentidos:

1) o de *pronto para agir* – de modo bem determinado. Vejamos o arqueiro, um instante antes de disparar a flecha: a posição do corpo mantém ligação específica com o gesto, que ele prepara, apoia e equilibra. Para cada gesto há uma posição, e de cada posição só pode emergir *certo* gesto;
2) mas, ao contrário do que sucede com as substâncias não vivas, manter uma posição corporal (manter a forma) consome energia (oxigênio mais glicose – tensão mais calor); essa diferença nos fez afastar o termo *energia de posição* (que a um segundo exame *não* corresponde à noção da física) e adotar o termo mais longo e áspero, mas preciso: posturalização dos afetos, ou afetos posturalizados.

JOGADAS

Podem ser entendidas como variantes dos papéis complementares. É bom assinalar que ninguém joga sozinho, sendo a maior arma do terapeuta, precisamente, NÃO ENTRAR na jogada.

Digo que as jogadas são as unidades *elementares* dos papéis complementares, as *cenas* do drama social ou do *script da vida*.

Cada cena/jogada, de regra, caracteriza *um* dos papéis da pessoa (que tem vários e não um só); ou caracteriza sua atuação *em certa situação* – sempre a mesma; ou para cada situação ele *adapta* sua jogada – e faz sempre a mesma cena. A vítima, por exemplo, ou o pessimista.

POSIÇÃO

É a palavra usada por sociólogos, jornalistas, políticos e todos nós quando falamos de organizações sociais, econômicas, políticas, militares: tal indivíduo ocupa tal posição, ocupa uma *alta* posição etc.

Mas é bom lembrar que a estrutura social não é geométrica, muito menos concreta – como a dos cristais.

"Os de cima" – as posições mais altas – NÃO significam que o personagem esteja sempre sobre um banquinho ou com pernas de pau... Hoje, quando menos, ou não é assim ou é assim de modo mais ou menos disfarçado.

Mas pensando bem... palácios, estrados, tronos, pódios, cátedras, púlpitos, palanques, cortejos, paradas e eles – os poderosos – sempre "lá em cima" e nós, "os de baixo", sempre olhando para cima quando os vemos ou ouvimos.

O terceiro Reich elevou essa simbologia ingênua a nível de chimpanzés – se um dia eles aprendessem a fazer coisas.

Pergunta: de onde, de que forma, de que experiências anteriores – na certa concretas – emergiu a simbologia e a nomenclatura POSIÇÃO?

Principalmente da altura e da visão: quanto mais alto o lugar onde uma pessoa está, mais coisas ela pode ver em curto tempo (pouquíssimos segundos para SUPER-VISIONAR – "ver de cima" – os 360° do horizonte).

Não há lugar mais protegido, porque todos os perigos podem ser percebidos quando ainda longe. *Há tempo* para preparar a defesa ou a fuga.

Enfim – e principalmente –, se estou no alto, é muito mais difícil atingir-me, alcançar-me ou surpreender-me. (A surpresa é a tática universal da caçada e da morte violenta natural da presa pelo predador.)

Se imaginarmos uma montanha com muitos patamares em diversos níveis, teremos uma escala *natural* de poderes e previsões, de possibilidades de ataque e de surpresa, de saber mais ou menos – de ter mais ou menos informação, de saber antes, de prevenir-se.

Mas há posições de alto valor na luta pela vida que NÃO dependem de diferença de nível, mas de obstáculos que detêm a vista. É a posição do escondido – daquele que a gente não sabe onde está: o terrorista, o marginal, os que estão "fora" da pirâmide oficial de poder – os mafiosos, os bicheiros, os proxenetas, os espiões.

Creio que foi de experiências primárias desse tipo que se formou o significado alegórico ou simbólico do termo POSIÇÃO.

UMA ORGANIZAÇÃO SOCIAL É FEITA DE POSIÇÕES

De novo, acredito que os estudiosos do assunto não falam de posições *corporais*; no entanto, sabemos muito bem que, em qualquer organização hierárquica, basta um pouco de observação e logo percebemos os que estão por cima, os que estão por baixo e os que estão no meio... É só entrar num lugar onde várias pessoas trabalham coordenadamente para certo fim (uma empresa, um quartel) e imediatamente se percebe que:

- os de cima olham de cima para baixo, os de baixo olham de baixo para cima, os do meio às vezes olham para cima e às vezes olham para baixo;
- a direção do olhar se acompanha de toda uma atitude que, nos de cima, tende a uma posição da coluna *cada vez mais em pé* – empertigados; nos de baixo, tende a uma posição de submissão, cabeça que se abaixa, ombros que se fecham, coluna cada vez mais inclinada;

- os de cima têm *tom de voz* que habitualmente é de ordem ou de intimação – de quem pede/exige explicações; o tom de voz dos de baixo é o de quem presta contas, cumpre ordens ou dá explicações. Os do meio geralmente fazem por dar à voz tom antes neutro, de *quem presta informação*, mas para bons ouvidos é fácil perceber que ao falar com chefes e ao falar com subordinados eles mudam sutilmente a voz.

Claro que todas essas coisas – muito evidentes e penosas – são oficialmente negadas, pelo amor-próprio de cada um dos *inferiores* e pelo medo de cada um dos *superiores*. E principalmente pela ficção de que *aqui somos todos muito democráticos, com iguais direitos e deveres...* A marca da *boa* empresa – como a da *boa* família – é esta: não há quase nada em comum entre o que ela *diz* e o que ela *faz*.

Os estudos usuais sobre *status* (exibição de poderio) falam demais de casas, trajes, berloques e carros *e pouco ou nada de atitudes/jeitos/trejeitos e caras que a cada instante sustentam e reforçam a pirâmide de poder, em todos e em cada um dos relacionamentos sociais que ocorrem dentro da empresa.* Pouco importa que a empresa seja econômica, política, militar, religiosa ou apenas a família.

O *novo rico* é tipicamente a pessoa que TEM AS COISAS, mas NÃO TEM A POSE, que só se adquire após algum tempo, ou que só *parece* natural quando usada há muito tempo.

Além disso, as posições sociais têm em comum com a couraça muscular do caráter, que é uma posição: a estereotipia. São as *normas do serviço*, a rigidez e a impessoalidade do de cima, a despersonalização do de baixo que não é pessoa, mas função.

A couraça tende fortemente a *excluir da percepção* tudo que possa comprometer sua existência e sua estrutura. Em cada repartição/ empresa, o fim é um só e sempre o mesmo, definido nos contratos; tudo que aconteça lá dentro é oficial e obrigatoriamente interpretado em função desse fim. *O resto* – o que se refere a outros fins – *não interessa*. A couraça é semelhante no funcionamento.

O PORTE é a versão socioelegante da posição. Espera-se que o porte da pessoa – seu jeito de SE LEVAR – seja de algum modo indicativo de sua... posição.

Mas agora sim e de todo: posição NO PALCO SOCIAL, nas passarelas da vida. O porte tem quase tudo que ver com a expectativa social de todos, de muitos – quando olham para alguém eminente ou famoso.

Após tantos termos próximos, e depois de dizer que em vez de preconceitos era melhor dizer que as pessoas têm *preposições*, surge a pergunta: e as preposições propriamente ditas – a categoria gramatical? Será que não têm alguma espécie de ligação com a couraça muscular do caráter ou, mais genericamente, com a motricidade?

A	Na direção de
DE	Na frente de, antes de
ATÉ	Objetivo, meta, finalidade – lugar ou estado que se pretende alcançar. Logo, na direção de
APÓS	O contrário de até
COM/CONTRA	Junto de, a favor de – e seu contrário: oposto a, em conflito com; direções compostas ou opostas
SOBRE/SOB	Indicativos de *posição superior e inferior*
DESDE	Duração, continuação do movimento ou da posição
ENTRE	Claramente relativo a posição
DE	Pertence a, subordinado a, dependente de, incluído em
EM	Estar em certo lugar ou tempo
PARA	Direção de
POR	O que vem ou está antes
PERANTE	Como ante

A ligação profunda entre preposições de um lado e indicações (verbais) de espaço, tempo, movimento e posição parece clara: *as preposições são as coordenadas do espaço/tempo literário ou verbal...*

PRECONCEITO E PRÉ-POSIÇÃO

O paralelismo entre couraça muscular do caráter e posição social é homólogo em relação ao paralelismo entre resistência, ou defesa psicológica, e preconceito. Resistência/preconceito referem-se ao mesmo fato. O sociólogo opera ou pensa com esse fato de certo modo; o psicólogo, de outro.

Mas o observável é a couraça muscular do caráter, soma de prevenções[11] de *pré-posições*, que são a base concreta dos preconceitos. Sabidamente, as fórmulas verbais ligadas aos preconceitos são de uma estupidez intelectual sem tamanho. Desprezar/desconfiar do negro apenas por ele ser negro é certamente e antes de mais nada um dos limites da falta de percepção e da burrice humana – se ficarmos apenas no *preconceito*.

OS POSSESSOS

É preciso passar do preconceito para a preposição: *atitude* do indivíduo que recua o corpo e endireita a coluna, olha de cima para baixo e cheio de suspeita para o outro, como se receasse dele um *malefício* – um ataque – e se... prevenisse contra ele.

Seu gesto de afastar-se afasta o outro muito mais do que o pequeno movimento físico realizado.

Quando um branco preconceituoso vê um negro, *ele sofre* desse movimento. Nem sei se ele percebe o fato ou não. Mas é convicção minha: um cinegrafista atento poderia registrar esta reação. É essa atitude que separa um indivíduo do outro, e não a *ideia* de branco e preto.

---

11 Prevenção: *pre-venire*, chegar antes, chegar preparado, com expectativas.

A tolice, a superficialidade ou a franca loucura da fórmula verbal dos preconceitos – como a famosa insensatez *mulher que não é virgem não presta* – não tem nenhuma importância.

Importante é a atitude que toma conta da pessoa – que se apossa dela – diante do personagem que é o objeto do seu preconceito.

Nós que vimos a transformação – mais ainda se o preconceito é contra nós – percebemos bem a força – dos músculos, que endireitaram o corpo e puseram a pessoa longe e acima de mim.

É isso que assusta – aqui e agora.

AO MUDAR DE ATITUDE/CARA/VOZ – *uma, outra ou todas* as pessoas mudam:

• de personagem;
• de papel;
• de cena;
• de peça.

MAS NINGUÉM RECONHECE OU ACEITA O FATO, percebendo-o (sofrendo-o) somente pelos mal-entendidos resultantes, pela perturbação na comunicação – discrepância entre intenção/resultado.

É bom considerar que a *primeira convenção* do teatro social, como a do teatro propriamente dito, é a ausência *do público* e portanto:

a negação de que seja um papel,

a negação de que seja uma peça.

Isto é, a representação é VERDADEIRA!

No palco social TENHO DE me comportar como se o outro NÃO ESTIVESSE ALI – sempre que ele é desconhecido para mim.

Só o percebo, só olho e só sinalizo para ele se ele é CONHECIDO, se tem papel DEFINIDO em meu palco, na minha cena, no meu mundo. Caso contrário, vale a convenção universal do teatro – os espectadores NÃO EXISTEM. Essa cláusula do contrato social tem por efeito levar as pessoas A NÃO SE OLHAREM muito quando ambas estão se PERCEBENDO. E, quando se olham, a fazer que não dão importância ao que veem. Note-se até que ponto, em todos esses casos, a VISÃO É NEGADA de forma tão pueril quanto na história do reizinho vaidoso que somos todos – os cidadãos bem adaptados às loucuras de nossas convenções.

Pueril porque basta alguém, A, olhar para alguém, B, e B *imediatamente* muda de jeito. A convenção diz que não. O fato diz que sim.

O PRINCIPAL DA COURAÇA DE REICH É O MUSCULAR

Talvez se possa resumir: a contribuição original de Reich ao conceito (antigo) de CARÁTER[12] foi o *muscular*, o que tornou o CARÁTER:

- visível (para o outro);
- sensorial (proprioceptível);
- manipulável (trabalhável com as mãos e com os movimentos do corpo) pelo próprio sujeito e por outro/outros.

Assim, reunidas e ao mesmo tempo separadas essas noções próximas da couraça muscular do caráter, e *sublinhando quanto cada uma delas é importante na área específica em que nasceu*, podemos agora abordar o estudo da postura mais convencidos – espero – de com isso esclarecer coisas diversas e difíceis na área das relações e das ciências humanas.

Vamos nos deter, contemplar e refletir sobre a motricidade de vários ângulos, a fim de darmos conta de sua versatilidade, de sua habilidade e, acima de tudo, de sua profunda ligação com o psicológico.

POSTURA E... DESCOMPOSTURA (BIOLOGIA DO ORGULHO)

É um pouco estranho que o termo postura não tenha, a um primeiro exame, um termo contrário. Um deles seria descompostura! Descompor

---

12 A melhor definição de caráter que me ficou de velhas leituras foi: "Caráter é, em mim, a relação formal entre o eu e o não eu". O autor não era psicanalista nem sabia de psicanálise, mas sua definição é perfeita também para a couraça muscular do caráter.

alguém quer dizer pouco mais ou menos desarrumá-lo, fazê-lo perder sua postura habitual. O indivíduo contra o qual a descompostura se dirige mostra-se sem resposta, fica descomposto – *sem jeito.*

Em psicoterapia, como na vida, as pessoas lutam muito para não ficar *sem jeito* (sem cara, sem posição). No Oriente, o *haraquiri* era a resposta social adequada para quem deixava de ser ele mesmo (publicamente), para quem *perdia a cara*, isto é, para quem não sabia mais que cara fazer ante os demais. Praticava o haraquiri quem estava envergonhado.

A essa luta de todos para não perder o jeito (sentido como perda de dignidade ou de respeito próprio) o psicanalista chama de narcisismo secundário. Karen Horney denominava esses esforços respostas do *pride-system* (orgulho, amor-próprio).

Se *filmássemos* uma pessoa que *em pé* fica sem jeito, veríamos que a descompostura a *desarruma, a faz oscilar como se fosse uma perda de pé* (ameaça de queda) ou um boneco, cujos cordéis se afrouxam.

Esse balanço compromete o equilíbrio do corpo; após o instante de oscilação, a pessoa *empertiga-se* ou assume atitude de *dignidade ofendida*, que é uma caricatura – um exagero – *da posição ereta*: hiperextensão da coluna *e enrijecimento global do corpo* (para não cair!).

O povo de há muito diz que o amor-próprio, ou o orgulho, é aquilo que *resta*, que mantém ou *segura* a gente quando nada mais nos sustenta.

O orgulho é a expressão direta e exagerada do esforço inevitável que fazemos para nos manter em pé.

Quando comprometido, ele se reforça automaticamente – em fração de segundo. De outra parte, quem luta demais para não perder o jeito (a compostura) não tem – não se dá – a oportunidade de mudar de jeito. Será sempre o mesmo, e quanto mais contestado/criticado/ameaçado, mais se fará ele mesmo!

Todos os seres vivos são processos e não coisas. Nenhum ser vivo pode *cessar de acontecer*. Se ele não se transforma, ele se reforma, torna mais forte o hábito, reforça a casca.

Há velhos que são uma caricatura terrível de si mesmos!

No caso de uma pessoa descomposta em matéria de trajes, a palavra quer dizer apenas que os trajes não estão cobrindo o que deviam cobrir. Parece ironia espontânea da palavra contra a loucura das convenções...

Como se vê, nem descompostura nem descomposto têm, nem sequer de longe, a força do termo postura.

A força dessa palavra depende de nosso hábito mental tradicional de coisificar os processos e cristalizar os fenômenos – dar-lhes nomes – a fim de entendê-los. Na verdade, a fim de evitar o medo dos medos: o de fluir (derreter, segundo Reich); de perder a segurança (de não se segurar – em nada!), de perder a identidade (loucura!) que tradicionalmente e por definição (!) é a mais estável das estruturas psicológicas (mas só por tradição e por definição, note-se! Não por experiência, quero dizer). É a famosa sensação de permanência do eu.

Ao passar para as palavras, os fatos morrem de algum modo; morrem porque são isolados e fixados e nenhum fato isolado e fixo é real. Toda a realidade é um acontecer global e contínuo; é muito estranho, portanto, que os homens se fixem tanto nas... fixações.

O esforço que fazemos para acreditar num mundo
sempre o mesmo e sempre igual é realmente espantoso;
é uma das maiores questões que se podem levantar
a respeito do homem, essência de sua posição conservadora,
rotinizante e inconsciente.

Um de meus espantos maiores com as pessoas é quando as vejo acreditando que são sempre as mesmas. Alguns vão a ponto de dizer ou de deixar subentendido que são sempre os mesmos desde que nasceram. Esquecemos que o indivíduo reafirma sua imensidade – sou um homem de princípios! – quando há lugar para se desconfiar ou suspeitar dele, como no caso de contratos de trabalho, de aluguel, de compra e venda.

A pessoa reafirma a imensidade de modo semelhante
ao do empertigado, mas controla o choque e o balanço
com a solenidade; isto é, faz tudo mais devagar (o solene
é lento) e mais esquematicamente; há nele algo de ritual
ou de cerimonial, de gestos preestabelecidos que devem ser

feitos sempre do mesmo modo – o que garante
a estabilidade da pessoa no espaço!
Discutiremos mais adiante como são rígidas nossas atitudes rígidas,
como a atitude do conservador (a atitude que se conserva) está presente no dia a dia de todos nós – de quantos modos e em que períodos.

A DANÇA ETERNA COMO SOLUÇÃO DIALÉTICA DO CONFLITO

> "Deus é ato puro."
> Tomás de Aquino

Vimos no primeiro capítulo que, dado o número de nossas alavancas
ósseas e o número de unidades motoras que as movem (300 mil), é
impossível para nós, estatisticamente, fazer duas vezes o mesmo gesto. A rigor, somos, queiramos ou não, CRIAÇÃO CONTÍNUA.

(E isso falando apenas dos músculos – para não falar do protoplas-
ma, que é uma integral mais do que instável, de mil e um processos
delicadíssimos entrelaçados. Renda no espaço, trançando-se,
dissolvendo-se: citoplasma.)

A ANTÍTESE DA POSTURA É O MOVIMENTO

O par dialético, antítese do termo postura, é o termo movimento. A observação básica que gerou o termo postura – e seu contrário – é esta: passamos sempre de uma posição estável para um movimento, deste para
outra posição estável, para outro movimento e assim sucessivamente.

É a dança antiga a dois, de mãos dadas (minueto); uma vez ela gira
e ele fica, na outra ela fica e ele gira.

Cada movimento que fazemos, se for de certa amplitude e se ocor-
rer com certa velocidade, obriga o corpo a recolocar-se no meio ou no
fim desse movimento.

Temos uma porção de configurações corporais que *param em pé*;
isto é, os músculos, atuando em concerto com o esqueleto, muitas

vezes conseguem manter *armado* e firme o boneco que somos nós; mas em outras posições não conseguimos parar em pé e caímos – ou então fazemos um movimento por força do qual nos mantemos em pé e readquirimos e equilíbrio. Já começa a aparecer aqui a relação essencial entre postura e equilíbrio do corpo no espaço.

Um objeto não tem postura – tem forma. Entre os seres vivos chama-se postura (mais exatamente posturas – no plural) a todas aquelas configurações corporais que permitem ao animal *permanecer* em pé – ou imóvel – no todo ou em parte.

Fazendo-a formal e bem abrangente, diremos que POSTURA é o conjunto de tensões musculares antigravitacionais sempre necessárias se não estivermos deitados; estas tensões variam frequentemente de composição e de forma.

Variam de composição porque variam os conjuntos de VETORES – de esforços elementares – responsáveis pela estabilidade de cada posição.

Variam de forma porque, ao nos movermos, modificamos nossos parâmetros de estabilidade – nossas condições de equilíbrio.

Variam muito, enfim e também, a forma e as dimensões de nosso APOIO NO CHÃO.

Adiante apontamos para mais fatores que tornam
NOSSA POSIÇÃO NO ESPAÇO (nossa POSTURA)
uma realização
ATIVA;
CONSTANTE; e
DIFÍCIL.

Além disso, poder-se-ia falar dos *comportamentos usuais* da espécie como POSTURAS DINÂMICAS, pois há muita semelhança fenomenológica entre o *estar* e o *mover-se* HABITUAL (formas mais frequentes de postura e comportamento).

Ambos são *profundamente* inconscientes e SEMPRE mais VELOZES que os processos baseados na verbalização.

Já vimos quantos esforços, direções e sentidos devem ser respeitados pelas contrações musculares para que possamos nos mover *com eficiência*; a postura depende de todos esses princípios em relação a todas as partes do corpo. A condição primeira de qualquer movimento é que ele possa *sair* de uma posição estável e *chegar* a uma posição estável. Quando nos movemos temos, e convém falar, uma postura dinâmica.

Mas esses termos são todos muito enganosos, sublinham demais elementos estáticos que praticamente não existem em nosso corpo. Quero dizer que mesmo o indivíduo parado, isolado, *sem fazer nada*, ainda assim se mexe com bastante frequência; mexe um braço, olha em outra direção, vira a cabeça, muda a posição do pé, rearranja o corpo, pisca, fala.

Os períodos em que ficamos de fato imóveis são muito poucos e, se formos rigorosos, nenhum, porque a respiração está sempre em curso.

Além disso, hoje há registros diretos mostrando que mesmo uma pessoa em pé e *imóvel* faz automática e coercivelmente três tipos de oscilação, diferentes pela amplitude e pela frequência. Tais oscilações na certa fazem parte do sistema de *pesquisa do equilíbrio a cada momento*.

Não existe SENSAÇÃO de EQUILÍBRIO.

Só existe SENSAÇÃO de DESEQUILÍBRIO.

Por isso aquelas oscilações existem, para despertar subliminarmente *sensações de desequilíbrio* que regulam em *feedback* a estabilidade da postura a cada instante.

(Leitor, reveja as figuras – é uma boa hora.)

Atitude e ato, além do que já foi dito, se relacionam de mais dois modos:

1) Ato e atitude funcionam como ação e reação em biomecânica (não só, mas também). O esporte nos dá imagens mais claras. A posição *de partida*, nas corridas, é uma atitude pronta para *disparar* um gesto – que ao se fazer a desfaz; na verdade, ao se fazer, ele *puxa* a atitude (que se opõe – inércia). Quando a corrida termina, a fluência de movimentos, que é a própria corrida, vai se *recolhendo* na freada até *se transformar* na marcha – ou na parada; o gesto (a corrida) tende a continuar (inércia), e tanto podemos dizer que ao frear a

corrida se posturaliza como podemos dizer que a postura final é reação contra o *empurrão* da corrida.

2) Se *me abaixo para pegar* um tijolo, uma criança, ou uma vassoura, construo *no caminho* – ao longo da ação – três *atitudes terminais diferentes*, porque os três objetos são bem distintos quanto ao peso e à configuração.

Portanto: ato e atitude guardam entre si relação unívoca: para ser o melhor possível, *cada* gesto *exige* uma atitude de base (postura) muito própria e precisa; vice-versa, cada posição é própria para a emergência de *um* gesto – e somente daquele.

Convém formalizar nossa demonstração:

1) *O objeto determina a forma do gesto, que determina a forma da postura.* Caminho usual, *objetivo, lógico* – e genético. A criança é muito assim, *levada* pelos olhos e sem atenção para com o corpo; centrada na meta e não em si.

2) *A posição determina o gesto que vai em busca do objeto.* Caminho inverso, psicológico, subjetivo. *Identificações* (todas elas funcionam assim; os sonhos também). TRANSFERÊNCIA.

Freud dizia algo muito semelhante do processo de *excitação nervosa*, que às vezes é centrífugo (objetivante, *normal*), às vezes centrípeto (*pensamento que satisfaz desejos*, alucinações, sonhos, fantasias). A *energia*, em vez de *realizar contato*, constrói um *substituto dentro* (no inconsciente).

Veja-se quantos pressupostos vagos e difíceis de verificar. Veja-se até que ponto a observação/reflexão sobre a motricidade é clara e passível de verificação direta.

Inúmeras pessoas estão *em busca* do lugar/objeto/pessoa que se *encaixa* em sua atitude prevalente.

A atitude/expectativa goza de forte PODER INDUTOR sobre os próximos, tendendo a despertar ou ativar neles um dos papéis complementares ao da atitude mais aparente. A vítima induzirá à compaixão, ou à revolta a favor – ou despertará o juiz, ou o carrasco.

O prepotente tende a ativar o escravo em todos nós – ou o rebelde – ou o herói! Mas não outros.

Quando a pessoa não percebe a busca implícita na sua atitude, ela está *em transferência* (transferindo comportamentos e expectativas).

Se o indivíduo, uma vez encontrando o objeto, não muda de atitude (a atitude de busca é diferente da atitude de encontro), ela *se frustra no preciso momento em que encontra o que buscava!*

Se uma pessoa ama outra, mas em sua presença fica-lhe dizendo o que ela deveria fazer, em vez de se aproximar e fazer contato, ela está nesse momento *mal colocada* entre seu desejo e o objeto. Tem o objeto, mas não tem a atitude de fazer contato/comunicar/comungar. Dar e receber são passos de dança igualmente difíceis; se os dois não acertarem o passo, a dança não sai.

A distinção entre postura e movimento é fundamental; corresponde, em outra área, à distinção entre atitude de um lado e, de outro, ação, gesto ou trabalho.

Foi a propriedade especial de os seres vivos serem capazes de assumir várias formas de equilíbrio físico estável que gerou o conceito de postura. Estar posto é diferente de estar largado, de ser largado ou deixado por aí... Postura – como se vê até no caso da postura do ovo! – tem algo que ver com gesto cuidadoso ou deliberado; se ele não for feito assim, o animal não está posto – ele está jogado, foi deixado ou está largado na situação.

O JOÃO-BOBO[13] QUE SOMOS NÓS

Entramos agora em mais algumas das difíceis condições de nosso equilíbrio físico. Deixaremos os animais e só recorreremos a eles para um ou outro esclarecimento. Falaremos preponderantemente de nós, seres humanos, que somos definida e estavelmente bípedes, que exis-

13 Boneco inflável com forma humanoide cuja base pesada permite que, quando empurrado, balance de um lado para o outro e de frente para trás, porém sem jamais tombar.

timos e acontecemos biológica e historicamente como animais eretos. Libertamos as patas dianteiras das funções de carga e as convertemos em instrumentos de ação múltipla, capazes de transformar a natureza. Transformar, isto é, fazê-la ir além de si mesma.

Tomemos então um esqueleto humano – já de si forma tão exótica – e vamos conservar com ele todas as articulações e ligamentos articulares. Teremos, então, um conjunto de alavancas ósseas rígidas e um conjunto de junções frouxas. Sabemos que se pusermos esse *boneco* em pé, num primeiro movimento ele afunda ou desce, segundo seu eixo maior. No instante seguinte, girará para um lado ou para o outro, e terminará fatalmente no chão. Aquilo que é a essência da nossa estrutura – o esqueleto – *tem uma forma totalmente inapta para parar em pé.*

Pior do que isso: cada junta do nosso boneco comporta-se como um rolamento esférico – isto é, é muito finamente deslizante; são duas superfícies que se deslocam com extrema facilidade uma em relação à outra. Seu coeficiente de atrito é igual a *um décimo* do coeficiente de atrito do gelo! Quando se fala em boneco, pensamos nas juntas feitas com parafuso e porca, mas nada disso existe em nós.

Nossas juntas são sempre completamente soltas, ainda que se movam dentro dos limites determinados pela *forma* das superfícies articulares e por alguns ligamentos articulares.

Temos *base* minúscula, aproximadamente trinta por trinta centímetros (comprimento dos pés e distância habitual entre os pés) para uma altura bastante grande, no mínimo de 1,50 m, com frequência 1,60 m, 1,70 m ou mais.

Se fizermos um cilindro com um diâmetro de 30 centímetros e 1,60 m de altura, é muito fácil derrubá-lo. Nosso caso é bem pior. Quanto mais subimos, mais alargamos: temos primeiro o maciço amplo das cadeiras com seus poderosos músculos; depois, o maciço respeitável dos ombros com os braços e, lá no alto, a cabeça, que é a parte *mais densa* do corpo. Portanto, não somos um cilindro; somos mais próximos de uma pirâmide cujo vértice está no chão e cuja base está no alto!

Um boneco com a forma e a densidade de nosso corpo cai facilmente:
- se empurrado;
- se a superfície de apoio oscila;
- se fizermos um dos braços ficar horizontal;
- se inclinarmos a cabeça para trás.

Logo, além da instabilidade da estrutura de sustentação (esqueleto--articulações), *temos a instabilidade adicional de quase todas as formas que o corpo pode assumir.*

Somos, pois, uma forma que o físico definiria como inerentemente instável. O menor abalo, o menor choque, a menor inclinação e nós iríamos para o chão se não realizássemos ações em sentido contrário.

Mais: os braços, de si pesados, podem se mover com velocidade e fazer muita força. E estão bem alto na pirâmide. Isso quer dizer que nossos braços nos instabilizam muito – em qualquer movimento que façamos.

QUANDO NOS MOVEMOS, DAMOS EMPURRÕES EM NÓS MESMOS

Imaginemos uma pessoa que tem na mão direita uma pasta de três quilos: se ela balançar o braço para a frente, a pasta tenderá a arrastá--la para a frente quando chegar ao fim do seu percurso.

O braço funciona em nós do mesmo modo; são cinco quilos que eu jogo para a frente quando ando, por exemplo. Esses cinco quilos me desequilibram a cada vez que eu os movo. E me desequilibram de vários modos. Primeiro, porque mudam minha forma.

Considerando um prato, um lápis e uma garrafa, é fácil perceber que o prato é o mais estável, em segundo vem a garrafa, em terceiro, o lápis (se posto *em pé*). Assim nós, quando de braços abertos ou fechados, com o corpo inclinado para um lado ou para o outro; cada uma das posições que assumimos é *uma configuração material* cujas condições de equilíbrio têm de ser estudadas *em cada caso*. Porque nossa figura é muito complexa e não se presta a comparações geométricas satisfatórias.

O MISTÉRIO DO CENTRO DE GRAVIDADE

O centro de gravidade de qualquer corpo é um lugar puntiforme do espaço onde o peso desse corpo parece concentrado.

Em engenharia de construções, todos os gráficos e cálculos de carga são feitos em relação ao centro de gravidade – como se todo o peso da peça estivesse concentrado nele. E as construções param em pé...

Quando carregamos um objeto, levamo-lo sempre *pelo meio* – pelo centro de gravidade (peso igual dos dois lados).

Impressão inicial sobre centro de gravidade nos é dada pelo comportamento dos corpos *suspensos*, mas móveis. Eles *param* numa só posição: quando o ponto de suspensão e o centro de gravidade estão sobre a mesma vertical.

No pêndulo, como a massa pendurada pesa muito mais que o fio, tudo se passa como se o centro da gravidade fosse o centro da massa. Daí a oscilação: o peso *buscando* incansavelmente sua posição de equilíbrio.

O centro pode estar fora do corpo. Por exemplo, o centro de gravidade de um anel está no centro deste. Quando, em pé, nos inclinamos para a frente até as mãos tocarem o chão, fazemos nosso centro de gravidade *sair* do corpo.

De há muito penso que a definição de centro de gravidade dada pela mecânica era algo genial – sem saber bem por quê. Hoje estou dando a volta e começando a achar que essa definição é... *subjetiva*: nasceu da *percepção interna projetada*, isto é, percebida nas coisas – eu me percebendo como qualidade do objeto, como esses todos que carrego sempre pelo *meio*. Inclusive eu e meu corpo: é muito incômodo levar-se – andar – inclinado ou dobrado. É melhor levar-se *direito* e *simétrico* (peso/força igual dos dois lados).

No corpo humano, o centro de gravidade está na bacia. Seu efeito sobre todos os movimentos pode ser bem apreciado no seguinte modelo: vamos fazer um boneco de *isopor* com forma humana e colar, no lugar de um de seus braços, um braço de chumbo.

O centro de gravidade do boneco estará no braço.

Se o suspendermos por vários pontos sucessivamente e se em cada posição *agitarmos o boneco*,

1) ele tenderá sempre a girar *em torno* do centro de gravidade;

2) a região onde está o centro de gravidade é sempre *a mais lenta*, o que se veria melhor ainda agitando um boneco multiarticulado;

3) se eu frear o giro do boneco de isopor por um dos extremos – pela parte que gira mais velozmente –, o lugar do centro de gravidade balançará com uma amplitude bastante limitada; se eu frear segurando a parte onde está o centro, o conjunto para inteiro de uma vez só;

4) suspenso pelo centro de gravidade (ou pela vertical que passa por ele), o boneco ficará do jeito que o pusermos: fora dessa suspensão, quando o boneco for solto ele fará um movimento antes de repousar.

Se, em pé, faço movimentos oscilatórios da bacia para a frente, para trás e para os lados, mantendo a coluna vertical, posso *sentir* com clareza nos tornozelos e nas plantas dos pés a *lei do equilíbrio dos sólidos*: todo sólido movido sem deslizamento tende a voltar para a posição inicial, até o momento em que a projeção vertical do seu centro de gravidade sai do polígono de sustentação. Aí o objeto *cai* – ou *vira*. Em nós, durante as oscilações, é fácil perceber as posições *além das quais* cairíamos. Vários reflexos posturais podem então ser sentidos, pois eles atuam independentemente da vontade, *eles me puxam* para que *eu não vá além*. São o próprio superego!

Se suspendermos qualquer objeto sucessivamente por dois pontos distintos, no cruzamento das direções da suspensão estará o centro de gravidade do objeto.

Como nossa forma varia muito, a posição do nosso centro de gravidade varia também, e com isso se altera a relação da projeção vertical do centro de gravidade com o polígono de sustentação. Polígono de sustentação é o que se obtém unindo sucessivamente os pontos de contato do corpo com o plano de apoio.

Sempre que a projeção vertical do centro de gravidade sair desse polígono, existe a *tendência à queda* – é assim que convém dizer; no caso de objetos não é tendência: eles caem.

Mas *nós podemos tender muito a cair sem cair.*

Quando me inclino para a frente, diferentemente dos objetos, alguma coisa em mim se inclina ou me puxa para trás e me equilibra; posso exagerar o movimento numa direção porque estou compensando na outra.

Essa é a primeira razão pela qual uma mudança de posição ou de forma altera minhas condições de equilíbrio.

A segunda condição, dinâmica, foi exemplificada no caso do braço: quando me movo, me dou empurrões e, se eles forem mal aplicados, podem me fazer cair. O caso do arremessador de martelo é bem conhecido. Se não tomar cuidado, *ele* vai e o martelo fica.

Eis uma porção de artifícios e vieses verbais: base, apoio, estabilidade, estática. Nada disso é verdade no nosso aparelho motor. Mesmo quando se diz que na edificação da atitude o principal é uma *base* (estática) adequada, estamos falando de alguma coisa essencialmente dinâmica. O corpo não para em pé sem exercer algum esforço; seu equilíbrio, pois, é sempre dinâmico: tem de ser *continuamente feito.*

Os neurônios e os músculos dos circuitos posturais estão SEMPRE em atividade...

para nos manter PARADOS!

Trata-se sempre de um esforço ativo, que consome demonstravelmente oxigênio e glicose. Portanto, o processo não tem nada que ver com as forças atômicas e/ou moleculares que garantem a constância de forma dos objetos inanimados. As forças que mantêm nossa postura não são moleculares; estão muito ligadas à vontade, trabalham com músculos que posso mover por querer e constituem um conjunto de esforço perfeitamente definido – a cada momento.

De outra parte,

PÔR-SE não é um momento;

é um estado – *ativamente mantido o tempo todo.*

É assim que se pode compreender bem como a couraça muscular do caráter funciona, influindo o *tempo todo* sobre a recepção de sinais e a emissão de respostas.

O inconsciente dinâmico, as *forças inconscientes*, as *formas profundas de reação* se fazem, por esse caminho, conceitos científicos, isto é, experimentalmente exploráveis.

O famoso *grounding* dos terapeutas bioenergéticos – consciência do meu peso por meio do contato com o chão – encontra aqui sua justificativa. Se não estou bem *fundado, ou plantado*, posso cair facilmente – e isso, subconscientemente percebido, me torna inseguro. Na verdade, *estou inseguro* – estou *mal apoiado* em mim mesmo, isto é, meus segmentos corporais estão desaprumados, *prontos para cair* ao menor abalo.

Essa verdade explica, talvez, o mais fundamental de todos os mitos – o da grande mãe. A grande mãe é a terra – sabemos. É a terra que nos *puxa* para baixo, que nos convida a deixar de fazer qualquer esforço, a largar o corpo e a nos deitarmos; nessa posição – e só nela – *podemos existir sem esforço voluntário* (muscular). A mãe terra nos atrai *eternamente*, como nos atrai a ação automática, isto é, a ação feita sem consciência nem responsabilidade.

Esta é a primeira e a mais natural de nossas esperanças: *sermos levados* pelos nossos mecanismos posturais, que atuam sem que se tenha sensação de esforço voluntário; levados, depois, pelos nossos desejos, que sabidamente nos dão asas.

O ser levado é a atuação sem responsabilidades; é o desfrute sem escolha, sem dúvida, sem luta nem culpa.

Ser levado é quando alguém ou algo ou uma força me carrega/move sem que eu precise fazer nada – *sem que eu precise ter consciência ou intenção de esforço.*

Podemos dizer também, pelas mesmas razões, que o homem jamais *se põe:* ele sempre se opõe – à terra. Senão, cai. Luta contra a mãe... Do momento em que levanto a cabeça ou um braço ao momento em que fico em pé, estou lutando continuamente para sustentar essas partes do corpo no ar, estou me carregando em sentido próprio e literal, estou me impedindo de cair e esparramar-me.

É, pois, a oposição à mãe que permite – exige? – a individualidade da posição ereta. Como minhas proporções corporais (comprimento, largura, peso) e minhas qualidades dinâmicas (precisão, força, rapidez) são demonstravelmente únicas, se encontro MINHA(s) postura(s), então sou verdadeiramente eu, na base, na força, na forma.

Mas só me posso achar (achar as posições melhores de equilíbrio – ação) permitindo-me ocasiões de queda para aprender (podemos cair de mil modos diferentes).

O orgulho humano depende essencialmente da postura, do conjunto de tensões mais ou menos crônicas que nos mantêm em pé. É *difícil aprender a se deixar cair, a se deixar afrouxar, amolecer.* Temos milhares de reflexos que funcionam em sentido contrário: sempre que há uma tendência espontânea à queda, imediatamente operam esses mecanismos que tendem a pôr tudo em pé. E o indivíduo, mesmo querendo, não consegue *entregar-se, dar-se* (inativar os mecanismos posturais).

O leitor deve estar tão cansado quanto eu em relação à minha insistência com essas coisas dinâmicas.

Vou justificar minha obsessão analisando dois enormes clichês relativos ao corpo e à postura, e as falsas noções que tais clichês deixaram – e deixam – em quase todos que passam por eles.

Mas primeiro precisamos estabelecer algo mais sobre a contração muscular. Qualquer fibra muscular (ou unidade muscular) que entra em ação tende a encurtar-se, isto é, os extremos da fibra aproximam-se um do outro. Mas nunca podemos prever o que de fato acontece quando uma ou mais fibras se contraem *no corpo vivo e inteiro*, porque da contração de uma fibra pode resultar:

- um movimento – se uma das extremidades estiver fixa e a outra, livre;
- uma tensão – se as duas extremidades estiverem fixas (contração isométrica);
- um movimento complexo – se as duas extremidades estiverem desigualmente livres.

O que de fato acontece é difícil de prever, porque a posição/tensão/comprimento de cada fibra muscular depende a cada instante da posição/tensão/comprimento de TODAS as outras. Digamos a mesma coisa ao contrário e caímos sobre o primeiro mito que tenho em mente criticar. Na faculdade de Medicina, estudando anatomia, lá aparecia descrita a função dos músculos e tudo era muito simples e claro. Bastava ver a relação do músculo com a geometria dos ossos aos quais ele se fixava e podia-se prever a função. O homem anatômico está em pé, de frente para o observador, palmas das mãos para a frente. Ele é o sistema de coordenadas que permite descrever a posição/orientação de todas as partes do corpo de modo uniforme – igual para todos os anatomistas.

Ora, o boneco anatômico tem algumas propriedades absolutamente sobrenaturais: primeiro, ele está *sempre na mesma posição – completamente imóvel*; depois, *ele só contrai um músculo por vez*, e portanto faz um movimento incrivelmente simples – que o anatomista descreve como função *daquele* músculo (um por vez, de forma isolada).

Basta dizer assim para ver que o homem anatômico não tem quase nada que ver com o homem vivo, para perceber que as noções anatômicas de ação muscular são de uma simplicidade radical e irremediável.

A ação real de cada músculo depende em cada momento da ação real de todos os demais músculos.

Essa é a lei da complexidade natural do nosso
aparelho motor, no qual jamais um músculo se
contrai sozinho, no qual cada contração muscular
produz uma deformação que muda a ação
de todos os outros músculos.

O homem anatômico não faz absolutamente nada. Ele apenas flete o braço, estende a perna, inclina a cabeça ou estende a coluna. É um modelo de ginástica para débeis mentais.

Falando de nossa motricidade, qualquer modelo que comunique a noção de estática – como esse homem anatômico – é profundamente inexato e certamente leva a falhas de pensamento em tudo que se refere aos movimentos do personagem humano.

Essas são as principais dificuldades do nosso equilíbrio, às quais é preciso acrescentar as que descrevemos no começo deste capítulo. Estamo-nos referindo aos ângulos de ação das forças musculares em relação à alavanca óssea que elas movem. Sabemos que tais ângulos também são muito variáveis, e que sempre se pode perguntar qual é o *conjunto de tensões ótimas* para determinado desempenho, e que variedades de conjunto de tensões podem levar ao mesmo fim, porém de modo menos estável, menos rápido, menos eficiente.

Dissemos bem no começo que o termo postura não tem sentido sem a consideração do equilíbrio do corpo. Agora podemos declarar: *a postura é a maneira de nos equilibrarmos a cada momento.* É o elemento mais estável da movimentação do corpo humano, o conjunto de forças que a cada instante garante minha posição em pé – qualquer que seja o esforço que eu possa estar fazendo. Como faço mil esforços e mil gestos por dia, devo ter muitas posturas.

E agora falemos do mito número dois (relativo à postura). Trata-se do homem postural. Textos sóbrios e respeitáveis, quando começam a tratar da postura, nos mostram a silhueta de um homem posto de perfil, com a sombra do esqueleto por dentro; do conduto auditivo externo parte um fio de prumo que desce até o meio do maléolo externo (no tornozelo). E logo vêm os comentários mostrando por que e como essa é a Boa Postura.

Levei anos até conseguir fazer para mim mesmo esta pergunta de menino esperto: mas se essa é a boa postura, quando saio dela não tenho mais uma boa postura! E então? Será que para ter uma boa postura *eu preciso ficar parado o dia inteiro naquela posição?*

É claro que não posso viver nessa posição, e que *a boa postura* é uma tolice já no próprio enunciado. Pode-se e deve-se falar sempre em *qual* boa postura, *em qual* circunstância e *em qual* trabalho ou atuação – e para qual indivíduo. Para *cada espécie* de movimentação corporal – seja ela útil ou expressiva – existe um embasamento postural que a mantém em pé. Tal embasamento pode ser bem ou mal construído – e de muitos modos bem construídos e mal construídos.

O CONFLITO PRIMORDIAL

É difícil, por exemplo, falar na postura de uma medusa ou de uma água-viva. No entanto, elas já a têm: ficam sempre em pé – se põem: SE PÕEM – põem (colocam) a si mesmas. Se arrumam o tempo todo, orientadas pela gravidade: campânula sempre para CIMA e tentáculos sempre para BAIXO. Foi em alguns tentáculos especializados das águas-vivas que começou a ser criado pela natureza o órgão indicador da vertical – direção da gravidade –, importante na determinação da anatomia e do comportamento dos animais. Isto é, existe uma força efetiva, real e de regra poderosa puxando-nos

V
E
R
T
I
C
A
L
M
E
N
T
E

para baixo o tempo todo. Puxando todo nosso corpo e cada uma de suas partes – inclusive as vísceras, o sangue, lábios, bochechas e pálpebras, língua, queixo e braços. E existe um contraesforço, pessoal, muscular e de algum modo voluntário, opondo-se à tendência do peso das nossas partes. Sendo voluntariáveis, tais esforços podem ser captados proprioceptivamente como pessoais e de dois modos:

- pessoal e MEU – sempre que consigo atuar sobre eles;
- pessoal, mas NÃO MEU – sempre que eles funcionam ativados reflexamente ou por outrem, como nos casos de projeção, identificação, *culpa dele, fui levado* etc.

Nossa relação com a terra é o primeiro e o mais importante dos nossos conflitos. Se homens e os animais não contassem com certas posições favoráveis (fáceis) para estar, não teríamos postura. Seríamos SEMPRE e SOMENTE movimento (como a cobra em movimento!).

Essas posições favoráveis são as mais próximas das que *param em pé sozinhas* – ou quase.

Permitem *repouso* sem sono. Dinamicamente, é A PARTIR delas e SOBRE elas que são feitos todos os movimentos.

Também ao *terminar* eles se detêm – ou se transformam – em uma posição. As posturas SÃO OS ESQUEMAS MAIS PRIMITIVOS de ORGANIZAÇÃO de TODO O SISTEMA NERVOSO.

São os sistemas de coordenadas dinâmicas EM RELAÇÃO AOS QUAIS se situa, se dispõe e se apoia tudo mais que existe em nós.

O principal organizador de todos os esforços antigravitacionais é a vertical, dada pelos estatocistos. O estatocisto – temos um em cada ouvido – é uma pequena vesícula com a metade inferior ocupada por células sensoriais muito especializadas, dotadas de um longo cílio, único e retilíneo. Estes cílios – um para cada uma das células – mergulham numa substância gelatinosa que os solidariza e lhes dá certa estabilidade; sobre a substância gelatinosa alguns grânulos calcários, de densidade duas a três vezes maior do que a da substância viva, funcionam como estímulo. Qualquer alteração na posição vertical da cabeça faz que o peso das pedrinhas calcárias entorte irregularmente os cílios das células; captamos esse sinal como *inclinação da cabeça*. Tal órgão, repito, existe desde a medusa até nós; isto é, em todos os animais pluricelulares (móveis).

Dissemos que os elementos naturais da postura podem ser a raiz e o eixo do orgulho humano. O orgulhoso diz com sua atitude: *Sou mais alto, sou maior, estou por cima, você está longe de mim* (não me atinge), *você é pequeno,* ESTOU BEM EM PÉ. Todas essas expressões, como a gravidade, giram em torno da vertical.

Quase digo que os homens não param em pé por querer; de certo modo, param em pé até sem querer. Sabemos que qualquer ameaça ao nosso equilíbrio encontra IMEDIATAMENTE uma reação que nos mantém – ou nos põe – em pé, à revelia de nós mesmos. É muito difícil deixar-se cair deliberadamente, cair mesmo, passar por um momento em que não sustento nada do meu corpo e o deixo desaprumar-se. Não confundir deixar-se cair com jogar-se no chão. Em judô se aprendem mil maneiras de cair, mas em todas elas se supõe que fui jogado ou que eu estou me jogando.

VOCÊ DEVIA! – A CULPA É SUA!

É difícil atenuar ou anular nossos dispositivos posturais.

Como expressão sociopsicológica da tenacidade automática de nosso parar em pé, e de nossa inconsciência em relação a esse fato, sofremos do pior de nossos arcaísmos: *a culpa é sua (ou você devia)*. Essa *posição-declaração* é muito – MUITO – mais frequente do que o *Eu sou* do orgulhoso. *Você deve* se diz com dignidade, bem ereto, como denúncia *nobre* (diferentemente da delação – que é *vergonhosa*, traição ao grupo). O você *deve* se diz EM NOME da maioria – daí a solenidade. É a dignidade da função policial do sistema.

Como o erro é seu,
só VOCÊ tem de fazer (ou *desfazer*) isto ou aquilo.
Eu PERMANEÇO COMO ESTOU (SOU),
meu EU permanece como está (é).
Não me movo nem saio do lugar (mantenho minha posição).

A culpa é sua, atitude coletiva que gerou o famoso *sentimento de culpa*, é a atitude/o sentimento socialmente forjado, a fim de aproveitar e regular a agressão humana individual na manutenção do sistema social. É expressão do ódio coletivo produzido pela repressão coletiva.

NÃO SE DEVE agredir ninguém, mas
POSSO (DEVO!)
ODIAR/AGREDIR/DESTRUIR
os que estão ERRADOS
(os culpados, os que não fizeram o que deviam
e/ou os que fizeram o que NÃO deviam!)

J. A. GAIARSA

AGRESSÃO REPRIMIDA – O QUE NÃO SE DIZ A RESPEITO

Quem vem pensando conosco enquanto lê deve ter chegado já à conclusão de que estamos falando dessa coisa tantas vezes obscura nos textos de psicoterapia, a agressão reprimida. Não se trata só de problema pessoal e/ou familiar. Todo o nosso existir social depende dessa repressão. Freud disse isso mesmo de outro modo. Reich também.

O limite dessa mecânica está na guerra. Se é *inimigo* (erro coletivo deles!), então DEVE morrer.

Quando surge a *culpa sua?* Sempre que um personagem, situação ou atuação nos perturba, choca, abala – nos acorda. É parecido com a sensação de queda e o *sobressalto* que sofremos quando, adormecendo, sentimos que nos FALTA O CHÃO.

Dizemos sempre que perturbados: *Está errado, não devia ser assim, de quem é a culpa? Quem é o responsável?* Depois – quando passamos a considerar/explicar a história – dizemos, sempre com gestos e jeito de quem está sendo empurrado e se esforça para não cair: *Senti que o chão fugia de sob meus pés, me desequilibrei com o choque, balançou meu coreto (minhas convicções foram abaladas).*

Essas duas expressões, uma popular (coreto) e uma erudita (convicção), se mostram deveras importantes para nós. São claramente a postura – que o outro, malevolamente, quase prova ser uma... IMPOSTURA. Seu reparo sugere que minha *posição* é uma pose – ou que meu palco não existe!

As pessoas nunca refletem sobre esse *abalo*. Ideias, afinal, não balançam...

No caso limite *perco o controle* e brigo, ou tenho "uma crise emocional" – me faço MOVIMENTO. Perdi a paciência *por causa dele* – e aí tenho todo o DIREITO (?) de coagi-lo até fisicamente.

Lembrar que uma coisa é o direito criminal (defesa da vida) e outra, o direito civil (propriedades, serviços e pessoas). Uma dessas situações pode ser tida/aceita como natural (direito à defesa física), a outra é de todo convencional. Poderia ser diferente.

Tenho para mim que um poderoso fator explicativo para essa acusação/sentimento tão comum obedece ao seguinte modelo: se num pelotão militar em ordem unida o puxa-fila começa a obedecer errado às vozes do comando, TODO o grupo se desorganiza. Quem em dada situação social não faz o que se espera que seja feito (o *não* da noiva diante do altar, por exemplo) desorganiza toda a cerimônia (os papéis perdem sentido). Ficam TODOS SEM JEITO!

A organização AINDA HOJE mais fácil de obter em uma emergência, de qualquer grupo humano, É A CAÇADA! – no que fomos, de longe, melhores do que os grandes felinos (que hoje enfeitam nossos zoológicos...).

Daí o É ELE (o culpado, o perturbador do ritual estabelecido).

Ele TEM DE:

1) retratar-se, criar juízo, voltar a fazer como sempre se fez ou fazer como todo mundo;
2) ser remodelado;
3) ser afastado; ou
4) ser aniquilado.

O DEVER – sem o qual a CULPA não existe – não sei se é o mais divino do homem. A LEI – sabemos – é instrumento de coação social de poucos sobre muitos.

Vejamos mais exemplos que nos levarão do sociopsicológico à postura.

Se, dançando a dois (juntos), eu olhar para outro par que esteja dançando, seu movimento perturba o meu (imitar é muito fácil – acontece mesmo sem querer). De novo, posso ficar SEM JEITO (nenhum).

Enfim, se vou fazer um movimento preciso (tiro ao alvo, tacada no bilhar, linha no olho da agulha), qualquer estímulo súbito pode perturbar a ação – e levar a erros.

É por essas conexões que
VOCÊ é o CULPADO e a POSTURA se ligam.
Como SUA ação/declaração inesperada perturbou
MINHA posição, faço tudo para que você...VOLTE
para o seu lugar (a fim de que eu saiba qual é o meu).

Essas sensações ocorrem sempre que a interação se faz seguindo o princípio da identificação OU dos papéis complementares.

Se o filho *não se comporta* COMO FILHO, a mãe fica SEM JEITO (sem função!).

Além do orgulho e do *a culpa é sua*, temos, influindo sobre a postura, o contrário do orgulho, que não é a humildade, mas a resignação e a submissão. Falo de atitudes. Falo do sem número de pessoas mal-tratadas e sofridas que depois dos 40 ou 50 anos vão-se levando – se arrastando – pela vida, meio trôpegas, inclinadas para a frente, *esmagadas* pelo passado, *oprimidas* pelas responsabilidades, *deprimidas* pelos desenganos. As pessoas se dobram – mas continuam em pé – até sem querer. Certamente sem querer continuar em pé. Quem não tem pelo que viver, quem não teme nem deseja mais nada vive por hábito e não por gosto – nem *por querer.*

Sabemos, agora em plano psicológico, quanto é difícil desistir de vez de uma ligação, de um projeto ou de uma expectativa. Entre desistir e cair há mais semelhanças do que aquelas que se costuma dizer.

É fácil ilustrar essas afirmações. Se fico em pé como se um fio invisível puxasse o centro de minha cabeça para cima, dou uma impressão de dignidade (de majestade, de poder, de força); basta anular esses esforços (que vão para cima), basta ficar numa postura relaxada e imediatamente *caio* – todas as linhas do corpo e do rosto vão *para baixo*. Imediatamente o outro terá de mim a impressão básica: frouxo (bunda-mole), desanimado, deprimido, oprimido, largado, entregue, sem reação – SEM POSIÇÃO.

AS TRÊS POSTURAS DA POSTURA

Adiantemos uma descrição esquemática da postura, conveniente para nossa comunicação daqui para a frente.

Temos primeiro a postura *de baixo, o embasamento postural* que nos mantém em pé e nos carrega. Ela vai da borda superior da bacia até a ponta dos pés, incluindo a própria bacia, todas as juntas e a musculatura de fixação e movimentação das coxas em relação à bacia, das pernas em relação às coxas e dos pés em relação às pernas.

Depois convém falar numa *postura de trabalho*, que envolve primariamente ombros e braços. Esta está instalada *sobre* a anterior, de forma que permite enorme liberdade de movimento. A postura de trabalho pode oscilar muito sobre a postura de base; além disso, os braços trabalham com frequência de modo assimétrico, compondo esforços um com o outro e descarregando esforços ao longo da coluna e da bacia até o chão, através da postura de embasamento.

Bem no alto, temos a postura que chamo de *controle-vigilância-sinalização*: a cabeça e todos os seus órgãos sensoriais, principalmente os telerreceptores: olhos, ouvidos, olfato. Sabemos que tanto olhos como ouvidos podem e devem ser *dirigidos* quando queremos refinar informações sensoriais. A cabeça serve a essa função; os olhos se movem sozinhos, mas a cabeça ajuda. Os ouvidos podem se mover um quase nada, mas em nós, para dirigir os ouvidos, é preciso que a cabeça se mova (há animais que movem os pavilhões auditivos com muita facilidade). Também para melhorar o olfato nós farejamos, isto é, inalamos ar com força, apontando o nariz em várias direções para sentir de onde vem o cheiro mais intenso.

As funções básicas de pesquisa, orientação e busca estão na cabeça, o que torna legítimo dissociar a postura da cabeça das outras duas que descrevemos. Dizemos que a cabeça tem também uma *postura de controle* porque, de regra, é ela que observa o que as mãos ou o corpo estão fazendo e é ela que *avalia ou diz* quando está bom e quando não está. Enfim, a face é o primeiro sinalizador natural do que o sujeito está sentindo ou se propondo fazer. A cara *diz* se estou amigo ou inimigo, se estou gostando ou não.

Além disso, a boca é o principal órgão da fonação/articulação da palavra, que no homem se fez o sinalizador convencional por excelência. Dissemos que a nossa base era de 30 cm x 30 cm: 30 cm é aproximadamente o comprimento do pé e 30 cm é mais ou menos a distância usual entre os pés – na maior parte do tempo. Mas sabemos que os pés podem estar juntos um do outro, momento em que nossa base não tem mais do que 10 cm a 15 cm de largura; como podem estar distantes um metro ou mais, conservando sua função de base. (Não podemos considerar o caso de bailarinos ou bailarinas que se sentam no chão de pernas abertas, porque nesse caso não podemos falar de uma postura das pernas *sustentando* o corpo.) Nossos pés se afastam lateralmente e se afastam também para a frente e para trás, até com maior distância entre eles. O esgrimista, no momento em que cai a fundo, está com os pés distanciados mais de um metro. Sempre que o distanciamento dos pés se faz na linha anteroposterior, a base tende a estreitar-se e alongar-se; sempre que o distanciamento é lateral, ocorre o contrário. Notar que todos os distanciamentos anteroposteriores são, em princípio, mais estáveis que os laterais.

É da experiência cotidiana: se alguém quiser derrubar uma pessoa, uma das maneiras fáceis é empurra-la fortemente de lado. Já de frente ou por trás facilmente encontraremos, na vítima, dispositivos de oposição automática que dificultem a queda.

Não só os pés podem se distanciar modificando a base, como tornozelos, joelhos e articulações coxofemorais podem fletir-se em graus variados, *baixando o centro de gravidade*, desde a posição ereta até a posição de cócoras, na qual o centro de gravidade está numa posição muito baixa – na verdade, na posição mais baixa que ele pode atingir (com a condição de plantas dos pés no chão).

Além das variações descritas – reais e frequentes – temos as variações *tensionais*, que tornam uma *mesma posição variavelmente resistente*, conforme a direção do empurrão que tende a produzir a queda. Se estou com um pé adiantado na frente e outro atrasado, se alguém me empurra de lado, faço certo esforço; já se, *na mesma posição*, alguém me empurra *pela frente*, tentando me fazer cair para trás, *mesmo que a configuração do corpo não mude*, mudam consideravelmente os esforços musculares que mantêm essa configuração.

Em grupos de aprendizado e de terapia, muitas vezes fazemos exercícios que chamamos de oposição sistemática. Um deles consiste precisamente em formar duplas e pedir que uma das pessoas tente fazer a outra cair – *porém, sempre em câmera lenta*. Trata-se de perceber o processo (de cultivar a propriocepção) e não de treinar a aptidão.

Quando se adquire prática nesse exercício, é curioso ver o indivíduo manter o corpo absolutamente imóvel enquanto o outro tenta deformá-lo de todas as maneiras possíveis. A forma constante é mantida à custa de conjuntos de esforços diferentes a cada tentativa.

Por isso dizemos e repetimos quanto é preciso *fluidificar nosso pensamento* para começar a compreender a postura não como algo que se põe, que fica, que está ou é, mas sim como um fato que está *sempre acontecendo*.

> Outra qualidade peculiar do corpo vivo
> em equilíbrio é que ele pode inverter
> todas as suas forças com muita facilidade.

Aprendemos isso com mil esforços feitos num momento contra a gravidade e noutro momento a favor da gravidade (adiante voltamos).

Se pusermos um indivíduo sobre plataforma móvel em todas as direções, mas com ângulo máximo de oscilação de 30º, e se fizermos a plataforma oscilar, ele terá boa probabilidade de permanecer de pé. Depois, podemos pedir-lhe que, *com seu esforço*, produza todos os movimentos da plataforma – que antes eram produzidos por uma força exterior a ele.

É muito fácil fazer isso. Essa *reversibilidade* torna o uso de uma plataforma móvel um bom exercício para a ampliação e o aprofundamento das sensações e reações do corpo à ameaça de perda de equilíbrio. Dispositivos simples desse feitio nos permitem demonstrar, investigar (e treinar) experimentalmente o *jogo dos contrários* – o encontro com a sensação de *centro* e *eixo*.

É assim que sobre nossas qualidades mecânicas de *equilíbrio instável* (mas sempre ATIVO) se instala a astúcia das respostas vivas. Na luta, as boas atitudes *de defesa* são sempre, ao mesmo tempo, *base* para um ataque; a posição de proteger-se de golpes que vêm de fora transforma-se, *num instante*, em base para um contragolpe. A expressão *luta ou fuga* caracteriza bem esse fato.

Veja-se a riqueza de conotações psicológicas ligadas à nossa organização motora. Os psicanalistas fazem seus críticos morrerem de desespero pelo desembaraço (quase digo leviandade) com que afirmam: "Se não era aquilo então era o contrário".

As duas grandes direções dos afetos e dos instintos – desejo e temor, sempre juntos. Freud deixou-se fascinar pelo problema. Jung buscou inspiração no Oriente a fim de colocar-se diante dessas *contradições*.

Como vemos, pode ser que a dialética (e os Contrários) tenha sido pensada porque nosso aparelho motor é assim:

AUTOEQUILIBRÁVEL,

INSTÁVEL e

REVERSÍVEL.

Essas três palavras denotam ao mesmo tempo fenômenos físicos, corporais e sensoriais – proprioceptivos – que transformam o *fato* em sensação (em fenômenos de consciência).

Lembremos Neumann: "O ritual precede o mito" (primeiro os homens fazem, depois podem entender o que fizeram – se se interessarem).

E Goethe: "No começo era o ato" (Fausto).

AS BASES MENORES

Podemos ter bases menores, por exemplo, quando ficamos na ponta dos pés. Nesse caso, estamos apoiados em dois triângulos que têm de 6 cm a 10 cm de lado: da cabeça do primeiro metatarsiano até a extremidade da primeira falange do hálux (dedo grande do pé); o terceiro apoio é a cabeça do quinto metatarsiano. Sabemos, ainda mais, que o bailarino clássico – a bailarina em particular – treina permanecer em pé quase exclusivamente sobre os dedos (fortemente fletidos) do pé. Temos, nesse caso, base triangular menor ainda. Enfim, pode-se ficar por alguns instantes na ponta de um pé.

Bem mais difícil do que isso é o que fazemos com muita facilidade: o chute, por exemplo. Apoiamo-nos em um pé e movemos a outra perna com violência – mantendo apesar disso o equilíbrio.

Acredito que seria útil em terapia dispor de uma plataforma móvel com pés semelhantes aos que são encontrados nos esquis de neve ou aquáticos. O indivíduo, com os pés assim fixados à plataforma, pode ultrapassar suas condições habituais de equilíbrio. Essa situação é ótima para que ele aprenda a perceber cada vez com mais finura – e sem medo – suas iminências de queda, as posições extremas nas quais o corpo não consegue mais compensar o equilíbrio.

A couraça muscular do caráter, entre outras ações, restringe consideravelmente a movimentação do indivíduo – ou, como é mais exato dizer, restringe a amplitude das oscilações de desequilíbrio do corpo. Ante pequenos choques, ameaças ou oposições, o indivíduo teme cair e reage endurecendo-se inteiro, não se permitindo de forma nenhuma chegar *aos extremos dos seus limites* de queda; muito menos *se permite* deixar-se cair.

OS TIRANOS JAMAIS RENUNCIAM! Ninguém renuncia – ninguém PODE (consegue) renunciar à sua posição. Não é possível existir sem posição.

Temos razões para crer e concordar por inteiro com Reich: elemento constante e importante de qualquer resistência psicológica é o temor de queda. Desenvolveremos melhor esse assunto ao longo deste livro.

Toda essa parte da postura corresponde ou depende do *anel pélvico* de Reich. O *grounding* – exercícios para sentir o próprio peso sobre os pés, mais a resistência do chão – educa essa parte da postura e permite que a pessoa aprenda, aos poucos, a se sentir FIRME SOBRE AS PRÓPRIAS PERNAS, segura sobre sua base, *bem equilibrada.*

A POSTURA DE AÇÃO

A junção da base com o segmento imediatamente acima – com a postura de ação – é complicada. A bacia (pelve ou cintura pélvica: ossos ilíacos mais o sacro) forma uma ponte entre a cabeça dos dois fêmures, que são *esféricas*. Os movimentos das articulações coxofemorais são, pois, *muito fáceis em qualquer direção*, mas limitados, em várias dessas direções, por ligamentos fortes.

De qualquer modo, uma *bandeja sobre duas esferas* – retrato da suspensão da bacia – é na certa um dos limites da INSTABILIDADE (DA INSEGURANÇA).

Mas a instabilidade vai além. *Apoiada* ou descansando na bandeja, *entre* as duas esferas, mas *atrás* da linha que une seu centro, temos a coluna vertebral, 24 *xícaras* emborcadas umas sobre as outras, todas deslizantes umas em relação às outras, deslizantes em *todos os sentidos* mesmo que com pouca amplitude.

Fixada às vértebras dorsais, a caixa torácica, um sino achatado na direção anteroposterior e com seu aspecto posterior duas vezes mais longo que o anterior. É na boca desse sino – também oblíqua para trás e para baixo – que se prende a musculatura das paredes abdominais. Embaixo, esses mesmos músculos vão prender-se à borda superior da bacia. No *interior* do abdome, é nessa mesma linha que se prende o diafragma (anel diafragmático de Reich).

A cintura escapular (ombros) encaixa-se sobre a caixa torácica como canga sobre o pescoço/ombros do *boi*. Este é o conjunto da ação: tronco/braços.

Note-se a extrema mobilidade de um conjunto em relação ao outro (de tronco/braços em relação a bacia/pernas) e seu alinhamento precário. Em outras palavras: o sistema é mais do que instável (inseguro).

A vantagem – grande – da mobilidade é problema complicado para a estrutura funcional que nos garante essa mobilidade. A base precisa ter muita versatilidade a fim de carregar e equilibrar continuamente uma configuração pesada, forte, complicada e variável a cada instante, como é a disposição do tronco e depois dos braços e da cabeça, enquanto trabalham carregados pela ponte pernas/bacia. Sobre a bacia temos o tronco dividido em três anéis pela pesquisa reichiana sobre a couraça muscular do caráter. De momento, poremos de parte o anel abdominal e o diafragmático e consideraremos apenas o anel toracobraquial – sendo tórax e braços estruturas anatomicamente solidárias e funcionalmente integradas – ou integráveis.

HOMO FABER: MINHAS MÃOS E A TRANSFORMAÇÃO (MANIPULAÇÃO) DE TODAS AS COISAS

Braços e mãos são os principais órgãos executivos do homem. É com as mãos que fazemos quase tudo que fazemos. Por isso chamamos a postura dos ombros-braços-mãos de postura de ação ou de movimento. Estaremos certos 90% das vezes.

Quando o indivíduo faz movimentos muito limitados com a mão – como o escritor, o ourives, a bordadeira –, o movimento da mão praticamente não tem *influência* sobre o equilíbrio do corpo. Mas mesmo sentados, desde que antebraço ou braço façam movimento rápido, de 15°, 20° ou 30° para alcançar um lápis, por exemplo, já começamos a ter problemas de equilíbrio do tronco sobre o assento (sobre as nádegas). Mesmo sentados, as nádegas não são a base única; os pés, de regra apoiados no chão, podem ter a qualquer instante influência no movimento que os braços estão fazendo – insistamos, mesmo que se esteja sentado. O mesmo se pode dizer da cabeça: quando só os olhos se movem ou só há pequenos movimentos da cabeça, o comprometimento de equilíbrio é desprezível; mas quando a coluna inteira se *inclina* um pouco, até mesmo um deslocamento de 10 cm da cabeça pode alterar sensivelmente as condições de equilíbrio de *conjunto* – porque a cabeça, que é pesada (cinco quilos), está na extremidade do braço de alavanca da coluna, que é grande – 50 cm a 70 cm.

FIZ E FAÇO A MIM FAZENDO O MUNDO (COM MINHAS MÃOS)

Mãos direita e esquerda com muita frequência trabalham juntas, mas não de forma igual. A direita é mais precisa, quase sempre está encarregada dos movimentos mais delicados, do que poderíamos chamar, por analogia, de arte final do trabalho – a forma (dinâmica); já a mão esquerda, mais tosca e não raro mais forte, ajuda a direita, oferece o objeto, firma o objeto, segura o objeto – é o *fundo* (dinâmico).

O importante a assinalar de momento é que esse arco de ação não é simétrico, o que torna o problema de equilíbrio mais complicado. Recordemos também que muitas vezes os homens fazem com as mãos trabalhos que exigem esforços consideráveis: martelada num prego, machadada na árvore, chute, soco, manejo da pá. Sublinhar que esses esforços são realizados lá em cima pelos braços, há mais ou menos 1,5 metro do chão, e portanto com um grande braço de alavanca em relação às perturbações de equilíbrio.

Se em vez de usar meu peso para *contrapesar os movimentos bruscos que faço* eu quiser *me firmar muito no chão*, farei esforços consideráveis e mal organizados, incômodos e cansativos. O bom profissional arruma primeiro a postura a fim de equilibrar – compensar os esforços que vai fazer nos braços, com um balanço nas partes inferiores do corpo; sendo pesadas, elas se prestam bem a servir de contrapeso.

O PREÇO DA LIBERDADE É A ETERNA VIGILÂNCIA!

Enfim, consideremos a postura de vigilância, controle e sinalização – a postura da cabeça. De um lado ela é simples – uma esfera sobre um cilindro: descanso único da coluna cervical. Mas os músculos do pescoço são numerosos e fortes, pois a cabeça é bastante móvel e faz muita força – como se vê no carnívoro que firma a boca na presa e arranca pedaços de carne *pelos esforços do pescoço*. A cabeça é, ainda, bastante independente em relação ao corpo. Com o corpo voltado para a frente conseguimos girar a cabeça para trás mais ou menos 90°. A cabeça pode inclinar-se muito para trás, para os lados e para a frente. Entre braços e pernas vigora uma relação complexa de esforços combinados frequentemente alterantes. Entre a cabeça e os braços prevalece a lei do circuito retroalimentado oculomanual – mas com um acréscimo importante para a fenomenologia da propriocepção.

Como os olhos controlam habitualmente o trabalho das mãos, eles terminam por assumir – junto com o *pensamento* – funções de *donos* das mãos. Para esclarecer esse ponto, consideremos gente que maneja máquinas e ferramentas. Quando erramos uma martelada, primeiro achamos que *a culpa* é do martelo – ou do prego. Depois desse momento – quando se consegue superá-lo –, então achamos que a culpa foi da mão – e a consideramos como se ela NÃO FOSSE eu, como se *ela*, que errou, fosse capaz de ação independente – e como se ela fosse incapaz ou *estúpida*. Se a martelada machucou um dedo, então passo a ver a mão definidamente como inimiga, algo com o que é preciso ter muito cuidado, pois é capaz de fazer coisas contra a gente!

Outras vezes, quando a pessoa executa trabalho manual a contragosto, então se vê quanto a gente *manda* na mão.

É fácil verificar essa dissociação e ela existe, em maior ou menor grau, praticamente em todos os indivíduos; a dissociação entre o eu (cabeça/olhos), que *manda*, e o não eu (a mão), que *faz*. O eu está mais na cabeça que nas mãos.

Parte importante da inconsciência das pessoas (constituinte primordial do inconsciente) é a má integração entre a cabeça e braços. Em geral, isso significa que o indivíduo não percebe (não sabe) muito bem o que está fazendo. Para essa inconsciência existem razões psicológicas – bloqueio da cintura escapular por medo, orgulho, vergonha; inibição das mãos por sentimento de culpa ligado à masturbação etc. Outros motivos são as *muitas atividades que as mãos podem executar ao mesmo tempo* sob controle visual mínimo.

Um desenhista na sua mesa de trabalho, por exemplo. Ele vai pegando lápis, caneta de nanquim, régua, esquadro, compasso etc., quase sem pensar. Isto é: quase SEM OLHAR. O olhar é usado na execução final do traço – aí, sim, com atenção, presença, concentração, isto é, olhando/controlando BEM. A mão, nessa mesa, funciona como VÁRIOS FUNCIONÁRIOS que é preciso controlar periodicamente, mas não é preciso ficar sobre eles o tempo todo. A maior parte do tempo elas desempenham a contento suas tarefas com um mínimo de relancear de olhos pelo campo de trabalho. Podemos dizer então que NÃO TEMOS CONSCIÊNCIA (plena) do que estamos fazendo. Essa situação é a mais comum no trabalho com as mãos. Seja ele qual for, de regra sabemos pouco e mal daquilo que as mãos estão fazendo: a técnica, o como, o *know-how*, o *como* se faz. Só nos importa o *resultado*, e este se consegue facilmente. Se estivéssemos atentos à execução ela seria melhor, mas não se espera muito das pessoas e então deixamos tudo na meia-luz do automático.

O caso fica bem pior quando o gesto se faz com *gente*: mãe e filhos, amante e amante. Aí as pessoas NÃO OLHAM para o que estão fazendo – e muitas vezes NÃO SENTEM o que estão fazendo. Dadas nossas repressões sérias em relação ao contato corporal, *mesmo ao viver esse contato fazemos tudo para não percebê-lo*. Para não perceber a sensorialidade, a pele, o calor, a carne e o prazer do contato com o outro. É nessa linha que se pode entender o que significa

- inconsciência das mãos;
- inconsciência do que se faz;
- irresponsabilidade pelo que se fez;
- má ligação entre cabeça/braços/mãos.

Se Freud se tivesse detido nas correlações oculomanuais (que são tão *corporais* quanto a boca, o ânus e os genitais), compreenderia/explicaria de vez o famosíssimo *sentimento de culpa pela masturbação* que enche 20% dos textos de psicanálise.

É o sentimento de culpa

PELO QUE EU FAÇO.

Na verdade, é

MEDO DE FAZER O QUE EU QUERO (gosto).

Medo de ter vontade própria – e suas consequências.

O homem pode *intervir* na natureza e *perturbá-la* (*manus-turbare*) com as mãos (masturbação) atuando sobre os genitais, por exemplo. O sentimento de culpa pela masturbação é, pois, socialmente condicionado, no sentido de ser mais uma forma de repressão sexual; mas é, *ao mesmo tempo*, o medo de ASSUMIR-SE, de dizer

EU FIZ (com minhas mãos) PORQUE QUIS.

Nesse contexto, o sentimento de culpa, tido como ligado à sexualidade, refere-se, na verdade, à RESPONSABILIDADE – QUALQUER que seja ela.

Responsabilidade por tudo que a humanidade em geral e cada um de nós em particular fazem, ou fizeram, PORQUE QUISERAM, indiferente ou diferentemente do usual, do tradicional, do instintivo, do *permitido*.

A mão – como se vê pela extensão da representação cortical de seus controles motores – é a região mais educável ou influenciável do corpo; é onde O EU QUERO (a vontade) mais aparece, e onde ela aparece com maior frequência.

A MÃO DIREITA é o símbolo NATURAL da ação HUMANA VOLUNTÁRIA (deliberada, intencional, consciente, responsável). O *contrário* da responsabilidade é a necessidade de permissão, muitíssimo mais comum do que se pensa. Permissão por parte da *autoridade familiar*, policial, científica ou outra. Se o *chefe* disse sim, EU posso matar. Se Freud disse assim, EU posso fazer igual. Se *ele* (qualquer) fez, então eu posso fazer (autorização coletiva, costume aceito). Se apareceu na TV, então pode!

Já as ligações do tronco com as pernas respondem por outra ordem de fatos psicológicos, acima de tudo ligados a sensações de segurança e insegurança.

Já é clássica a distinção, quando se busca significado (quando se interpreta imagem), entre a metade superior e a metade inferior do corpo. A separação não é primariamente simbólica nem alegórica, mas *funcional* (biomecânica). A metade inferior do corpo serve a certas funções e a superior, a outras. Em relação ao desenvolvimento das funções desses dois conjuntos posturais, podemos adiantar uma classificação fundamental das pessoas, sempre de certa utilidade: os conservadores e os revolucionários, os estruturados e os fluentes, os arrebanhados e os desgarrados, os estáveis e os instáveis, os pesados e os leves – em suma, os agarrados e os equilibrados.

A PROTOAÇÃO É O AGARRAMENTO

A função arcaica, primária, da postura de ação – ombros/braços – é o ato de *agarrar-se*. Toda a estrutura osteomuscular e nervosa da metade superior do nosso corpo é a de trepadores, semelhante à dos macacos. Nossa primeira aptidão (no tempo) é a de pendurarmo-nos pelos braços, agarrando com as mãos. Tal predisposição é ativada sempre que ficamos instáveis no espaço. O indivíduo que cultivou um bom equilíbrio corporal sempre que abalado se deixa oscilar e logo se firma melhor nos pés – sobre as próprias pernas. O indivíduo que não cultivou a capacidade de equilibrar-se e mover-se sempre que pertur-bado procura agarrar-se material ou alegoricamente. Logo voltare-mos à noção de agarramento.

A ORDEM DE CONSTRUÇÃO DA POSTURA

Podemos refletir um pouco sobre a ordem de construção dessas posturas, a filogenética, a histórica, a ontogenética e, enfim, a ordem momentânea.

A ordem momentânea é esta: vou agir – qual é a primeira região a ser ativada? Que base a construir primeiro? E depois? E depois?

Se observarmos crianças que andam já com certa facilidade – digamos, 2 anos de idade –, veremos que elas são incessantemente atraídas para o mundo, *sobretudo pelos olhos*. Visto um objeto atraen-te, a criança comporta-se às vezes como se entre ela e o objeto hou-vesse uma atração magnética.

A CRIANÇA É LEVADA PELOS OLHOS

No momento em que os olhos se fixam, o corpo *se inclina* e as mãos avançam. Crianças que estão no colo às vezes se jogam perigosamen-te na direção de um objeto desejado, assustando o adulto. *A criança, como o principiante, vai com a parte de cima primeiro*. Vimos que o homem bem preparado, bem centrado, bem consciente e bem sobre os próprios pés faz exatamente o contrário: ao ver qualquer coisa que o atrai, ele primeiro se coloca bem sobre si mesmo, depois se trans-porta até o objeto e então o manipula. Ele não é fascinado nem arras-tado pelo objeto. Cônscio do próprio peso, *primeiro* ele cuida de *se* carregar e *depois* da aproximação e da manipulação do objeto interes-sante. A criança e o primitivo têm sua motricidade *regida pelo objeto* através dos olhos; eles são possuídos pelo objeto. Vamos definir uma nomenclatura muito usada em psicologia e nunca bem compreendida em sua essência etimológica e biomecânica.

QUE QUER DIZER INSEGURO?

Quer dizer que não está se segurando! Seguro quer dizer que está agarrado. Bem equilibrado quer dizer que é bom, desequilibrado quer dizer que é ruim – vai ou pode cair; *dependente* em latim quer dizer dependurado. *Independência* quer dizer que não se está pendurado (agarrado) a nada!

Depois de quanto se disse até aqui, ainda haveria sentido em falar de uma *boa postura*? Sim, mas seria preferível usar o termo no plural.

AS BOAS POSTURAS SÃO BEM APRUMADAS

A primeira característica das boas posturas é o alinhamento vertical preciso das partes. Cada parte superior do corpo descansa sobre a inferior segundo *apoios* ósseos, quase sem nenhum esforço muscular e sem nenhuma tendência das partes a deslizar ou escorregar (pela obliquidade das superfícies de apoio).

Essa regra do alinhamento vista no corpo todo pode ser denominada *regra do bom empilhamento* dos blocos (partes) que constituem o corpo. Sempre que fazemos movimentos repetitivos mais ou menos amplos e rápidos, como na marcha ou na corrida, o ideal é que *alavancas e pesos sejam iguais dos dois lados do corpo* e, mais do que isso, que os pesos das partes iguais do corpo sejam iguais entre si. Aí teríamos um sistema de balanceamento fácil e perfeito de todos os movimentos, um anulamento fácil dos momentos de inércia (veja adiante).

AS BOAS POSTURAS SÃO BEM EQUILIBRADAS

Equilibrar pesos iguais (libra) na balança de braços iguais e, por extensão, pesos desiguais, mas proporcionais, se os braços da balança forem desiguais. Nosso corpo aceita as duas alternativas. De regra não é assim que acontece e por isso, quando entramos em ação, *vamos nos torcendo ou entortando cada vez mais.*

É preciso, pois, que a postura seja bem aprumada e bem equilibrada, senão ela custa caro em frenagem e em formação de *tirantes* desnecessários. É preciso, depois, que ela seja bem simétrica, sempre que plausível ou possível – pela mesma razão. A simetria pode ser estática – posição na qual as duas metades D e E do corpo *ficam* iguais; pode ser dinâmica – as duas metades fazem *força* igual; pode ser alternante, no caso de movimentos que se repetem (marcha, por ex.: a posição do corpo quando o pé D toca o chão deveria ser simétrica em relação à posição do corpo quando o pé E toca o chão).

Terceiro lugar: dados a forma do esqueleto e os esforços passivos dos ligamentos articulares, nosso equilíbrio, na maioria das posições que podemos assumir, *dificilmente poderá ser mantido sem esforço nenhum*; mas poderá com frequência ser mantido à custa de *esforços ligeiros* – se eles forem hábeis, apenas aqueles necessários para manter a estrutura bem aprumada.

Dentro dessas afirmações gerais, convém ressaltar alguns pontos. O primeiro é a posição da bacia sobre as pernas. Na maioria dos casos será preciso exercer algum esforço para que o plano da face superior do sacro (articulação com a coluna) se faça mais horizontal. Ida Rolf dá os seguintes reparos: as espinhas ilíacas anterossuperiores e o púbis devem estar habitualmente próximos do *mesmo plano vertical*. A borda superior do púbis tangenciará o mesmo *plano horizontal* que a *ponta* do cóccix tangencia (veja as figuras no Capítulo 4). Essa seria a posição da bacia mais adequada para carregar a coluna – como se fosse uma pilha de xícaras. A *mesa* de apoio (superfície superior da primeira vértebra sacra) tende a ficar horizontal.

AS BOAS POSTURAS EXIGEM COLUNA RETA E VERTICAL

O segundo elemento fundamental da postura é a retificação da coluna – cujas CURVATURAS seriam atenuadas ao máximo. Nunca se conseguirá a retificação completa da coluna. (Aliás, que ela seja ligeiramente flexuosa é bom do ponto de vista da sua melhor resistência a sobrecargas verticais súbitas.) Mas quanto mais a coluna estiver próxima da vertical, melhor para todas as estruturas envolvidas. É claro que é muito mais fácil equilibrar uma pilha de xícaras bem empilhadas umas sobre as outras do que equilibrar uma espiral de xícaras ou um conjunto de xícaras das quais uma se desvia mais para cá e outra, mais para lá.

A cabeça descansa sobre a coluna cervical como esfera sobre cilindro – mas o peso maior está na frente, o que exige uma contração para que a cabeça não caia para a frente. Idealmente o esforço é mínimo. Essa tensão é constante na presença, mas variável na força e na direção – conforme a posição e o movimento da cabeça.

Na relação bacia/fêmures/coluna ocorre algo semelhante. A coluna (a projeção vertical da sua linha de peso) cai pouco *atrás* da linha que une o centro das cabeças femorais. O melhor antagonista para equilibrar esse peso é o músculo iliopsoas, que vai do fêmur à fossa ilíaca e à coluna lombar. É o *tirante* natural para manter a coluna vertical sobre a *mesa* sacra. Além disso, a coluna fica mais bem aprumada se houver uma tensão sempre presente, mas variável, na força dos músculos abdominais (sobretudo os retos), antagonistas dos extensores da coluna. Portanto, seus equilibradores também.

A tensão ligeira *nas nádegas,* enfim, também influi na horizontalizarão do sacro.

Aí temos tensões menores sempre presentes e sempre variáveis, a cada passo, a cada posição. Qualquer postura deixada a si *afunda* até a suspensão passiva – ligamentar; a coluna desce e suas curvaturas aumentam, tendendo a virar o tampo da mesa sacra para a frente. Esse aumento das curvaturas da coluna aparece na projeção do pomo de adão para a frente (aumento da extensão da coluna cervical), na acentuação da cifose (*corcunda*) dorsal, na projeção da barriga para a frente e das nádegas para trás. Os ombros são difíceis de colocar.

No trabalho com *meu* corpo acertei bem os omoplatas quando ouvi por acaso e de segunda mão uma regra proposta em aula de expressão corporal: "Inspire e perceba o tórax e a coluna torácica como se um fio preso ao meio do esterno (osso do peito) o PUXASSE a 45 graus entre para a frente e para cima".

Podemos chamar essa respiração de idealista, pois o corpo da pessoa, quando respira assim,

- fica, primeiro, numa postura bonita, leve;
- fica, depois, com os ombros (escápulas) no lugar, num lugar onde não incomodam;
- fica parecendo, enfim, estatura de herói, de um homem movido por altas aspirações!

Com isso passamos ao ponto seguinte.

A BOA POSTURA TEM DE INCLUIR A RESPIRAÇÃO E SER SUSTENTADA POR ELA

Pessoalmente sou muito favorável a que se inclua, no estudo da postura, o problema da respiração, tão incessante quanto a manutenção do equilíbrio.

A respiração é uma função que deve se realizar constantemente ou, quando menos, não pode cessar por mais de uns poucos segundos.

Como a respiração se faz pelo tórax, como ela envolve uma expansão deste, como ela é feita inteira por músculos voluntários, como ela está no centro de uma enorme *interação* (dos braços entre si, dos braços com o tórax, dos braços com as pernas), a respiração é continuamente perturbada quando nos movemos.

- O comprometimento CRÔNICO do EQUILÍBRIO (Postura) traz INSEGURANÇA (instabilidade).
- O comprometimento CRÔNICO da RESPIRAÇÃO traz ANGÚSTIA.

Se pretendemos movimentos de primeira qualidade – precisos e fluentes;
se eles durarem mais que poucos segundos; ou se se repetirem
muitas vezes (marcha, corrida, *fala*, canto), então será preciso *aprender* (deliberadamente) a respirar DURANTE o movimento.
Caso contrário, ele se perturba cada vez mais,
pela sensação crescente de asfixia.
A parada respiratória, no cotidiano como nos esportes, tem cabimento durante poucos segundos, quando queremos/precisamos nos

CONCENTRAR em uma atuação particularmente complexa ou significativa. Fora disso, não.

Se em certas movimentações a pessoa não *para pra respirar*, a execução vai ficando cada vez mais comprometida até se desorganizar de todo. No limite, a pessoa pode desmaiar por deficiência na oxigenação cerebral, como já aconteceu ao final de competições de alto esforço.

Tanto em exercícios de ioga quanto em educação física, raramente se especifica *quando* certo exercício respiratório ou quando certos movimentos são feitos

- com a garganta (glote, cordas vocais) ABERTA ou
- com a garganta FECHADA.

Aí vai, primeiro, indício de inconsciência da garganta. Vai depois incerteza em ponto por demais importante.

Esforços respiratórios ou do corpo todo (esforços amplos) feitos *com garganta aberta* alteram apenas ligeiramente a CIRCULAÇÃO; feitos *com garganta fechada* alteram MUITO a CIRCULAÇÃO torácica, e, em consequência, a circulação cerebral, coronária, pulmonar etc.

A caixa respiratória é forte o bastante para impor a seu conteúdo consideráveis pressões compressivas e pressões (sucções) expansivas.

Os extremos:

- expirar com força *contra* a garganta *fechada*. Desse modo podemos exercer pressão de 300 mm/Hg sobre os alvéolos e sobre os grandes vasos da base do coração e do hilo pulmonar. A circulação pulmonar pode *parar*. Esse exercício pode ser prejudicial e só convém fazer umas poucas vezes para sentir como é;
- encher o pulmão pela metade, FECHAR A GARGANTA impedindo *qualquer* passagem de ar e *depois* continuar a fazer o movimento de expansão do peito, *como* que continuando a inspiração. Pressão máxima (negativa): -600 mm/Hg.

Esse movimento produz uma intensa pressão negativa dentro do tórax e a distensão tanto do pulmão quanto de todos os grandes vasos venosos do tórax; gera também grande afluxo de sangue venoso para a pequena circulação e para o coração. O volume torácico que não é preenchido pelo ar o é por sangue. O exercício, feito maciamente, é ótimo para o aparelho cardiorrespiratório e para as vísceras abdominais. Em *Dieta para salvar a vida*[14], David Reuben cita experiências nas quais foi feita medição direta da pressão na veia cava inferior quando de esforços de evacuação com a garganta fechada. Nesses casos, a pressão *intravenosa* pode se fazer igual a *cinco vezes a pressão arterial*. As paredes venosas *não toleram* esse esforço e cedem – varizes.

Enfim, *fazer força* NÃO PRODUZ nem piora hérnias se a força – seja ela qual for – se fizer com a *garganta aberta*.

Tendo em vista esses processos fisiológicos, achamos maléfico exercer grandes esforços *com a garganta fechada*. Há uma sobrecarga considerável e súbita do aparelho circulatório. É melhor, como se ensina no caratê, dar um grito quando se faz força bruscamente. É melhor manter aberta a garganta em todos os esforços maciços e prolongados.

Estou no pátio da Universidade Católica de Belo Horizonte. Uma área igual a três campos de futebol toda cercada de construções baixas. Na face interna de todos os edifícios, estabelecendo total continuidade entre eles, um enorme corredor-terraço limitado por inúmeros arcos iguais postos sobre colunas iguais.

Os arcos na estrutura.

A respiração na postura.

TAMBÉM a arquitetura nasce de sensações corporais que modelam as criações mentais, os projetos.

Elas reproduzem estaticamente a dinâmica das sensações.

Os arcos na estrutura

A respiração na postura

Há um elemento *estrutural* do tórax que faz parte das boas posturas: é a obliquidade das costelas. As costelas, a partir da coluna, avançam

---

14 REUBEN, David. *Dieta para salvar a vida*. 10. ed. Rio de Janeiro: Record, 1975.

COURAÇA MUSCULAR DO CARÁTER

todas para fora e para baixo, depois, lateralmente, para a frente e para baixo e, por fim, para o centro (esterno) e para cima.

Nas boas posturas, a posição *de repouso* das costelas é *bem menos oblíqua para baixo do que nas más posturas*. Vale dizer: o pulmão nas boas posturas pode se inflar e desinflar mais do que nas más. Mas não basta a boa movimentação respiratória; é preciso aos poucos alterar a posição das costelas para que *mesmo em repouso* elas não se dirijam muito para baixo. A posição das costelas depende da – e influi na – posição da coluna dorsal: se esta estiver o mais reta possível, o tórax será o mais amplo possível.

Idealmente, enfim, os dois olhos deveriam estar numa horizontal a maior parte do tempo; bem convergentes e acomodados em relação ao ponto de mirada. Também horizontal é o plano situado entre as arcadas dentárias superior e inferior. Pescoço bem vertical e face bem voltada para a frente.

Não sei de ninguém que ousasse, até hoje, descrever por inteiro algumas das posturas dinâmicas. Os educadores físicos sabem alguma coisa a esse respeito, principalmente aqueles que cuidam de atletismo, de arremessos e de saltos, ocasiões em que a organização da postura dinâmica adquire valor máximo.

O arremessador de disco é um bom exemplo. Ele deve usar o corpo inteiro para acelerar o peso do disco e dispará-lo no momento da aceleração máxima da mão que retém o objeto. Trata-se de uma estrutura dinâmica complicada, de rotações sucessivas, da planta dos pés à mão que segura o disco, e na verdade até os olhos ou a *mente*, que no momento preciso *sente* a tangente crítica e solta o objeto.

O CRONOGRAMA DA POSTURA A CADA PASSO

Após essa descrição das posturas, queremos ligá-las com o que dissemos por alto sobre os dispositivos reflexos – neuromotores – que são seu mecanismo.

Vamos apreciar a VELOCIDADE e a PRECISÃO de funcionamento de nossa máquina.

Dissemos que os reflexos de estiramento, de funcionamento cruzado dos membros, as reações de colocação dos membros sobre o apoio, as reações de suporte (enrijecimento de um membro quando o peso se põe mais sobre ele) são medulares – muito VELOZES; na verdade, são as respostas neuromotoras MAIS VELOZES do nosso repertório; elas acontecem ANTES DE QUALQUER OUTRO FATO; e elas são

> A BASE (BIOMECÂNICA) DE TUDO MAIS QUE SE FAÇA
> OU DE QUALQUER POSIÇÃO QUE SE MANTENHA.

Na marcha, a postura de base (pélvica) se compõe em centésimos de segundo. É em centésimos de segundo que pés/pernas/bacia se arrumam de tal forma que a coluna pode ser largada sobre a bacia, que vai aguentar/equilibrar a sobrecarga. Na relação ombros/braço/tórax o mesmo acontece. Só podemos largar/descansar os ombros/braços quando o tronco está seguramente equilibrado, firme.

Todos os impulsos nervosos de controle da postura *começam de baixo para cima*, o que pode ser dito também assim: COMEÇAM SEMPRE PELOS REFLEXOS MAIS VELOZES.

Essa lógica da coordenação postural – de toda a biomecânica – é com certeza fator básico na determinação da forma de organização do Sistema Nervoso Central.

A cada passo que damos, a postura se faz e se desfaz – em certa ordem.

A cada passo que damos, construímos e destruímos uma casa que é verdadeiramente feita de dezenas de milhares de tijolos! Com toda precisão, eficiência e velocidade, nós empilhamos dezenas de milhares de tijolos num instante, para desempilhá-los no instante seguinte...

Após descrições desse tipo – das qualidades das boas posturas –, as pessoas, num primeiro movimento ingênuo, se propõem corrigir *a* postura, e talvez se lembrem algumas vezes de verificar se estão *fazendo* direito. Outros se perguntarão, generalizando o caso prévio: se a gente se propuser prestar atenção a esses pontos, pode-se, desse modo, corrigir a postura?

É possível, mas é trabalhoso e tedioso, exigindo atenção contínua, difícil de manter. Outras técnicas, mais adequadas, serão vistas mais adiante. De momento quero dizer mais o seguinte: NÃO EXISTE

UMA postura na qual se possa FICAR AUTOMATICAMENTE (isto é, sem pensar, sem perceber, sem prestar atenção). Se descuidarmos UM INSTANTE de certas tensões, a postura *pendura-se* no esqueleto ou se enrijece – tipo militar ou orgulhoso. São dois extremos que NÃO servem, mas é fundamental compreender que os dois são MAIS ESTÁVEIS que as boas posturas; ao contrário destas, *ficam em pé* sozinhas, podem ser esquecidas e continuar presentes e atuantes. Mas sempre e de muitos modos prejudicam o corpo e a personalidade. As boas posturas, por sua vez, exigem um conjunto de tensões leves e variáveis, tensões mais ou menos constantes na localização, mas variáveis na força e na direção.

Quando falamos em estar parado (em pé) ou andando, as tensões ligeiras se dão na panturrilha, na face anterior das coxas, nas nádegas, nas virilhas (psoas) e na metade inferior do abdome (reto); depois a sensação/o esforço, muito mais hábil que forte, de manter as 24 xícaras vertebrais empilhadas/aprumadas; depois a sensação de esforço para manter a coluna dorsal (costelas) bem estendida e, por fim, o esforço de manter a cabeça *no lugar* (o que é sentido no pescoço). Temos que as sensações mais características são as da bacia (nádegas, virilhas, baixo ventre); do tórax amplo, que cresce e desaba a cada respiração, com a coluna bem vertical e reta. Mais sutilmente, a respiração nos *endireita* a cada *inspiração* e depois nos encurvamos de leve *na expiração*. O esforço de manter o peito aberto tanto no seu diâmetro transverso quanto no vertical (craniocaudal) localizar-se-ia idealmente nos músculos próprios da coluna vertebral (músculos das goteiras paravertebrais). Se esse esforço se fizer no peito e nos ombros – tipo general e orgulhoso –, então surge a inacessibilidade emocional, o "peito fechado", a couraça peitoral, mostrando orgulho, se vista de frente, e medo, se vista por trás (nos músculos escapuloverebrais).

Todos esses músculos da cintura escapular são volumosos, consomem muita energia ao se contraírem e sua ação respiratória é bastante limitada. Manter o peito aberto desse modo é antieconômico em matéria de dispêndio energético, é insensibilizante em relação às emoções e restritivo em relação aos movimentos, tanto da cintura escapular quanto da respiração. É necessário, pois, fazer de outro modo: esforço nos eretores da coluna – ligeiro e preciso.

AS TENSÕES LEVES DAS BOAS POSTURAS
NUNCA ESTÃO AÍ DE UMA VEZ POR TODAS.
PRECISAM SER ENCONTRADAS A CADA
MOMENTO E EM TODOS OS MOMENTOS.

Pode-se dizer o mesmo fato de modo antes realista (e não didático). Como se consegue ter uma boa postura?

As boas posturas são encontradas e assumidas SEMPRE QUE PERDIDAS! Quero dizer que tem boa postura a pessoa com propriocepção ampliada e aprofundada a tal ponto que,

havendo no corpo um esforço malfeito, constrangido
ou incômodo, a pessoa se dá conta do fato imediatamente

E O CORRIGE NO MESMO INSTANTE EM QUE O PERCEBE.

A propriocepção é a função que integra a coordenação muscular. Basta *sentir* um esforço malfeito *e só com isso* ele se desfaz, ele se arruma sozinho.

Mas é preciso PERCEBER o corpo e seus esforços.

A BOA POSTURA RESULTA, POIS,
DO DESENVOLVIMENTO DE
UMA BOA SENSIBILIDADE
PROFUNDA E DE NENHUM
OUTRO MÉTODO.

Qualquer trabalho que proponha ou imponha *modelos visuais* é apenas outra forma de couraça – ou, paradoxalmente, de má postura...

A pessoa que tem boas posturas:

• *aparece para os outros* como elegante, fluente, graciosa, leve, fácil, livre. Não se vê nela nenhum solavanco, ângulo, esforço forçado ou desajeitado, empurrão ou oscilação brusca, dureza, rigidez;
• sente a si mesma como leve, viva e ágil.

A razão é que nesse caso foram encontrados – e continuam a ser encontrados – nossos melhores modos de movimento.

Nossa complexa máquina motora, se lhe dermos oportunidade e atenção, *vai achando* seus modos mais adequados de movimento. Vimos quanto e de quantos modos nossa máquina, em geral tosca e primária (automática e mal desenvolvida), pode ser refinada e reorganizada até limites insuspeitados – e altíssimos – de coordenação, precisão e equilíbrio. Na sua plenitude, o homem é um animal admirável. Na verdade, o mais belo dos animais – o mais móvel e versátil. Razão a mais para se ficar desolado quando se vê gente na praia ou na rua com tudo que DEIXARAM de fazer por si mesmos – e por quanto degeneraram fisicamente. Outro aspecto importante das boas posturas: PERMANECER CENTRADO e SER INDIVÍDUO (não dividido) são uma coisa só. Não se atenta, de regra, para a seguinte SINONÍMIA:

- ser indivíduo (estar NÃO dividido);
- estar dividido, em *split*, dissociado, em transferência;
- estar em conflito;
- emitir mensagens duplas ou múltiplas; quem está dividido É dois e os dois (ou mais) falam SEMPRE SIMULTANEAMENTE.

Se consigo colocar-me NO CENTRO DE MINHAS OPOSIÇÕES, não me confundo com nenhuma delas; então nada me empurra e nada me arrasta. No momento em que saio do eixo de minha forma-massa e de minhas tensões posturais bem centradas (bem equilibradas), as forças que antes me equilibravam em oposição perfeita agora entortam meu corpo e tendem a entortá-lo cada vez mais; fico assim obrigado a um equilíbrio forçado, para cuja manutenção tenho de gastar mais energia que o necessário, de um modo que é definida e demonstravelmente maléfico. Todas as couraças musculares do caráter são modelos de más posturas – recordemos.

Ao me colocar exatamente sobre meu centro e/ou meu eixo:

- Descanso em TAO.
- Descanso no SELF.
- Descanso em DEUS.

Mas nenhum dos três EXISTE. *Os três têm de ser procurados, criados e mantidos a todo momento.*

Acho deveras sugestiva e inspiradora essa sequência de frases que são *ao mesmo tempo*:

- declarações as mais abstratas do *estado de perfeição* humana (de um tipo de estado de perfeição);
- descrições cuidadosas e inequívocas de alguns aspectos da nossa *mecânica;*
- *sensações proprioceptivas* que qualquer um e cada um pode sentir em si, e que traduzem biomecânica para fenômeno de consciência, que transformam biomecânica em sensação/percepção – em psicologia, em personalidade e em relações sociais.

ROLFING

Hoje não se pode falar de postura ignorando essa técnica que rapidamente se generaliza – com toda razão.

Os efeitos profundos do processo são evidentes tanto subjetiva quanto objetivamente; sua curta duração é um poderoso argumento a favor (e um excelente pretexto para cobrar caro). Sua profissionalização e comercialização se mostram bastante americanas e muito condizentes com as expectativas do mercado...

Fiz *rolfing* duas vezes – e pretendo fazer outras.

Pode-se dizer dele que é o método SISTEMÁTICO mais completo para retificar postura E personalidade – num só ato. (Quero dizer que o acaso por vezes produz efeitos maiores, mas nada existe que esteja sob nosso controle e que se lhe compare.)

O *rolfing* propõe como arcabouço teórico a prioridade absoluta do tecido conjuntivo em todas as funções de resistência, coesão, suporte e conservação da forma de todas as estruturas orgânicas, do tecido conjuntivo pericelular às lâminas periviscerais, perimusculares, articulares e periosteais. O tecido conjuntivo do corpo TODO seria o principal responsável pela nossa postura estática e dinâmica.

As colocações do *rolfing* parecem-me impecáveis em tudo que afirmam, mas falsas em muito do que se negam. Especificamente, o *rolfing* nega demais (na verdade, nega de todo) o valor dos músculos.

O que pesa 45% do peso do corpo, e absorve 2/3 dos neurônios cerebrais para seu controle, não pode ser irrelevante.

Além disso, como vimos, os músculos têm força mais que suficiente para realinhar ou desalinhar o tecido conjuntivo, as fáscias e os ligamentos. Os músculos têm tanta ou mais força do que o *rolfer*, e têm oportunidade de atuar "por dentro", o que não está ao alcance do técnico. Logo, podem-se imaginar caminhos ou meios musculares para melhorar a postura. A análise da couraça, com toques e exercícios além das interpretações, consegue não raro mudanças também notáveis no aspecto da pessoa.

O rolfing vem sendo considerado O método, com exclusão de qualquer outro, o que é sempre péssimo, sobretudo quando há monopólio do *know-how* com custo alto.

O que se pode dizer: presentemente ele é o método mais prático para se conseguir realinhamento postural e que não depende em nada do paciente (depende somente do técnico), o que é ao mesmo tempo uma grande vantagem e um sério risco.

O OUTRO ME FAZ (e só ele!)

Não consigo ver arbitrariedade maior. Além disso, o *rolfing*, por si, NÃO GARANTE a estabilidade dos resultados. Se a pessoa não continuar cuidando de si, voltará a cair em erros posturais – mesmo que diferentes dos anteriores.

Enfim, ponto crítico: o *rolfing* não só se refere a um MODELO sujeito a dúvidas em vários pontos como tende a produzi-lo em série. É bom recordar que o *rolfing* é muito sistematizado e suas dez sessões são bem semelhantes para todas as pessoas.

Espero que nossa discussão sobre a postura tenha convencido o leitor de que esse é um tema tão difícil (no fundo, idêntico) quanto encontrar

O TIPO HUMANO IDEAL:

bom sempre,

bom para todos.

O rolfing não dá ênfase suficiente a outro aspecto do problema: a existência dos processos de reformação

CONSTANTES E CONTÍNUOS
que atuam em nosso corpo.

Exemplo: se por qualquer razão tenho de ficar de cama dois ou três meses, MEU ESQUELETO MUDA DE CONSISTÊNCIA, se rarefaz, se reordena para existir assim como estou: deitado (o que, mecanicamente, é muitíssimo diferente do que existir em pé).

Dois meses já bastam para evidenciar diferenças em *radiografias* de ossos. Se a pessoa perde um membro e começa a usar, digamos, muleta de um lado, ao cabo de seis meses sua estrutura osteoarticular mudou completamente em relação ao que era.

TODOS os tecidos do corpo são vivos, inclusive o tecido ósseo e o conjuntivo (cujo metabolismo, aliás, é o mais baixo de todos, sugerindo que se trata de um tecido MUITO POUCO VIVO). Isto é, todos os tecidos do corpo estão em CONTÍNUA formação, destruição e reformação. Certamente não somos uma coisa; nem os ossos, que, no corpo, são o que mais se parece com pau e pedra, com coisa acabada.

Quem faz certos exercícios com exclusividade (tênis, natação, *cooper*, halterofilismo, ioga) em poucos meses mostra um corpo típico – e inconfundível.

Logo, é possível mudar a postura de muitos modos. Tampouco se pode negar – e seria bom aumentar nossa compreensão a respeito – que o *rolfing* é a técnica mais BRUTALMENTE INVASORA que se inventou (depois da cirurgia); que ele pode modificar demais a pessoa SEM LEVAR EM CONTA o sujeito do processo.

A maioria dos textos de *rolfing* é teimosamente impermeável a qualquer espécie de consideração psicológica. Eles SE NEGAM a aceitar ou examinar o que acontece com a pessoa ao longo e depois do processo. No entanto, no decorrer do processo ocorrem episódios que, se ocorressem ao longo de uma psicoterapia, seriam considerados *complicações graves*.

A negação do *rolfing* em relação ao psicológico, aliada ao fato de nada se exigir, na formação do rolfista, além do curso de *rolfing* (seis meses), mais o monopólio comercial do "segredo", fazem uma combinação de má qualidade em relação *ao contexto* do processo.

Nada obstante, os efeitos do *rolfing* são por vezes espantosos.

NOTA

Vou tentar descrever uma experiência pessoal a respeito; como disse, fiz *rolfing* duas vezes (duas sessões de dez) e depois fiz mais algumas sessões esparsas para corrigir desalinhamentos ainda existentes.

Em uma dessas vezes, Pedro Prado, meu amigo, colaborador e *rolfer* autorizado, trabalhou cerca de uma hora com meu pé, joelho e articulação coxofemoral e *esquerdos*; alinhou essas partes tão bem que logo após o trabalho eu pude sentir diferenças no assentamento do calcanhar no chão (antes, ele tendia a ficar no ar, "com medo"), e a retificação da linha de esforço na marcha. Antes, essa linha passava entre o terceiro e o quarto metatarsianos; depois do trabalho, começou a passar pelo primeiro. Tanto o esforço prévio era mal dirigido que tenho um pequeno joanete no pé esquerdo; ele mostra que o esforço do pé, lateralizado pela má distribuição do peso, forçava a cada passo esse mesmo pé a deslizar (e arrastar-se) para dentro; creio que essa má distribuição de esforço originou o joanete.

No dia seguinte, acordo sombrio, numa onda de humor pesada que não reconheço muito como minha; é um estado de espírito específico e desconhecido para mim. Passo cerca de 48 horas percebendo, sentindo, mais ou menos concentrado em mim mesmo. Em certos momentos eu estava com amigos, mas foi se fazendo imperativa a necessidade de ficar sozinho E DE ANDAR – atento à marcha.

Logo de início percebo bem como o esforço de carga do corpo passa agora pelo primeiro metatarsiano; logo depois sinto – surpreso – que o calcanhar esquerdo assenta no chão tão bem quanto o direito. É bom. Dá firmeza, e a sensação de simetria dinâmica é boa; mas logo percebo que o corpo NÃO PODE MAIS FICAR NA POSIÇÃO EM QUE FICAVA ANTES (quando andando). Deixei que o corpo experimentasse as coisas e achasse a posição; em alguns passos mais ele *recuou*; percebi que habitualmente eu levava o corpo com o centro de gravidade avançado, o que me dava ao mesmo tempo uma sensação muito frequente de PRESSA e de VOO – um certo elã a me levar/empurrar o tempo todo; quando o corpo começou a andar com o centro de gravidade mais para trás, eu "caí em mim", senti que a nova posição era mais verdadeira, mais bem assentada, mais "natural". Porém, no primeiro momento em que recuei – de uns poucos milímetros –, senti um peso terrível, como se meu corpo começasse a carregar duas ou três vezes seu peso anterior. Me senti quase literalmente esmagado pelo meu peso – que agora me parecia meu mesmo, mas quase insuportável. O estranho é que eu sabia disso: esse peso absurdo era MEU PESO. Senti--o como uma condenação também, como um "peso" em sentido alegórico, deprimente, esmagador.

O mais bonito porém, estava para acontecer: quando o centro de gravidade – a pelve – foi recuando, uma onda de recolocação do corpo foi subindo e, quando chegou ao rebordo costal, senti como se alguém empurrasse toda a metade anterior desse rebordo para trás – por causa de uma retificação da coluna que eu estava buscando havia muito tempo, mas não conseguia! Essa projeção para a frente da metade inferior do tórax não era mais necessária – e se desfazia "sozinha" ou, melhor, como se uma mão gentil e invisível me mostrasse, em ato, que ela não era mais necessária; parecia uma gaveta entrando em seu leito. Logo a onda alcançou minha cabeça, e durante muitos passos me senti andando de um modo novo, bonito, pausado, pesado mas bem equilibrado, digno, firme... Junto com essas sensações claramente proprioceptivas se espalhava a sensação depressiva – triste – de muitas coisas ruins de meu passado, ATITUDES DE SUBSERVIÊNCIA, DE HUMILHAÇÃO, DE "SE PÔR POR BAIXO", DEPRECIAR-SE, DESVALORIZAR--SE. Havia muita amargura junto com essas emoções, mas, ao mesmo tempo, uma sensação de que a NOVA POSIÇÃO, agora "certa", fazia que as atitudes prévias – autodepreciativas – se soltassem de mim como cascas secas que se desprendem do tronco da velha árvore. Foi muito bom – e terrível – concluir que o método era, talvez, o mais poderoso de todos.

* * *

O *rolfing* levanta questão importante em relação ao trabalho corporal. Se solicitarmos de várias pessoas que assumam atitudes rigorosamente simétricas – posição e colocação IGUAIS das duas metades (esquerda e direita) do corpo –, poderemos verificar com facilidade que praticamente NINGUÉM consegue realizar a tarefa. A pessoa – deitada, sentada ou em pé – ficará sempre "errada", mas com a convicção inabalável de estar "certa". Na verdade, ela está "como sempre esteve", isto é, acostumou-se com suas rotações, flexões e inclinações viciadas a tal ponto que se ficar fora desses parâmetros falseados é aí que ela se sente "torta". Só se consegue persuadir a pessoa do fato pondo-a diante de um espelho, pedindo-lhe que se arrume de olhos fechados, depois verificando – ela mesma – o resultado no espelho.

Essa experiência, fácil de repetir, prova uma coisa importante: SEM ESPELHO, ou sem alguém que me diga/mostre que estou "torto", não consigo corrigir minha postura. (Assim como, se ninguém me disser, não saberei a *expressão facial* que estou mostrando.) Nesse sentido, o *rolfer* tem razão: precisamos do outro; sozinhos não podemos "nos corrigir". (O *rolfer*? Ou *isso* é verdade em qualquer área humana? Sem *feedback* ninguém corrige ou muda de comportamento. Ou: qualquer mudança de comportamento ocorre sempre e somente quando muda o *feedback* – quando muda a situação.)

A TÉCNICA DE ALEXANDER

Frederick Matthias Alexander (1869-1955), ator de teatro, vítima frequente de afonia (falta de voz) quando no palco, começou a estudar sua "doença" e descobriu que a voz depende da posição do pescoço, que depende da posição da cabeça, que depende da posição dos ombros, que depende... Aos poucos, Alexander foi percebendo as mil correlações das boas posturas, ou antes, todos os defeitos das más posturas; aprendeu a diagnosticá-las, em si e nos outros, e a corrigi--las, à custa da técnica – de Alexander, precisamente. Na primeira metade do século, fez-se, por esse trabalho, mundialmente conhecido – e procurado. Tem discípulos numerosos.

Sei de Alexander o que li em livros: que é mais propaganda do método (em boa-fé) do que descrição precisa; sei de pessoas que visitando Esalem ou Londres viriam pessoas fazendo a coisa. Impressiona a LEVEZA da atuação, em contraste com a bioenergética e o *rolfing*; são dados pequenos toques aqui e ali, onde a pessoa está exercendo esforços desnecessários. Os resultados são muitas vezes mágicos. Também os técnicos desse processo aconselham a pessoa, após a terapia, a continuar fazendo certos exercícios – do contrário, correm o risco de perder a vantagem conseguida. Na técnica – às vezes chamada de Princípio de Alexander –, o ponto crítico é sempre o modelo de certo e errado: qual é a posição boa para o corpo.

"É a que funciona melhor nas circunstâncias dadas" – seria a resposta de Alexander. Os grossos desvios da postura são indiscutivelmente patológicos e patogênicos; mas quanto mais vamos chegando perto do bom, mais se multiplicam as dúvidas.

Como dissemos, saber as posições certas do corpo – a forma de estar no mundo – é IDÊNTICO a definir o que seria o homem ideal. E, como sempre, o reconhecimento de desvios sérios é sempre fácil, mas NÃO significa saber o que seja o certo.

Aliás, se repenso as coisas, concluo que o princípio de Alexander é o que dissemos mil vezes ao longo do texto: as boas posturas são inúmeras, conforme as circunstâncias, e o único método seguro de ter PERMANENTEMENTE uma boa postura é estar atento a si – depois de ter desenvolvido muito a propriocepção, depois de ter afinado o instrumento que percebe ou denuncia a postura a cada instante e em todos os instantes.

Portanto, o principal elemento das boas posturas é a percepção, a sensibilidade. Contraste: muitas pessoas fazem *rolfing*. E, COMO SEMPRE, uma PEQUENA proporção muda muito de vida; a maior parte delas faz certa mudança e logo estaciona de novo – à espera de outro salvador...

A dificuldade de verbalizar os resultados do método não deveria constituir objeção categórica, mas a verdade é que, para quase todos, o que não é dito e o que não se consegue dizer permanecem pouco e mal na vida e na atuação da pessoa.

"Não sei" o que aconteceu comigo – quando fiz o *rolfing*. É preciso, pois, boa percepção de si (que o *rolfing* por si só não dá) e uma dose apreciável de aceitação das próprias sensações internas para que o *rolfing* "pegue" – como se diz dos enxertos.

Aliás, e de novo generalizando: tudo que se refere diretamente ao corpo JAMAIS poderá estar nas mãos APENAS do técnico; ou a própria pessoa se interessa, colabora e cuida, ou nada fica – nem cresce. Da postura à gripe, dos negócios à família.

Na verdade, o que mais me incomoda – é bem essa a expressão – no *rolfing* é a declaração, mais implícita do que explícita, de que A TÉCNICA faz tudo – a despersonalização do processo. É bom perceber que despersonalizar é sinônimo de desresponsabilizar: "Ele" – o técnico (a autoridade) – sabe e faz; eu deixo fazer – e mais nada. Essa é a essência da alienação de mim em relação a meu corpo. Isso não funciona em contexto nenhum.

Se eu não faço – se o eu não faz – nada acontece. É preciso fazer algo – seja lá o que for – para que o processo se organize, ordene e prossiga.

Entre
o piramidal e o extrapiramidal,
o voluntário e o automático,
o que eu quero e o que é possível,
o desejo e a realidade,

há sempre a dança dos contrários, e se a TESE não se modifica – se o eu não atua – o restante do processo tampouco acontece, ou acontece de forma circular, repetitiva.

O poder do ego é sua capacidade de se mexer "por querer" – dê-se ao termo o sentido que se queira.

Este livro demonstra, quero crer, precisamente este fato: nosso aparelho motor está montado de tal modo que, se eu não tiver iniciativa, as respostas serão todas automáticas; se eu tiver iniciativa, meus automatismos, ao mesmo tempo que se organizam para realizar minha iniciativa, podem entrar em conflito e até me paralisar – apesar da iniciativa! Mas se eu não tomar iniciativa nenhuma, vou fatalmente fazer que tudo continue como sempre foi – ou que o acaso resolva a situação.

4

POSTURA E COURAÇA MUSCULAR DO CARÁTER – OUTRA VEZ

Se compreendemos bem a complexidade inerente à mecânica da postura, quanto ela varia de instante a instante, como é necessário que ela se componha em primeiro lugar em tudo que fazemos, fica fácil entender que *linhas crônicas de hipertensão mecânica* complicam demais o funcionamento desse aparelho – de si complicado.

A comparação que me ocorre é a de um traje de borracha muito justo, como o de mergulhador, com diversos ganchos distribuídos aleatoriamente e costurados firmemente no traje. Presos a esses ganchos, muitos elásticos de comprimento, colocação e força bem diferentes. Imagine-se quanto a coordenação muscular se complica para somar ou subtrair esforços aos elásticos a fim de conseguir os movimentos pretendidos.

Como nos movemos pouco e toscamente, tais restrições não aparecem muito. Mas se, por exemplo, estamos com raiva, e se contemos a vontade de chutar ou de correr, se nesse estado descermos uma escada depressa, poderemos errar os passos nos degraus e levar um tombo. A *tensão emocional*, que é também mecânica, não foi *descontada*, e erramos a colocação do pé – que tem de ser muito precisa quando descemos escadas.

De outra parte, quando uma terapia ou um episódio de vida atenua essas tensões, a pessoa não se encontra – ou não se reconhece:

• não se identifica nos novos movimentos que está fazendo – não os SENTE como seus; ou

• os sente como estranhos – ditados por outrem. (Sensação persecutória: QUEM está ME OBRIGANDO a fazer ASSIM?)

Por isso a pessoa luta contra eles e esforça-se para fazer como fazia antes:

quero voltar a ser como eu era!

Para desfazer ou conter essa *tendência regressiva*, em psicanálise se faz a elaboração.

A consequência mais frequente, mais ampla e mais forte da coura- ça muscular do caráter (CMC) é a

RESTRIÇÃO DO MOVIMENTO

POR MEDO de cair.

Como as condições de nosso equilíbrio, em si difíceis, se fazem por demais complicadas pelas tensões que constituem a CMC, as pessoas:

- não ousam fazer movimentos novos – nem físicos nem mentais; *têm medo de mexer-se*;
- não se identificam facilmente *com o que veem*; antes, afastam (negam) a influência do que seria novidade, à custa de um esforço das *velhas* identificações (familiares);
- facilmente se mostram/comportam com empertigação, afetação, solenidade e formalismo, atitudes pouco condizentes com movimentação viva, fácil, espontânea; antes, são modos que *seguram* essa vivacidade. São as CMCs *assumidas como* CARÁTER PESSOAL: EU SOU assim – eu sou ISSO! *Consequência técnica*: todo apontar e todo lidar com a CMC perturba o EQUILÍBRIO da pessoa (funciona como EMPURRÃO) e provoca OPOSIÇÃO imediata. Em termos psicológicos, toca o amor-próprio, a dignidade, a respeita- bilidade, o orgulho, o narcisismo secundário;
- facilmente são *vítimas* de suscetibilidades. Dizem *ter* suscetibilida- des, mas é claro que são possuídas por elas – basta vê-las quando *tocadas*; mostram então a dupla reação do orgulho ferido e a *culpa é sua*, dois reforços da posição ereta fáceis de ver. Nesses casos, a posição ereta se faz uma caricatura de si mesma: atitude de *digni- dade ofendida*!

POSTURA PERFEITA

Praia. Um garoto de 2 anos. Andando. As crianças ainda têm o *lift* de que nos fala Ida Rolf. A imensa maioria dos adultos o perdeu; andam todos como que carregando pesos ou arrastando-se – alguns esmagados pelo peso que carregam e outros orgulhosos dele...

Lift – como traduzir? *Lift* é

SUR-PRESO

preso por cima,

como se duas mãos fortes, mas gentis,

levantassem a criança pelos ombros.

SUS-PENSO

SUS-PENSE

como se – qual anjo – duas asas o levassem,

o que lhe dava um andar muito leve, muito leve.

Levado – andando fácil – sem fazer força.

SUR-PRESA

Boa postura: uma surpresa a cada passo. Surpresa com o cenário – que muda; surpresa com o próprio corpo, que na marcha flui como um rio, mudando de forma – e de força – a cada instante – em todos os instantes.

A *EDUCAÇÃO É UMA PARALISIA PROGRESSIVA*

O efeito mais evidente da educação (familiar, escolar,

civil, religiosa) sobre as pessoas é

IR DIMINUINDO SUA MOVIMENTAÇÃO,

que é coisa de criança, de mal-educado, de descontrolado etc.

FIQUE NO SEU LUGAR – NA POSIÇÃO QUE

LHE CABE –, FAÇA SEMPRE DO MESMO MODO.

CIDADÃO PERFEITO: QUASE MÚMIA

Basta ver adultos sentados/falantes, com crianças em volta, para se dar conta de quanto o adulto se incomoda com a mobilidade infantil. A Etologia nos diz a respeito: fomos caçadores errantes por mais de um milhão de anos, agricultores há 10 MIL e *bem comportados* há dois ou três séculos (tomando-se a empertigação e a contenção vitorianas como modelo). *Fomos feitos* – SOMOS FEITOS – para andar, correr, pular, lutar, dançar.

OS MOVIMENTOS SIMPLES SÃO COMPLICADOS

Gostaríamos de examinar agora as funções musculares de outro ângulo. Estamos descrevendo um equipamento corporal complicado, importante para nosso propósito, e muito esquecido – ou ignorado – por quase todos. Precisamos compensar os preconceitos e omissões que atuaram nesse campo.

Trata-se sempre da profunda incompreensão do homem em relação ao seu próprio corpo, da não aceitação da sua materialidade – a *maldição da carne.*

Vamos analisar a estrutura de um movimento ou de uma posição.

PROTAGONISTAS E ANTAGONISTAS

Os livros de fisiologia falam em protagonistas e antagonistas.

Se vou pegar uma bola de tênis na mão, o movimento primário será o de juntar os dedos em volta da bola. Os *protagonistas* desse ato são os flexores comuns dos dedos (superficial e profundo); o antagonista é o extensor comum dos dedos.

Em condições normais, quando contraímos um grupo muscular (flexores, por exemplo), o grupo oposto (os extensores) é *ativamente inibido* durante o movimento. Mais precisamente: os antagonistas *vão sendo* ativamente inibidos enquanto os protagonistas *vão sendo* ativamente contraídos. Assim se consegue um movimento sempre preciso, de fácil parada e reversão, suave, resultante de *duas* ações neuromusculares simultâneas, estruturalmente antagônicas, mas funcionalmente complementares.

É como se eu descesse por um poço um balde que levasse na alça uma roldana girando livremente. A roldana estaria *no meio* da corda. A mão que segura a corda é a mão da contração; a mão que *vai largando* a corda representa o antagonista. Eu faria movimentos com as *duas* cordas, deixando o balde descer pouco a pouco.

Esse sistema é mais controlável do que se eu descesse o balde por uma só corda.

Temos então protagonistas e antagonistas funcionalmente unidos, ainda que definidos como de ação contrária.

Para que a mão possa atuar sobre objetos exteriores ao corpo, serão precisas ações *de fixação*, que não se limitam à junta próxima do movimento (pulso), mas podem ir até o tornozelo e o pé – dependendo da ação em curso.

A função de fixação, vimos no começo do capítulo, é igual à capacidade que tem o corpo de enrijecer-se por inteiro ou por partes, quando isto se faz conveniente ou necessário – no momento preciso e durante o tempo que for preciso.

Avançando pela biomecânica, vamos separar as funções musculares em mais elementos. Discutimos bastante a função do equilíbrio e não vamos insistir mais nela.

AS FUNÇÕES MUSCULARES

Antifreagem dos desequilíbrios:

- estáticos: posicionais – posturas;
- dinâmicos: momentos de inércia;
- lineares;
- angulares (ou tangenciais).

Recordando: momento angular é o momento de inércia dos movimentos circulares. Todos os movimentos, de todas as partes de nosso corpo, são de giro de cada parte em relação a um eixo; portanto, em todos os movimentos atuam momentos angulares de inércia. A translação do corpo todo (marcha, corrida) pode ser analisada em termos de momentos *lineares* de inércia, mas os movimentos das PARTES do corpo, que geram a translação (e todos os demais movimentos), são todos somatórios de arcos de círculo – ou de momentos angulares de inércia.

Daí outra função automática da musculatura: compensação, anulação ou equilibração de momentos lineares e/ou angulares de inércia.

A noção de momento angular, criada pelos físicos para descrever movimentos circulares ou giratórios, define-se assim: produto de uma força (para nós muscular) pela menor distância entre ela e o ponto em torno do qual ela gira (para nós: uma articulação).

Quando, em pé e com os braços soltos ao longo do corpo, vamos com a mão buscar o cigarro que está descansando no cinzeiro sobre a mesa, primeiro levantamos/carregamos uma parte do corpo (o braço – cinco quilos de peso), em seguida *aceleramos* essa parte na direção desejada; depois *configuramos* a mão para que ela possa colher o cigarro; um instante antes de a mão chegar, ela tem de ser *freada*.

Ao mesmo tempo que o braço faz esse movimento, o corpo todo tende a girar um quase nada em sentido contrário ao do braço.

Essa noção ficará mais clara por meio de um dispositivo experimental. Vamos imaginar uma plataforma circular horizontal que gira facilmente em torno de seu centro. Consideremos um indivíduo posto sobre ela, de tal forma que o eixo de giro da plataforma se confunda com a vertical baixada do centro de gravidade do corpo até o plano do apoio.

Nessa situação, basta que o indivíduo mova um braço ou gire a cabeça para um lado e, imediatamente, o conjunto do corpo girará em sentido contrário. Esse giro compensador não ocorre em condições usuais; ele é anulado inteira e automaticamente, sem que a gente se dê conta, pelo reforço do atrito dos pés contra o solo. Mas, quando fazemos um movimento brusco – sabemos –, precisamos firmar bem os pés no chão, senão nos desequilibramos. Lembremos sempre o arremessador de martelo!

Os pequenos momentos de inércia – trabalho leve com as mãos – pouco nos perturbam, mas sempre que em pé, gesticulando ou andando, e mais ainda quando em trabalho pesado ou fazendo esporte, a importância dos momentos vai crescendo. Uma das funções *inconscientes* (automáticas) do nosso aparelho motor é *saber* alinhar e compensar momentos de inércia. A compensação mais frequente é a alternância dos movimentos; os músculos impulsionam em uma direção e a elasticidade do corpo tende a trazer essa parte para sua posição de saída, ou para sua posição média. Tal efeito de mola é devido principalmente ao tecido conjuntivo das fáscias musculares.

REQUEBRO DE SAMBA OU PASSO DE GANSO?

São momentos alternativos de inércia (balanço), que tornam imperativo

O MOVIMENTO ONDULANTE ou

A ONDA DE MOVIMENTOS

ou a FUNÇÃO $\triangle$f.

Entre as funções musculares isolo as que passarei a chamar de funções $\triangle$f (lê-se delta efe).

Uso essa expressão porque qualquer movimento, quando se consideram as unidades motoras (esforços reais e distintos), deve ser tido e visto como uma *onda* feita de um número sempre considerável de microimpulsos ou microesforços, tanto de partida quanto de freada.

Dito de outro modo: não é UM MÚSCULO que se contrai – inteiro e isolado; são milhares, dezenas de milhares ou centenas de milhares de microimpulsos *de poucas gramas cada um* que nos movem.

Podemos ver essas reflexões no espreguiçar inteiro, que surge e se espraia como onda. Por vezes se quebra, mas aí já não está inteiro. Foi um NÃO no meio da onda – de papai? De mamãe? – que a quebrou: "Espreguiçar-se é *feio!*"

Também no tigre podemos ver – em forma deveras exemplar – quanto o movimento vivo é onda, mesmo nos momentos de maior violência. Até na perseguição mais desenfreada o tigre continua sedoso – macio. Preciso.

A SOLUÇÃO DA OPOSIÇÃO QUE PARALISA E A DANÇA

Quando as funções motoras estão bem desenvolvidas – alta consciência, controle e coordenação –, o movimento se faz ondulante e fluente, sem ângulos nem solavancos.

A essa luz,

existir SEM couraça é estar INTEIRO

em MOVIMENTO FLUENTE E NÃO

REPETITIVO (não estereotipado, não

habitual, não conhecido).
Enquanto meu movimento tem forma reconhecível e
denominável, estou
ENQUADRADO

Quando começo a fluir POR INTEIRO, PERCO A IDENTIDADE – NÃO SEI
E NÃO É POSSÍVEL SABER QUEM ESTÁ AQUI/AGORA. As fluências, os flu-
xos, os fluidos, os campos magnéticos e elétricos – sabemos – são mais
difíceis de conhecer do que as formas sólidas, geométricas, concretas.

O mais estável das coisas – o mais constante ou o mais repetido – é
o que nos permite reconhecê-las. O reconhecimento das coisas fica
acabado se dou nome ao que faço, ou ao modo como estou. *Acabado*,
isto é, sem interação com o contexto.

Como ESTÁTUA em praça pública.

Às funções musculares se acrescenta mais esta, comum a todas:
qualquer movimento ou posição é *feito* por um grande número de
microesforços. No caso de posições – coordenação estática –, as tensões
são simultâneas e equilibradas; no caso de gestos e de ações – coordenação dinâmica –, as tensões são sucessivas e os impulsos se sucedem
em frações praticamente infinitesimais de tempo. Nesse caso, nosso
sinal convencional – que não é uma fórmula matemática – será (integral de $\triangle f$ no intervalo $t_1 - t_0$). Os t (tempos) têm um valor que vai de
décimos a milésimos *de segundo* – porque essa é a frequência máxima
de emissão dos influxos nervosos entre os neurônios mais ativos.

É fácil imaginar quanto esse modo de organização em ($\triangle f$) contribui para a precisão e a suavidade dos movimentos, e quanto esse
tipo de organização complica a execução dos movimentos.

Podemos dizer que a unidade motora é um micromotor e que cada
movimento de uma articulação é produzido pela tração (protagonistas) e pelo relaxamento (antagonistas) de dezenas de milhares de fios
microscópicos, cada um ligado a um micromotor.

Esses signos matemáticos figuram aqui com uma intenção: nosso
aparelho motor funciona CONCRETAMENTE como o cálculo (diferencial é integral); creio, por isso, que ele é o fundamento do cálculo. Se

não funcionássemos assim, não poderíamos pensar assim e muito menos inventar essa forma de pensamento.

A unidade motora é o infinitesimal real que permitiu aos homens pensar o cálculo infinitesimal.

Note-se incidentalmente: por que cálculo diferencial e integral? Em paralelo com sua função, seria mais acertado dizer cálculo diferenciador e cálculo integrador.

Os micromotores se ligam e desligam em frações até milésimas de segundos. Isto é, a

COORDENAÇÃO MOTORA lida com gramas,
decigramas ou centigramas, com segundos, décimos,
centésimos e até milésimos de segundo!

Nessa coordenação motora é preciso incluir mais um fator automático ANTI: é o fator antigravitacional (anti-G), que por sua vez são dois.

- Primeiro: o controle e a ação de certos músculos que, nas posições usuais, se opõem à queda do corpo ou de suas partes: músculos plantares, tríceps sural, quadríceps (crural), eretores da coluna e da cabeça, mastigadores, elevadores das pálpebras superiores. É o sistema (neuromuscular) antigravitacional dos fisiologistas.

- Segundo: o controle de todos os músculos, que mui versatilmente se inverte sempre que o corpo trabalha de cabeça para baixo, ou quando uma parte do corpo desce em vez de subir (em vez de ser carregado). Se, com o braço na horizontal, quero descê-lo, não contraio músculos; eu os descontraio ou relaxo de forma dosada, gradual.

Nas lutas entre os animais (e os homens!), mesmo aquele que está no chão continua lutando, e aí luta com o corpo ao contrário em relação à gravidade. E sabemos que todos os animais – e os homens – são capazes de lutar assim. No caso usual (pessoa em pé), os controles motores e a coordenação são uma; com o corpo ao contrário, TODAS as condições mecânicas se invertem.

Somos todos capazes de fazer assim; é uma propriedade de nossa organização motora que ninguém desenvolve deliberadamente; ela se desenvolve sozinha no movimento do dia a dia.

CONTRAÇÕES

COM tensão e SEM movimento: ISOMÉTRICAS (o comprimento não varia).

SEM tensão e COM movimento: ISOTÔNICAS (a tensão não varia).

Uma das principais funções musculares é a postura. De momento lembramo-la de novo para esclarecer que ela se realiza inteira à custa de contrações isométricas (de contraturas); no caso, elas são fisiológicas, necessárias.

São muito diferentes a mecânica e o controle das contrações rápidas que produzem movimentos. São denominadas: contração física, contração muscular, contração isotônica ou apenas contração – em inglês, *fast twitch*, contração rápida. As contrações mantidas se denominam contraturas, hipertonias, espasmos musculares, contração estática, contração isométrica, contração mantida ou *slow-twith*. Cada uma dessas duas funções é realizada por um tipo especial de fibra muscular.

A contração de qualquer músculo é sempre menos forte do que sua contratura. Pode-se adotar, para esquemas de pensamento, a razão aproximada de 1 para 5, até 1 para 10. Quer dizer que, se solicitarmos um músculo para um único puxão, ele só consegue fazer 1/10 do esforço que faria se o solicitássemos a manter uma contração.

Dispomos de muito mais força para MANTER *posições (aguentar) do que para fazer coisas!*

Só esse fato já diz muito a respeito das famosas resistências – que são OPOSIÇÃO ao movimento – e das posições (sociais); os indivíduos que as ocupam parecem sempre estátuas ou monumentos (respeitáveis, dignos, solenes...).

CARNE, AMOR, CALOR...

Outra função geralmente ignorada da musculatura é seu papel na termorregulação do corpo. Sabemos que os animais superiores mantêm constante sua temperatura interna. Nessa manutenção, os músculos podem desempenhar papel fundamental.

Em primeiro lugar, a musculatura constitui aproximadamente 45% do peso do corpo; nenhum outro tecido é tão abundante em nosso organismo.

Todos os tecidos e órgãos do corpo produzem calor o tempo todo – calor proporcional aos seus níveis de funcionamento. Mas *nenhum deles* funcionará mais *apenas* para produzir calor caso o corpo ameace esfriar. Claro que o fígado não intensifica sua química nem o coração suas pulsações *apenas* para nos aquecer.

Ora, os músculos *podem fazer isso* e o fazem – sem perturbar demais a economia orgânica. Quando o tempo esfria, primeiro nos contraímos globalmente, nos *fechamos* muscularmente – e assim aumentamos a produção do calor. No frio somos mais nós mesmos, comunicamo-nos mal com o outro; os povos nórdicos são frios, os tropicais, comunicativos.

Quando a simples hipertonia (intensificação da couraça) não basta para manter a temperatura interna, começamos a *tremer*, e esse violento exercício espontâneo nos aquece.

Quando trabalha forte, o tecido muscular é o que mais consome oxigênio e o que mais produz calor.

Podemos verificar esses fatos de outro modo. Quando o indivíduo está dormindo sem sonhar – tempo em que seu relaxamento muscular é máximo –, seu metabolismo basal é 10% menor do que... o metabolismo basal! Isto é, mesmo indivíduos voluntariamente bem relaxados não estão relaxados de todo. Só quando ocorre o desligamento total do tônus muscular durante o sono profundo é que o consumo de oxigênio alcança aquele que é, de fato, seu ponto basal – consumo *mínimo* de oxigênio.

Em sentido contrário, basta que o indivíduo se ponha em pé para que seu metabolismo basal suba de 70%, mostrando o aumento no consumo de oxigênio pelos músculos, mesmo nessa posição simples e pouco dispendiosa em matéria de consumo de energia que é o manter-se em pé.

Esse número é dado por Best e Taylor (veja a nota 2) e tenho dúvidas a respeito dele – que é uma *média*. O indivíduo com boa postura consome menos oxigênio do que isso para parar em pé; indivíduos fortemente encouraçados, cronicamente hipertônicos, certamente gastam mais do que isso.

RELAXAMENTO E QUEDA DA TEMPERATURA

O relaxamento profundo e prolongado pode produzir quedas bem perceptíveis da temperatura corporal. Certa parturiente a quem eu assistia, ao cabo de *sete horas* de relaxamento deliberado, alternado com períodos de algum esforço, começou a tremer violentamente a ponto de fazer estremecer a cama inteira! Bastou um cobertor e o tremor passou!

O mesmo acontece com todos nós na madrugada. É na madrugada, por volta de 4 ou 5 da manhã, que a maioria das pessoas apresenta sua temperatura mais baixa. Tenho poucas dúvidas de que esse fato se deve ao sono e ao relaxamento muscular ligado ao sono.

É provável que a *ocorrência* do sonho dependa da termorregulação. Quando dormimos, relaxamos e começamos a esfriar. O esfriamento corporal de uns poucos décimos de grau é suficiente para ativar os centros da termorregulação; estes determinam uma ligeira contratação dos músculos – na certa, *segundo as formas mais familiares ou mais facilitadas para o sujeito*. Dito de outro modo: os centros termorreguladores ativam *as atividades habituais da pessoa*. Creio que nesse momento começa o sonho: *quando o indivíduo toma posição ou se põe*. Depois de sonhar um pouco – 15 a 20 minutos –, a contratura dos músculos foi suficiente para aquecer o corpo, e o indivíduo volta a dormir sem sonhar. Algum tempo depois o processo se repete. Durante o sonho, fazemos, à custa de contrações isométricas ligeiras, todos os movimentos que fazemos no palco onírico – ligeiros, porque estamos deitados (não precisamos carregar o peso); e tão ligeiros que, vistos por fora, mal podem ser detectados, porque praticamente não movem o corpo. Apenas tencionam, *preparam*. Esse é um dado fornecido pelos laboratórios de sono, onde as pessoas dormem monitoradas por aparelhos e cientistas.

Veja-se que essa hipótese fisiológica não exclui o psicológico. O indivíduo certamente sonhará com suas atitudes básicas. Portanto, o exame dos sonhos pode ser muito útil, mesmo que a *determinação do ato de sonhar* seja fisiológica.

EU, TENSÃO E SENSAÇÃO DE MIM MESMO (PROPRIOCEPÇÃO)

Aí temos várias correlações entre a sensação do eu – famoso ego – e *os graus e as formas de tensão muscular.*

Ao adormecer, relaxamos quase todos os músculos e no mesmo momento o eu desaparece.

Quando sonhamos, sempre existem tensões e às vezes alguns movimentos em nosso corpo, e há um certo eu – o eu onírico – bem menos capaz de controle do que o eu acordado.

Quando começamos a acordar, vamos gradualmente reassumindo o tônus postural.

Chamamos de pesadelo (peso) o sonho no qual reagimos muscularmente:

- com a força que faríamos se acordados; ou
- com incapacidade de assumir controle dos movimentos. Também a sensação brusca de queda ou de perda do chão no começo do sono deve-se ao relaxamento rápido e global da musculatura.

Se acompanharmos o adormecer de uma pessoa que está junto de nosso corpo, perceberemos que ele se acompanha de um *desmantelamento postural que ocorre em várias etapas.* A pessoa *desmonta-se* em vários degraus. Desmonta-se como brinquedo de montar, que a gente desfaz primeiro em pedaços grandes e depois em partes cada vez menores.

Se o processo ocorre muito depressa, a perda brusca de todas as tensões posturais (que funcionam sempre como apoios) é sentida como queda, logo seguida, em fração de segundo, por uma reação de sobressalto – que é uma retomada também brusca de posição de configuração. Algo muito parecido acontece quando nos tiram o chão debaixo dos pés, quando nos dão um empurrão ou quando *levamos um choque.*

Quando estamos muito atentos a uma tarefa manual, sabemos que *somos* apenas os olhos e as mãos.

O mesmo acontece quando estamos numa atividade que solicita praticamente toda nossa capacidade de controle e esforço muscular –

por exemplo, equilibrando-nos sobre passagem estreita ou correndo no limite de nossa velocidade.

Nesses casos não há lugar para mais nada em nossa cabeça senão o controle da motricidade.

O mesmo se diga das ocasiões de luta – e em todas as situações de alta tensão, inclusive amorosas. Em todos esses casos, o controle de movimentos tem de ser preciso, porque senão nos traímos, erramos ou... caímos.

Sabemos que em todos esses casos ficamos tão concentrados que não conseguimos prestar atenção a mais nada. Em todos eles nos comportamos como se estivéssemos atravessando uma ponte estreita. Esses fatos mostram com bastante força que

EXISTE UMA CORRELAÇÃO FORTE, AMPLA
E PORMENORIZADA ENTRE GRAU DE ATIVIDADE
E CONTROLE MUSCULAR, SENSAÇÃO DE
REALIDADE E SENSAÇÃO DE SI MESMO (*ego forte*).

São as sensações proprioceptivas que sustentam o eu – que antes de mais nada é consciência da atitude/postura e do que ela *significa*, de qual(is) intenção(ões) a anima(m) e sustenta(m). Notar: essa consciência proprioceptiva do eu é um sistema de forças reais (mensuráveis) orientadas, coordenadas e *objetivas* – podem ser vistas e fotografadas.

Quanto mais baixo o tônus postural, menos organizado nosso espaço – também podemos dizer assim. Essa fórmula é útil para compreender coisas exóticas dos sonhos, como veremos; e para compreender a noção de *meu espaço* – que vem se tornando cada vez mais frequente até na conversa popular. Trata-se de expressão sugestiva, mas vaga. Onde não há movimento, a noção de espaço não tem sentido ou não tem interesse. Preciso de espaço para me mexer e para respirar! Ao mesmo tempo, são as APTIDÕES MOTORAS que determinam a forma e a extensão do MEU espaço – dos lugares onde posso estar/chegar facilmente.

A ARTE DE PERCEBER A TRAIÇÃO

Vamos mudar de tema. Comecemos com exemplos. Depois que a empregada recebe uma repreensão da patroa, varre o chão com *mui-*

ta vontade... Depois que a filha briga com a mãe, *bate* a porta. Quando o marido infiel chega tarde em casa, *pisa o chão com cuidado*. Quando ela começa a amar menos, passa *a olhar menos para ele*. Quando o filho é ofendido pelo pai, *olha para ele com ódio* – por um instante. E logo *esconde* seu ódio, isto é, *muda a direção do olhar!*

Dizemos que alguém *se traiu* em relação a um sentimento (em relação a algo que pretendia esconder) quando observamos nele movimentos feitos com excesso ou com deficiência de ênfase – com força demais ou de menos –, o que muda *toda* a organização e *todo* o aspecto do movimento.

O referencial para essa estimativa pode ser um, outro ou vários dos seguintes:

- desproporção entre o modo como a pessoa *está fazendo* certa ação e seu *modo habitual* de fazê-la; essa desproporção indica afeto fluente ou afeto que a postura não consegue absorver. A pessoa *se descontrola ou está descontrolada*;
- desproporção entre a força feita em certa ação e a força que era necessária;
- desproporção crônica entre esforços *necessários* e esforço *usualmente despendido*.

É assim que se pode analisar, à luz da CMC, a afirmação padrão em psicologia – a desproporção entre estímulo e resposta. Note-se: não falamos em força do AFETO, mas em força da RESPOSTA (motora); o primeiro critério é intransferível (só a pessoa pode sentir/saber o que sente); o segundo é objetivo – pode ser filmado, por exemplo, e mostrado. Praticamente tudo que se chama de inconsciente está aí – *nessa ligeira alteração do ato intencional e nessas variações dos esforços necessários para as ações usuais.*

Desse ponto de vista, tudo que resta de objetivo em psicanálise e a respeito do inconsciente (freudiano) são os lapsos! Que neles se incluam, porém, as variações no *tom de voz* e os gestos usuais (atuação – *acting out*).

O atraso na resposta, a resposta de forma inusitada ou com força desmedida *serão para sempre, instintivamente, a ocasião* (estímulo) *para a dúvida do interlocutor*. São muitas vezes respostas leves, *fáceis*

J. A. GAIARSA

de ignorar, fáceis de não perceber: apenas um olhar que não vem, apenas uma voz que não é bem aquela que a gente sabe qual é.

É assim, é por isso e é então que nós *reprimimos* a PERCEPÇÃO DO OUTRO. Perceber BEM essas coisas significa RECOLOCAR-SE OU MUDAR DE POSIÇÃO, porque *ele* mudou, porque ele NÃO ESTÁ onde costuma – ou não está do *jeito* que costuma.

Perceber essas *pequenas coisas* significa, muitas vezes, começar uma briga... Melhor não perceber, diz a sensatez; melhor *fazer de conta* que não se percebeu – a bem da paz...

É ASSIM QUE TODOS OS IMPULSOS INCONSCIENTES PARA O SUJEITO SE FAZEM PERCEPTÍVEIS PARA O OUTRO.

Muitas vezes não é preciso sequer observar o corpo inteiro; basta ouvir o tom de voz, ver a direção do olhar ou a forma do sorriso. Basta pôr um tom interrogativo sobre uma declaração simples e já estou sobrecarregando a estrutura motora habitual da minha fonação. Se houver na voz uma acusação, uma esperança, um apelo, estarei fazendo outras tantas alterações das tensões nas cordas vocais e no aparelho respiratório.

O som da voz é produzido pela necessidade de falar (de articular palavras), mas comunica ao mesmo tempo o afeto que muitas vezes a palavra não diz – ou até nega.

Vou repetir até cansar: sentir (*to feel*) tem DOIS sentidos:

a) sentir e experimentar SENTIMENTOS;

b) sentir e experimentar *uma sensação ou um conjunto delas* – quaisquer.

Sentir o gosto doce, o mau cheiro, o amor, o beijo, a raiva, o soco – até aí muito claro porque sempre falado; mas é possível – e MUITO COMUM – *sentir* no outro:

* uma intenção;
* uma expectativa;
* que ele *está pronto para, a fim de.*

O propriossentir (propriocepção) é ignorado (não falado), mas está SEMPRE aí; só desaparece toda propriocepção (toda tensão muscular) no sono profundo sem sonhos. Ela é dada sempre JUNTO COM O AFETO, A IMAGEM, A PALAVRA.

Ela não é apenas *fenômeno de consciência*, noção, complexo, entidade; é *sensação*, tão bem caracterizada quanto a visão, o tato ou o gosto. E tão *concreta* quanto os demais sentidos.

Talvez se possa dizer que toda INTERPRETAÇÃO útil (em psicoterapia) é a fórmula verbal que leva a pessoa:

- a sentir – *vagamente* – o *afeto* inerente à situação, às imagens e fantasias relatadas;
- depois desse sentir vago, mal estruturado, a boa interpretação leva a pessoa a perceber com mais clareza o que ela *pretendia*, qual(is) era(m) sua(s) *intenção(ões) inconsciente(s)*; ou seja, *para o que* ela estava preparada. Etimologicamente, *pretender* é igual a *estar inclinado*.

O QUE FREUD CHAMAVA DE LAPSO

é o dado mais fundamental para a pesquisa do inconsciente.

Se ele tivesse seguido a pista dos lapsos, teria descrito o inconsciente no qual se pode acreditar porque é visível, perceptível e mostrável para quem quiser ver um filme.

Veja-se como ele passou perto dessa noção e a REPRIMIU – porque envolvia VER o outro (e ser visto).

FREUD[15] E PELÉ

Certa vez, Freud recebeu de presente uma estatueta. Nem a estatueta, nem a pessoa que a havia dado lhe agradavam. Logo que pôde, Freud escondeu a estatueta no armário do banheiro, coberta por uma cortina. Mas, segundo ele nos diz, nem assim ficou feliz. Certo dia em que ia ao banho de roupão e chinelos, tropeçou na soleira da porta, perdeu o equilíbrio e *durante o reequilíbrio* disparou um chute mais exato que os de Pelé, acertando o chinelo na estatueta, que se despedaçou.

15 Relatado em FREUD, S. *Sobre a psicopatologia da vida cotidiana*. Edição standard brasileira das obras completas de Sigmund Freud, volume VI. Rio de Janeiro: Imago, 1987.

Se Freud tivesse meditado mais sobre esse fato ficaria deveras espantado com a incrível organização do inconsciente – daquilo que mais tarde ele chamaria de alógico, de irracional, de indiferente a toda organização, indiferente ao tempo e ao espaço... Não sei como uma entidade indiferente ao tempo e ao espaço pôde realizar um feito de tal precisão – e em tais circunstâncias:

- alguém que, *sem nenhuma preparação* esportiva,
- *no meio* de um *tombo*,
- acerta *tiro certeiro* com um pequeno projétil (chinelo) *num pequeno objeto*
- ESCONDIDO ATRÁS DE UMA CORTINA.

Tiro certeiro, portanto de memória! A conclusão óbvia sobre a qual Freud não quis se deter é esta:

O INCONSCIENTE É MUITO RÁPIDO E INCRIVELMENTE *PRECISO*.

Esse é o medo de todo psicanalista. A maior parte deles, nos relatos clínicos, a todo instante usa expressões de desconfiança tenaz e sistemática em relação aos truques, arapucas e manobras que o INCONSCIENTE (do neurótico) pode fazer com o terapeuta – se ele não for hábil, astuto, desconfiado e não estiver sempre em guarda.

O truque número um do inconsciente – estamos vendo no exemplo – é sua extrema competência em se organizar e funcionar *depressa*.

Depressa quer dizer

ANTES

que eu possa perceber com clareza o que está acontecendo.

Somos inconscientes em relação a muito do que nos sucede, e em relação a muito do que percebemos fora de nós, porque nossos automatismos – o inconsciente – são complexos, numerosos e muito velozes. Esse inconsciente é de fato e de longe muito mais capaz de nos proteger do que a sabedoria verbal. Esta, quando boa, é apenas retrato e resumo do que *ele* sabe e faz. As artes marciais orientais são um esforço intencional no sentido de *aprender a usar* essa competência veloz e precisa de nossos automatismos psicomotores em vez de ficar lutando inutilmente contra eles a vida toda.

A lição tradicional do samurai e do arqueiro era bem esta e bem ao contrário da do psicanalista: só *quando não se tiver nenhum pensamento na cabeça – só quando* INCONSCIENTE! *– é que se vai acertar naquilo que se pretende acertar* – como aconteceu com Freud, seu chinelo e a infeliz estatueta.

EU O VEJO E VOCÊ SE SENTE

Descrevemos as qualidades do movimento visto por fora, do ponto de vista do observador. Mas quem realiza os movimentos também os percebe – de outro modo, porém.

As duas descrições numa primeira aproximação podem se mostrar – e de regra se mostram – consideravelmente divergentes. As pessoas costumam saber bem o que estão falando, o que *estão pensando*, aquilo que chamam de *sua opinião*; elas já sabem quase nada da cara que põem, do gesto que fazem ou da posição que assumem ao dizer aquelas coisas.

Consciente, para mim, é o que está próximo do que penso,
falo e imagino; inconsciente, para mim, é o que está
próximo do jeito como eu faço, do modo como eu me ponho,
da posição que é a minha. Isto é, do modo como estão postos
meus olhos, o que determina meu ponto de vista
– que eu tampouco sei qual é.

Nesse contexto, podemos dar à noção de ter ou tomar consciência um conteúdo preciso e operacional: tomar consciência de mim consiste em perceber *tudo aquilo que mostro*, manifesto, ou digo com as palavras, com a voz, com o corpo e com a cara.

O mesmo fato conforme recebido/percebido pelo outro. Se ao falar tenho noção de minha posição e demais expressões, e se elas concordam *por inteiro* com as palavras, serei CONVINCENTE para o outro. Falamos de um limite ideal de integração expressiva.

Mas enquanto eu não tiver percepção de mim, tão boa quanto se eu estivesse me vendo de fora ou num espelho, NÃO TENHO O DIREITO (LÓGICO) de considerar as manifestações do outro DESLIGADAS – independentes – das minhas.

Considerando as dificuldades de alcançar esses limites de autoper-cepção, o que há por fazer é *levar muito a sério o que o outro diz de mim* e todas as suas ações quando DIANTE de mim. Provavelmente o que ele me diz de mim está certo – mesmo que sua explicação ou sua interpretação seja vaga ou falsa.

Quero dizer que ele percebe meu rosto melhor do que eu – e eu percebo seu rosto melhor do que ele.

Quero dizer que ele vê meus gestos melhor do que eu – e eu vejo seus gestos melhor do que ele.

Ambos vemos, portanto, todas as insinuações não verbais *um do outro*, e nenhum dos dois vê bem *as próprias* insinuações não verbais.

Tudo isso está na nossa interação e tem de ser considerado. Quando o falar e o gesticular – o verbal e o não verbal – vão em direções divergentes, temos exemplos da noção, cada vez mais usada e fecunda em psicologia e sociologia, da *dupla mensagem*. Na verdade, na maior parte das vezes não se trata de uma mensagem dupla, mas *múltipla*. A pessoa pode estar dizendo *palavras amáveis* com uma voz *que rosna*, com o *olhar distraído*, com um *gesto acusador* e *batendo impacientemente com o pé no chão*.

Temos aí cinco mensagens e não duas.

Cada alteração motora que não tem explicação mecânica óbvia só pode ter explicação psicológica; é tentativa de realizar ou de inibir desejos e temores, é tentativa de manifestar ou de conter alguma res-posta em relação aos personagens e à situação *presente*.

DE BRAÇOS ABERTOS

Todos os nossos músculos são emparelhados dois a dois – e simétricos – como plano básico. Mas a atividade lateralizada vai nos fazendo assimé-tricos. Além disso, nossas *tensões* (diferentes de nossa forma) *raramente* são simétricas. Por isso estamos sempre *tendendo, preparados para*, expectantes em relação a algum objeto ou atividade. Se temos certa inten-ção (em-tensão) ou se *somos tomados* por ela, já estamos *percebendo seletivamente* a situação, dirigidos pela busca daquilo que possa condizer com a atitude e excluindo o que não parece ter relação com ela. Estamos *tortos* e percebendo o mundo *de modo torto* – parcial ou tendencioso –, com uma perspectiva oblíqua, com um viés bem definido.

Se uma pessoa com tempo e paciência conseguisse igualar duas a duas todas as tensões musculares do corpo, ela anularia completamente todo e qualquer sentido, tanto subjetivo como objetivo; estaria no mundo *sem intenção* – estaria alcançando o limite da objetividade: mundo que eu percebo, mas com o qual não estou envolvido, do qual nada desejo nem temo. Estou imóvel; meus *motivos* (motores) estão equilibrados – funcionalmente anulados.

Nesse contexto, convém lembrar que as posições rituais são todas simétricas: como as dos sacerdotes quando fazem a oferenda; como a atitude dos escravos quando rompem as correntes e elevam os braços para o céu; como a posição de oração com as mãos postas; como os braços abertos na acolhida – Cristo Redentor.

São símbolos ou realizações alegóricas da noção de objetivação perfeita do sujeito: *aceito tudo de braços abertos* – sem seleção, sem condição, sem rejeição.

Ou, na introversão (mãos postas em oração), *estou fechado*, isolado, desligado, *fora do mundo*.

A ENGRENAGEM

Até agora descrevemos o mecânico no homem, o vasto equipamento desenvolvido pelo ser vivo para que seus desejos e necessidades (nascidos nas vísceras) pudessem buscar e entrar em relação com objetos materiais e outros seres vivos – que respondem a esses desejos e também se movem, existem fora de nós, têm massa, forma e movimento.

INTERIORIZAMOS o mecânico, processo amplo e complexo que *explica* quase toda a organização do corpo animal e humano. *Dedicamos* 2/3 do nosso sistema nervoso e 4/5 do nosso peso (músculos + esqueleto) a esta função: resposta mecânica ao mecânico que há no mundo. As funções viscerais (intestinos, afetos) *não têm sentido* sem essas coordenadas que nos ligam e nos permitem lidar com as coisas do mundo.

Vale a pena lembrar que *satisfazer um desejo* é

SEMPRE

fazer alguns movimentos junto de, na
direção de ou com objetos e pessoas.

Não posso dar um murro se estou segurando uma pasta, não posso abraçar se a pessoa estiver a mais de meio metro de mim. Sem relações mecânicas MUITO PRECISAS, toda ação amorosa, sexual e alimentar – toda ação agressiva também – se faz mal ou não se faz. Se um objeto não tiver alguma espécie de *cabo*, não consigo manipulá-lo (manipular: movimentar com as mãos – *mani*).

Nosso aparelho locomotor é precisamente a resposta geométrico-mecânica do ser vivo a todos os fatores geométrico-mecânicos do mundo em que ele vive: resposta, principalmente, ao mundo da matéria inanimada, que é o conjunto de coordenadas dentro das quais temos de nos mover, existir e nos realizar. Falo do chão, das casas, das paredes e portas, das montanhas, ruas, dos rios. Falo de nosso *cenário*, cujo *espaço* é sempre configurado; é *nele* – um espaço que varia a cada passo – que eu me movo SEMPRE.

Dois elementos do mundo são vitais *a todo instante*, a cada segundo: o chão (equilíbrio) e o ar (respiração).

Essas duas relações vêm *antes* de qualquer outra; sem elas nenhuma outra é possível. E *antes* também no tempo. *Primeiro* é preciso estar em equilíbrio (função que pode falhar em *um segundo*). E com oxigênio suficiente (falhamos se ficamos 30 *segundos* sem respirar). Outrossim, acreditar que essas relações, por serem tão vitais, *devem* estar sempre *certas* e *funcionar sozinhas* é um pressuposto – implícito – que este livro contesta a cada página.

A FLOR (AS REGIÕES ESFINCTEROIDES)

Existem regiões do aparelho motor com funções ainda semelhantes às geométrico-mecânicas, porém mais próximas das vísceras e intermediárias entre a motricidade visceral e a motricidade esquelética. Julguei oportuno e adequado chamá-las de regiões esfincteroides. Há duas *regiões* esfincteroides e há *funções* esfincteroides numerosas.

Esfincteroide quer dizer *que funciona como um anel, um cilindro ou um funil capaz de constrição e expansão.*
É assim que funcionam todas as vísceras – inclusive o coração.

Na garganta temos um largo e incompleto funil muscular constituído pelos músculos dos lábios e das bochechas, na frente; depois, os músculos mastigadores, os da língua e do assoalho da boca; os do istmo das fauces: base da língua (embaixo), véu do paladar (em cima) e pilares das amídalas (dos lados). Descendo, chegamos ao osso hioide e aos músculos que a ele se prendem, à laringe, às cordas vocais. Enfim, fechando esse funil, atrás, temos os constritores da faringe – que continuam, embaixo, no esôfago.

Temos aí numerosos músculos estriados que poderiam ser chamados de viscerais. Todos eles servem à respiração e à alimentação antes de mais nada. São lugares cuja função é trazer o *de fora* para *dentro* e pôr o *de dentro* para *fora* – como no caso do vômito, da tosse ou da expiração. O funcionamento dessas regiões se faz à custa de automatismos muito complexos que podem – vários deles – ser tidos como instintivos; a criança humana nasce sabendo mamar, chorar, deglutir e já controla o mecanismo delicadíssimo que impede a comida de ir para a traqueia.

Ao formar três ou quatro palavras de uma frase, estamos movendo um número incrível de músculos dessa região, cuja precisão de funcionamento é tão boa quanto a dos dedos mais a do sopro de um flautista emérito.

Aqui, como no períneo, é que se vê bem quanto o termo "músculos voluntários" é PRECÁRIO – e induz a erros de conceituação. Ninguém engole, ninguém respira, ninguém sequer fala *por querer*, se entendermos *por querer* como se entende o mover os dedos das mãos numa máquina de escrever. Ninguém move *por querer* CADA músculo dessa região. Eles são *em certa medida e de certo modo*
VOLUNTARIZÁVEIS,
mas nunca se poderá dizer que são voluntários desde o começo e/ou a qualquer momento.

Quem não *aprende* a movê-los (aprender é trabalhoso e sutil) não os terá voluntários. Para a imensa maioria das pessoas, tais músculos permanecem AUTOMÁTICOS a vida toda.

UMA COISA ESPANTOSA QUE SE CHAMA
CONVERSA FIADA

Na vida civilizada, a principal função dessa região é a fala. Dois terços das pessoas passam falando, para fora ou para dentro, dois terços do tempo que passam acordadas.

É preciso lembrar que cada civilização define aquilo que considera consciente e aquilo que considera – ou exige que seja – inconsciente; em nosso mundo, aceita-se que todas as pessoas *estão conscientes do que falam* e indiretamente *conscientes do que pensam*. Pior que isso: em nosso mundo, acredita-se que uma pessoa faz o que quer.

É fácil verificar que essas duas declarações são muito incertas, mas são preconceitos – pressupostos – de toda nossa conversa e de toda nossa *posição verbal* diante do mundo.

Dizer que *falo porque quero, disse exatamente o que pensava* e outras expressões semelhantes, de regra, são afirmações falsas em maior ou menor grau.

Falar parece uma sequência ou um fluxo leve, mas na realidade o encadeamento dos sons/palavras é férreo. Uma paciente sonhou que puxava uma corrente (de ferro) da boca. Corrente é "caneta" em latim, raiz do termo *concatenar* – ideias, pensamentos, palavras...

Desautomatizar a fala é um processo difícil e complicado,

* como se vê no caso de cantores, oradores e atores quando têm de aprender a reempostar a voz;
* como se vê no caso do gago, impotente diante de seus automatismos verbais coordenados;
* como se vê no caso de pessoas de dicção confusa e enrolada e que continuam assim a vida toda, apesar dos inconvenientes, do ridículo e do constrangimento grave dessa situação;
* como se vê nos casos em que queremos controlar o tom de voz a fim de disfarçar sentimentos e descobrimos quanto isso é difícil.

Desautomatizar a fala, sentir – propriossentir – o ato de falar, captar a organização da respiração e da musculatura articulatória é difícil, mas só assim se pode alcançar silêncio interior, virtude rara de que uns poucos sofrem desde que nascem e uns poucos alcançam no fim da vida. Enquanto nossa garganta/respiração estiverem *prontas para* falar, enquanto forem sede de tensões musculares crônicas, falaremos para fora ou para dentro. Mas falaremos incoercivelmente: a maioria das pessoas passa a vida inteira profundamente identificada·e confundida com a fala. E o que é pior: só com a fala.

"Eu sou porque eu penso (falo)". Descartes já havia dito isso, que traduzido fica assim: *existo porque falo* – o que é a definição do existir social (e psicanalítico!), mas não do existir em silêncio! A maior parte dos indivíduos passa longos períodos da vida com uns POUCOS pensamentos que se repetem,

se repetem,

se repetem,

pelos séculos dos séculos, milhares e milhares de vezes...

É a *gravação* da análise transacional; a compulsão repetitiva de Freud; são hábitos, é o costume, é assim...

Ninguém diz, porém, o essencial: enquanto ME REPITO, POSSO TER A CERTEZA de que NADA DE NOVO surgirá em minha mente – em mim.

É assim que a conversa-fiada cósmica se faz uma das mais poderosas forças da repressão. Enquanto falam as banalidades de sempre, NADA mais pode surgir na mente das pessoas, porque o tempo – e o teatro! – está ocupado pela repetição!

A principal ocupação da região esfincteroide oral do homem civilizado é a fala, que dispõe de controles corticais importantes. Por essa região entram o ar (respiração) e a comida (deglutição). O ar vem pelas narinas – fossas nasais, faringe, laringe, traqueia; a comida segue pela boca (mastigação), istmo das fauces (deglutição), faringe, esôfago, estômago.

A deglutição, como o vômito, a náusea, a tosse e o espirro, mais a emissão do som e a articulação da palavra, são as principais funções dessa região. Os controles de tais funções – exceto os da palavra – estão no bulbo; são verdadeiros cérebros menores que controlam, vigiam e defendem essa área crítica. São centros de grande autonomia, isto é, com reflexos complexos – deglutição, tosse, vômito –, fortes, hábeis e velozes, que *acontecem* antes que eu queira, que *se fazem sozinhos* sempre que necessário, conveniente ou condicionado. Tais ações são tão automáticas que quando se descontrolam, de regra, não conseguimos *pô-las no lugar*; falo dos *tons* de voz que nos escapam quando estamos com raiva, despeito, tristeza ou de qualquer modo emocionados.

É aí ainda – na garganta – que as palavras *são sufocadas*.

É aí que nasce o desprezo – limite de enjoo. Aí reside a amargura (expressão de) e o azedume.

É aí que *engolimos* – comidas e desaforos.

Também sob o aspecto de *consciência da garganta*, o uso de sons se mostra precioso.

Os mantras são verdadeiros exercícios de *modelagem de sons* que funcionam – os sons – como *feedback* para que *se perceba* como se moveram e como se puseram as várias partes do aparelho fonador para produzir aquele som. Assim se pode estudar o funcionamento de estruturas como garganta, boca, língua, véu do paladar etc. (sem falar na respiração, que eles também alcançam).

A articulação lenta e bem marcada de qualquer som, sílaba, letra, número, palavra, frase, canto ou grito tem igual função.

Aí temos sugestões para mil *exercícios* de consciência da fonação. As regiões esfincteroides gozam de considerável independência em relação ao esqueleto, e seu funcionamento pouco ou nada influi no equilíbrio do corpo; dito de outro modo, elas pouco ou nada movem em relação à alavanca óssea, não mudam a forma nem a posição do corpo. Funcionam essencialmente expandindo-se ou *espremendo-se*, constringindo-se. Pulsam.

Se eu ficar em pé e fizer um giro lento de pescoço, sempre pelos limites extremos, verificarei que apesar disso posso continuar falando, engolindo ou gritando, conforme o caso. O funil esfincteroide está *entre ou no centro* dos músculos do aparelho locomotor como habitualmente descrito. As tensões esfincteroides variam um pouco de posição a posição, mas posso continuar a fazer as ações básicas em qualquer postura. É bom não esquecer que na história da vida a boca foi um dos primeiros órgãos a se diferenciar e seu funcionamento é a garantia da sobrevivência. É uma de nossas áreas filogeneticamente mais arcaicas. É a primeira *parte do indivíduo* – porque a boca se destina à nutrição do personagem, e não à continuação da espécie.

As regiões esfincteroides são profundamente importantes do ponto de vista biológico porque se organizam em torno dos orifícios do corpo; isto é, em torno dos lugares por onde entram e saem coisas; lugares vulneráveis por onde as coisas entram dentro, alcançam o *interior* – o íntimo.

FASE ANAL/URETRAL/GENITAL

Outra região esfincteroide é o períneo, que compreende todos os músculos situados entre o músculo elevador do ânus e a pele do períneo. Inclui, dito de outro modo, os anéis esfincterianos do reto e da uretra, anéis musculares da vagina, músculos das raízes dos corpos cavernosos etc.

Tanto na garganta como no períneo, os músculos são, pela histologia e pelos controles nervosos, *estriados*, isto é, teoricamente *voluntários*; qualquer pessoa poderia fazer com eles o *que quisesse*; no entanto, a clínica e a experiência cotidiana mostram que não é assim.

Para sermos breves: a prisão de ventre, a dor durante o coito e durante o período expulsivo do parto e a ejaculação precoce dependem dos músculos do períneo. Se a pessoa conseguisse contrair-se ou relaxar-se nessas regiões, como ela o faz com a mão quando larga ou pega um objeto, seus sintomas melhorariam – ou desapareceriam. Musculatura estriada não é garantia de controle voluntário; ela quer dizer apenas controle voluntário *possível*.

E aí vai outra grande área de trabalho psicoterápico completamente esquecida ou negada pela psicanálise, que hoje vem sendo deveras explorada por todos os esquemas de trabalho corporal em psicoterapia. Podemos conseguir altos níveis de controle motor, melhorando com isso a angústia e muitos sintomas psicossomáticos; melhorando também nosso *modo de estar no mundo* e nosso modo de NOS COLOCAR ante nós mesmos no curso das emoções.

FRIGIDEZ

A *Seleções* do Reader's Digest publicou há tempos artigo de bem-sucedido ginecologista nova-iorquino que havia descoberto – e o tom do artigo era mais ou menos assim, de toque de clarim – a causa principal da frigidez feminina: atrofia dos músculos pubococcígeos (a maior parte dos músculos do períneo).

O artigo era de uma ingenuidade encantadora: verificava a atrofia e dizia que a correção consistia em fazer exercícios, isto é, introduzir corpos estranhos na vagina e fazer que a mulher aprendesse a contrair esses músculos.

Mas não ocorreu ao articulista perguntar-se por que em tantas mulheres esses músculos estão atrofiados.

É preciso considerar toda a repressão sexual da menina para compreender o fato. Durante anos as meninas recebem, por mil modos diferentes, com caras e ameaças sérias e por silêncios carregados, a seguinte imposição: "Olha, aí embaixo você não tem nada e faça o favor de nem pensar que tenha alguma coisa – entendeu?"

É essa condição cultural de repressão que leva de fato as meninas a *ignorar* a própria vagina e a não fazer absolutamente nada com ela. Já não digo atividade sexual, digo que elas não sabem sequer que a vagina existe – e fazem muito para continuar não sabendo e sobretudo não sentindo. Sentir é perigoso.

O exercício proposto pelo ginecologista – não tenho nada contra – é uma verdadeira reconquista não só da *consciência* da região como da *responsabilidade* por ela. Quero dizer que, se uma mulher se presta a uma relação sexual ficando com o corpo largado, inclusive com os músculos perivaginais relaxados, ela pode dizer às outras e a si mesma (principalmente para a mamãe!) que não tem culpa nenhuma, que tudo aconteceu porque *ele* quis – ou exigiu.

O tema inclui também a questão do orgasmo clitoridiano *versus* o vaginal. Primeiro, o homem também pode experimentar esses dois tipos de orgasmo. A excitação adequada da glande – mesmo com o corpo imóvel – pode provocar o orgasmo (o que equivale ao orgasmo clitoridiano). Na mulher, melhor será falar em orgasmo com participação motora e orgasmo sem participação motora. Num caso a mulher faz carícias, move o corpo e as cadeiras, contrai os músculos perivaginais. Ela *atua sobre si mesma* em função do que sente.

No orgasmo sem participação, ela fica imóvel – às vezes relaxada, às vezes contraída –, mas sempre *longe*; longe mentalmente, longe pelo olhar, longe pela face e até pela posição do corpo que indica alheamento. Quase se pode dizer, nesse caso, que a mulher *sofre* o orgasmo, que a sensação *vem* – acontece à revelia.

Orgasmo clitoridiano com imobilidade significa: *sofri* um orgasmo. O mesmo, com movimentos, significa: eu fiz – *eu* QUIS – o orgasmo.

AS FLORES NÃO SÃO ENGRENAGENS

As regiões esfincteroides têm outra característica: intervêm pouco na movimentação esquelética. No períneo, nem sequer um pouco. São todos os músculos que se prendem – e fecham – no vazio situado no interior da pelve óssea; portanto, só têm contrações isométricas, ou só têm a possibilidade de exercer pressões/constrições sobre o que está *dentro* ou no centro deles.

Na garganta, a suspensão complexa e delicada da laringe e do osso hioide faz que os músculos da região ventral do pescoço intervenham nos movimentos do pescoço todo, mas de forma ligeira – quando consideramos a quantidade de esforço. Os músculos posteriores do pescoço são poderosos porque a cabeça tende sempre a cair para a frente; esses músculos são poderosos em todos os animais que, ao se alimentar, têm de *arrancar pedaços* da presa: dentes cravados na carne e agitação violenta do pescoço! Nossa agressão, quando ativada, alcança não só a musculatura da mandíbula como TAMBÉM a da nuca. Fomos carnívoros durante um milhão de anos e também comíamos carne crua e arrancávamos pedaços com a força da mandíbula (ação) e do pescoço (suporte postural da boca).

Os músculos da região anterior do pescoço (supra e infra--hioideos) são leves, mas têm um bom braço da alavanca e assim conseguem equilibrar bem os da região posterior.

Os músculos da região esfincteroide da garganta estão *entre* esses dois grupos musculares; participam um pouco dessas funções e se deformam, às vezes, com a movimentação do pescoço, mas não ficam funcionalmente impedidos.

A FACE E AS MÁSCARAS

Falemos de outro grupo especial de músculos, os da face, que no ser humano adquiriram funções especialíssimas.

Os primatas desenvolveram três estratégias vitais importantes: a vida em bando, ficando os indivíduos do bando habitualmente próximos uns dos outros; maior acuidade visual para a visão próxima e o campo visual binocular amplo; e, enfim, a capacidade de *fazer caretas,* entre elas uma que lhes é peculiar: a capacidade de mover bastante os globos oculares sem mexer a cabeça.

Desse modo, já entre os primatas a face adquire valor especial como sinalizador daquilo que o animal sentiu e/ou daquilo que pretende fazer.

A *expressão do afeto* mostra não só o *que se sente* como também, e ao mesmo tempo, uma ou mais *intenções.* Se um animal começa a rosnar (*expressão* de raiva), é *sinal* de que ele está *pronto para atacar* ou agredir.

Quando dois animais da mesma espécie se encontram, rapidamente estabelecem, lutando entre si, quem é o mais forte e quem é o mais fraco, e dificilmente tais posições mudam no continuar do convívio; de regra, basta que o *superior* emita um som, dê uma olhada ou simplesmente faça um movimento brusco, e logo o de ordem inferior se afasta – inclusive de alimentos, quando for o caso.

O comportamento pode surgir ante o da mesma espécie e também ante indivíduos de espécies diferentes. Os etologistas o chamam de *exibição de poderio*: é o comportamento MAIS FREQUENTE entre os animais depois do sono e do comer.

Entre os grandes animais que poderíamos chamar de pouco expressivos – como o boi e o cavalo –, a *expressão* do animal está no seu comportamento inteiro, e a exibição de poderio se faz com bufos, mugidos, relinchos, com forte menear de cabeça, com rascar de patas. A exibição de poderio nesses casos *consome muita energia*. Entre os primatas foi surgindo, e nos homens alcançou seu máximo, a exibição de dominação baseada exclusivamente no tom de voz e no olhar. A voz autoritária, a voz imperativa, a voz de comando são bem conhecidas. Começaram na certa como gritos. Nessa função, a exibição de poderio pode ser considerada

COMPORTAMENTO DE AMEAÇA:

um *começar a fazer* capaz, de regra,

de deter ou dominar o outro a distância,

SÓ PELO VISUAL E/OU PELO SOM

– PELA CARA FEIA!

Esse comportamento de ameaça é muito melhor para todos do que a guerra incessante corpo a corpo entre os da mesma espécie; se essa guerra não tivesse limites, as espécies não subsistiriam.

A invenção do comportamento de ameaça foi um enorme progresso da natureza

PARA SALVAGUARDAR AS ESPÉCIES

da destruição

pela luta interminável entre os indivíduos.

Mas sob essa forma de ameaça a guerra CONTINUA – é bom não esquecer! Continua até *na conversa*, que é muito mais guerra do que parece. Claro que agora estou falando dos homens.

O *olhar* de comando é menos falado que *a voz* de comando, mas é mais frequente e mais importante do que a voz, principalmente porque é muito mais rápido. Na verdade, é instantâneo.

Adler, que tão bem caracterizou o jogo de contrários *submissão--predomínio* (inferioridade-superioridade), e Marx e Engels, que tanto estudaram a *luta de classes*, não tinham elementos para estabelecer a profundidade das raízes biológicas daquilo que estudavam. O jogo de opressor oprimido não é invenção humana. Somos vítimas dele e não seus inventores.

Posto assim, ficam *todos* convidados a resolver; posto como criação humana arbitrária – só com bombas. Mas, ao se dissipar a fumaça, percebe-se que mudou o chefe, mas não se desfez a hierarquia – nem a opressão.

O PARECER E O SENTIR

Vivemos fazendo caretas a fim de parecer que sentimos isso ou aquilo, mesmo quando não estamos sentindo nem isso nem aquilo: procedemos assim a fim de controlar o outro.

Caretas e movimentos dos olhos e da face são muito mais econômicos do que movimentos do corpo todo, sejam os movimentos de briga, de submissão ou do que for.

Os textos de psicoterapia falam dessas coisas de modo confuso. Toda expressão afetiva (cara/jeito de medo, de raiva, de desamparo, de coragem) pode ser:

* expressão do que *estou sentindo* aqui e agora;
* *imitação* de uma expressão afetiva que aqui-agora *estou usando como ameaça* para afastar o outro ou promessa para fazê-lo achegar-se, para seduzi-lo (seduzir = *se-ducere* – trazer para si).

Essa é a diferença entre afeto primário (que se sente) e secundário (mostrado, encenado, *feito para o outro* VER).

É a diferença, também, entre afeto individualizado e coletivizado: os sinais dos sentimentos – as caras e os tons de voz próprios das várias situações sociais (visita, casamento, aniversário, festa, velório, notícia boa, notícia má etc.) – fazem parte do *código* socialmente aceito de sinais afetivos que todos conhecem, bem ou mal. Ou ao qual todos reagem, percebendo ou não. A diferença entre o sentir e o exprimir *por querer* é a diferença entre sentimento *espontâneo* e *representado*, entre sentimento *sincero* e *fingido*, entre *sentir afeto* e *chantagem afetiva*, entre a cara e as máscaras.

Mostrar-se vítima é uma coisa; *sentir* raiva e mágoa – ou ódio – é outra (esses são os afetos que animam a vítima).

É a diferença entre o afeto e o *racket*, ou sentimento falsificado, da análise transacional; entre narcisismo primário e secundário em psicanálise.

O primário é amor por si – prazer em ser, estar e sentir-se vivo; o segundo é o uso da própria imagem para criar um efeito ante a audiência. A audiência pode ser constituída de uma só pessoa como de muitas; pode inclusive ser interior.

Um desses sentimentos é natural; o outro é convencional ou social em sentido próprio: ele *se destina* ao outro.

É social porque é a gramática social que estabelece QUANDO *devo* ficar triste (quando morre parente, quando me abandonam, quando sou explorado etc.). A *boa* viúva chora descabeladamente o marido morto. O bom pai é amigo (tem jeito de amigo), o bom juiz é austero e assim sucessivamente.

O bom é a aparência que condiz com as expectativas sociais do pequeno mundo onde o fato acontece.

As encenações prescritas continuam a ser aceitas mesmo que mal representadas: *pêsames, parabéns, sinto muito mas infelizmente, vou ver o que posso fazer.*

A expressão *desmascarar* – frequente em psicoterapia – significa dizer à pessoa que o que ela está *mostrando* NÃO É o que ela está *sentindo*.

Ela está tentando controlar a situação usando expressões emocionais, gestos e teatralização para conseguir influenciar o outro na direção de seus próprios fins, conscientes ou inconscientes.

CONVERSA-FIADA – GUERRA SECRETA PELO PALCO

A função das caretas é muito clara durante uma conversa social. O jogo de dominação se faz transparente nessas circunstâncias, não só no fraseado de cada um, ou no seu tom de voz, como também naqueles momentos como sempre muito breves – em que a conversa oscila e outro personagem pode assumir a palavra, contestar ou controlar o diálogo. Sabemos todos que, quando o monopolizador começa a falar, alguns do bando se põem a ouvir, outros se põem a reclamar intimamente e sempre aparecem dois ou três que se dispõem a competir e a ficar atentos para perceber o momento de entrada – é sempre um momento, um instante.

Não falo de uma conversa verdadeiramente amistosa e tranquila, que se caracteriza principalmente pelas longas pausas de silêncio em que ninguém se precipita para falar; falo da conversa na pequena arena social de todo dia, cuja principal função é conseguir que o outro me perceba, olhe para mim, me ouça – me dê *atenção*. É dizer para ele que sou MUITO de alguma coisa – de realização ou de vitimação.

É o lugar favorito para nove décimos de todos os nossos comportamentos de exibição.

A face humana – pode-se demonstrar – jamais se repete. Os traços do rosto são movidos/alterados por *dezenas de milhares* de unidades motoras; que em certo momento *todas* elas *reproduzam* uma face já feita é muito improvável. Imaginemos um desenho a bico de pena. É isso. Basta mudar um dos muitos traços e a expressão já não é a mesma.

Os músculos da face tão pouco influem em nosso equilíbrio porque atuam somente abrindo e fechando orifícios (olhos, boca, narinas) ou repuxando a pele. Não movem alavancas ósseas (salvo os músculos mastigadores).

MASSAGEM NA FACE, NO PERÍNEO E NA GARGANTA

A maior parte dos sistemas de ginástica e massagem que conheci e/ou pratiquei não incluía trabalho sistemático com a face e a garganta, nem com o períneo.

Creio que esse fato responde bem a uma pergunta que me deixou perplexo durante muitos anos. Se um bom trabalho corporal é essencial para a integridade mental, por que bailarinos e ginastas podem ser – e muitas vezes são – tão neuróticos quanto a população geral?

É que o lugar somático, as representações e as sensações corporais ligadas aos complexos freudianos – oral, anal, genital – dependem precisamente dessas regiões esfincteroides, dotadas de alto grau de automatismo motor, e também de alta capacidade de resposta quase instintiva, como são o choro, os gritos, a deglutição, o vômito de um lado e, de outro, as contrações da bexiga, do reto, dos músculos perineais, perianais e perigenitais.

SE A GINÁSTICA E A MASSAGEM NÃO INCLUÍREM ESSAS PARTES DO CORPO, ELAS CONTINUARÃO COMO SEMPRE. OS COMPLEXOS FREUDIANOS DO INDIVÍDUO NÃO SERÃO TOCADOS PELO TRABALHO.

Basta dizer assim para levar um susto: então *devemos* mexer nessas partes durante a massagem? Mas como?

Com a face é semelhante – mas diferente! A face é a parte mais *vendida* do nosso corpo, a mais modelada pelas nossas *identificações* familiares e pela presença e resposta dos outros. Nós fazemos as caras que *convém* fazer, as que *fica bem* fazer. A face é o sinalizador social por excelência e ela *diz* muito do que queremos ou do que percebemos – de bom e de ruim.

Se faço um sistema completo de ginástica corporal mas não mudo as expressões básicas do meu rosto, continuarei recebendo tudo que vem do corpo *com a mesma cara*! Quero dizer que continuarei a fazer coisas talvez até novas, mas olharei para elas como mamãe olharia. As expressões de mamãe, que envolvem *julgamentos, fazem parte* de meu rosto e avaliam – aprovam, condenam – o que faço. Quer dizer que continuarei a não me compreender, quer dizer que continuarei a não conseguir integração entre a movimentação do rosto e a do corpo.

Digo também que, se a região da garganta não for bem explorada, ela não se integrará ao tórax e então a voz não será minha! Com a voz e com a cara vendidos para os outros, continuarei a *olhar para* meu corpo e a *falar dele* (e a tratá-lo) de um jeito ruim – mesmo que meu corpo, trabalhado pelos exercícios, se mostre saudável, atlético e bonito.

OS DOIS POLOS DA PERSONALIDADE: CEFÁLICO E CAUDAL

Confrontemos polo cefálico e polo caudal do corpo (do eu?).

São eles que se aproximam a cada pulsação orgástica – segundo Reich. Os polos se formaram nos primeiros animais hidromóveis, para os quais a forma alongada facilita os movimentos – é vantagem evolutiva indiscutível: primeiro porque permite maior velocidade (ataque e fuga); depois porque economiza a energia despendida no movimento (movimento que é o maior consumidor de energia do ser vivo).

O primeiro dos eixos posturais foi o vertical, ao qual estão sujeitas todas as coisas que têm massa.

Já nas medusas o eixo se concretiza de dois modos: como órgão sensorial específico – estatocisto; e como orientação permanente do corpo segundo a vertical, com clara e permanente distinção, anatômica e funcional, entre a *metade de cima* e a *metade de baixo*.

Com o estatocisto, a gravidade ganhava possibilidade de se fazer sensação, depois noção e um dia instrumento.

Com o alongamento, os seres vivos passaram a ter *frente* e *trás* e desenvolveram a possibilidade de translação linear dirigida, de comando nervoso fácil e eficiente. Nos vários grupos zoológicos, as espécies de simetria radial são poucas em relação às de simetria bilateral.

O alongamento foi o primeiro elemento da vida na... corrida para a velocidade.

A primeira de todas as defesas – talvez a única ou a melhor – é a DISTÂNCIA. Se distantes, os seres envolvidos NÃO CONSEGUEM SE ATINGIR.

O que vale para a defesa física e concreta da vida deve valer para a defesa alegórica ou psicológica.

Sabemos: a defesa psicológica perfeita é COMPORTAR-SE COMO SE O OUTRO, OU A COISA, NÃO ESTIVESSE AÍ OU, SE AÍ, NÃO REFERIDO A MIM – NEM AO MEU ALCANCE.

Falamos do autismo. O total é raro; o parcial é a própria couraça muscular do caráter, e o SONAMBULISMO, de quase todos.

Distância e ganhar distância depressa é vida – sempre que se fala de presa e predador, de ataque e defesa – ou fuga.

No mesmo ato em que se alongava, o animal passava a responder ao segundo elemento da postura; o certo é andar com uma das pontas para a *frente* e a outra para trás – o que não é feito por NADA QUE NÃO SEJA VIVO. Um graveto flutua em uma torrente a maior parte do tempo de través, variável em relação à direção da torrente. Os peixinhos estão sempre *orientados* no sentido antitorrente – não são levados nem arrastados como os gravetos. Eles se levam; principalmente eles SE PÕEM (assumem posição contra a corrente)!

O ENCONTRO é isso; o enfrentar (encontrar na frente, pôr-se de frente) ou fugir (deixar para trás, voltar as costas, afastar-se).

Aí e assim, formava-se também a base material (biológico/perceptiva) para as futuras noções humanas de futuro (na frente) e passado (atrás).

Animada pelo movimento – A TOPOGRAFIA SE FAZIA CRONOLOGIA. O tempo, segundo Aristóteles, Hegel e Marx – que nesse ponto concordam –, é o número do movimento!

Onde não há movimento ou onde o movimento se repete – COMO EM TODOS OS MECANISMOS E AUTOMATISMOS (técnicos ou neuromotores) – *não há* tempo.

Esta repetição é a essência do conservadorismo – limite do desespero humano: vamos fazer que todas as coisas aconteçam sempre do mesmo modo e estaremos seguros (com tudo segurado – segurando tudo). Nenhuma liberdade e nenhuma surpresa. *Requiescat in pace* – Amém!

Pergunto ao transeunte onde é tal rua. "Siga por esta (aponta) e *lá no* fim, quando ela faz uma curva..." Fim da rua! O que significa? Temos fim (e começo), temos antes (e depois), temos futuro (e passado) porque temos frente e atrás.

DIREITA E ESQUERDA

A mecânica postural viria a sofrer outro grande acréscimo somente conosco: espaços laterais diferentes – direita e esquerda; não nos movemos nos dois com igual facilidade, ou do mesmo modo.

Essa é a evolução da mecânica viva. Junto com ela desenvolviam--se os sensores, e quanto mais aumentava a velocidade das presas, mais se afinava o sentido dos predadores e nasciam olhos cada vez melhores no mundo. E reações cada vez mais velozes.

O polo oral-cabeça passou a conter todos os radares a distância (olhos, ouvidos, nariz) e todos os sensores periorais – pelos – interessados na avaliação e escolha dos alimentos quando já próximos. A boca, recorde-se, é digestiva enquanto ingere comida, mas mecanicamente ela é a primeira mão que a natureza fez: instrumento para pegar.

Que toda cabeça seja sensibilidade é lógico: ela é que vai na frente, sem nada que atrapalhe a percepção e na direção do progresso da locomoção. Ela é que *encontra* as coisas. São sempre as cabeças/faces que enfrentam! Mas a grande sensibilidade do polo caudal (genitais e ânus, mais períneo) já não é tão fácil de compreender. Esclarecemos a questão mais adiante, como resposta à questão: por que os genitais têm a sensibilidade que têm?[16]

O polo caudal é de certo modo tão sensível quanto o cefálico, mas as qualidades sensoriais de um e do outro são bem diferentes. Sobre as variedades das sensações/emoções erótico-amorosas, os poetas nos dizem sempre mais coisas novas e bonitas.

Todas elas têm a propriedade de criar CLIMA emocional e de fascinar. Quando entregues à sensação do polo caudal, entramos em algo que envolve como uma atmosfera gasosa, suave/luminosa ou assustadora – mas sempre global e absorvente. Esse modo de perceber é bem o oposto da *discriminação* que reside na cabeça – principalmente nos olhos e nos ouvidos.

As regiões esfincteroides são notáveis não só pela motricidade complexa como pela sensibilidade, grande e específica.

Será muitas vezes útil falar em polo oral da personalidade em vez de fase oral, e em polo caudal em vez de fase anal e fase genital. Reflexões dessa ordem, que consideram o ser no espaço/mundo/chão, esclarecem de todo as interpretações simbólicas tradicionais e o que se pode chamar de símbolo natural; a cabeça *manda* porque está *em cima* (interpretação social) ou porque, estando mais alta, ela vê *mais longe* (aliás, só ela vê, mas, se está baixa, vê menos)? Nos animais, ela não é muito mais alta, mas está *na frente*.

Ela não apenas vê, mas capta (sentidos) o mundo e *nos leva* através dele. A cabeça nos dirige mesmo, *controla tudo que fazemos*; sabe, até, tudo que pensamos...

A famosa e importante cisão que existe em todos, entre cabeça e corpo, é de muitos modos *natural*. Corpo e cabeça são incomensurá-

---

16 Veja GAIARSA, J. A. *Sexo, Reich e eu*. 5. ed. São Paulo: Ágora, 2005.

veis – não têm medida comum. Sua relação só pode ser dialética – recíproca – e jamais lógica (como entre dois iguais ou dois que se derivam linearmente [causa/efeito] um do outro). O aspecto postural dessa relação cabeça/corpo é igualmente importante: já falamos dele e a ele voltaremos ao estudar o pescoço.

QUE DIZ O CÉREBRO?

Estudos recentes sobre fisiologia cerebral demonstram que os dois hemisférios cerebrais, anatomicamente idênticos e simétricos em todas as suas estruturas, são funcionalmente desiguais.

O hemisfério esquerdo é responsável pela produção e integração de abstrações, TODAS ELAS DIRETA OU INDIRETAMENTE LIGADAS ÀS PALAVRAS.

O hemisfério direito responde pela produção e coordenação de todas as PERCEPÇÕES e de seus sucedâneos imediatos, as "imagens", não só as visuais como as sonoras, táteis e demais classes sensoriais.

O paradoxo fascinante – além de toda essa estranha história de dois cérebros – é este: as PALAVRAS são a essência do hemisfério esquerdo; mas palavras como texto e articulação, e NÃO como ENTONAÇÃO, MÚSICA (prosódia). O indivíduo, com seu hemisfério esquerdo funcionando sem o direito, fala muito bem – se seu discurso for escrito; mas, se OUVIDO, sua voz se mostra monótona, sem vibração, sem expressão e sem vida; exposto a sons e ruídos do mundo, não os identifica com facilidade e exposto a frases dramáticas, de tipo emocional ou exclamativo, não discrimina com clareza, confunde-se, erra; ele só entende o discurso propriamente dito, a palavra articulada, a sintaxe e a gramática.

Vice-versa: a pessoa com o hemisfério direito funcionando SEM o esquerdo (há técnicas que permitem esse estado) fala pouco, fala curto, só entende frases curtas e ditas com força; na verdade, as palavras pouco o interessam, mas sua dicção é ótima, assim como a entonação e a ênfase dada às palavras pela sua música; distingue facilmente ruídos naturais e outros (de vento, de riacho, de carro). Ele é bom em SONS e ruim em PALAVRAS.

Esses estudos vieram demonstrar mais uma coisa, à qual já aludimos:
o não verbal

VEM PRIMEIRO.

Com o desenvolvimento da fala, o hemisfério esquerdo começa a desenvolver suas funções, que só se completam muitos anos depois.

É claro, também, que o hemisfério esquerdo (verbal/abstrato) só tem sentido e só tem função se o direito contiver muitas experiências sensoriais variadas; caso contrário, a relação entre as palavras e as coisas será

PARA SEMPRE

confusa, vaga e aleatória.

Ensinar crianças a falar sem muita experiência prévia com as coisas e com as sensações é criar

PAPAGAIOS, em sentido próprio e exato.

O cronograma de desenvolvimento NÃO É REVERSÍVEL; isto é, depois que a pessoa se fez verbal, não é mais possível corrigir a falta de experiência prévia. Aliás, quando se presta atenção às falas das pessoas, é fácil perceber quanto

AS PALAVRAS SUBSTITUEM AS COISAS

na mente de um número enorme de pessoas.

Claro ainda, de uma vez por todas, que

O COMPORTAMENTO É ANTERIOR À

VERBALIZAÇÃO – E A DETERMINA

E mais uma vez dizemos – para Freud: melhor seria falar em

ETAPAS PRÉ-VERBAIS DO COMPORTAMENTO do que em

FASES PRÉ-GENITAIS DO DESENVOLVIMENTO LIBIDINAL.

O cérebro se fez funcionalmente assimétrico por força de tudo quanto dissemos, neste livro, sobre o desenvolvimento:

- das aptidões da mão direita (lateralização da motricidade) – e do apoio funcional de toda motricidade a essa aptidão assimétrica;
- da fala, da palavra, que pouco a pouco foi – ou vai – engolindo cada vez mais cérebro.

DE QUEM É A MINHA CARA?

Não é muito minha, com certeza.

Sempre que olho para ela no espelho fico meio confuso. Aquele olhar e aquele sorriso não são muito familiares para mim. Se eu ficar olhando muito, posso até me sentir mal.

Mas se eu disser em público que estranho minha cara, todo mundo ri. Temos o costume – acho até que é preconceito – de achar que nossa cara é nossa mesmo, lógico.

Mas vamos considerar os fatos. Como meus olhos estão no rosto e não enxergam para trás, nunca vejo meu rosto. Se converso meia hora com uma pessoa, olho mais para seu rosto nessa meia hora do que olho para meu rosto durante um mês. Mais ainda: quando olho para outro, estou olhando mesmo para ele, para ver. Quando olho no espelho, para me pentear ou fazer a barba, não estou *olhando para mim*. Estou verificando se meu rosto está apresentável ou não – o que é diferente de ver.

Se em vez de pensar em uma pessoa qualquer, penso em alguém do meu círculo pessoal, então posso ter certeza de que a proporção entre ver a cara do outro e a minha é de mil para um ou mais. Somando todos os olhares, rápidos ou demorados, que dirigi para o rosto de minha mãe, na certa olhei para ela centenas de horas durante a vida. Ora, não olhei para meu rosto, em minha vida, nem algumas centenas de minutos. Há mesmo a possibilidade de eu *nunca* ter olhado para meu rosto, exceto quando criança – as primeiras vezes que mirei, fascinado, o espelho.

Se é assim com quase todos, será preciso convir em que meu rosto me é pouco e mal conhecido. Esses fatos não têm sido adequadamente avaliados pelos estudiosos da psicologia, e então o óbvio – que não foi percebido – retorna em forma metafísica.

Todos dizem que é mais fácil conhecer o outro do que a si próprio. Será que essa afirmação não tem nada que ver com o que estamos dizendo? A forma e as expressões do rosto são muito importantes quando falamos em conhecer o outro.

Alguém com quem convivêssemos um mês, mas que se apresentasse a nós sempre de rosto coberto, seria uma pessoa conhecida para nós? Na certa, sentiríamos uma curiosidade enorme de ver o rosto do conhecido desconhecido.

Ora, podemos dizer que, para nós mesmos, vivemos de rosto coberto – invisível.

As expressões do rosto são um elo fundamental na comunicação entre as pessoas. A mesma frase tem sentido muito diferente quando dita a sério ou com um sorriso, com ar de espanto ou de zanga.

Se não conheço meu rosto, como posso saber se ele está exprimindo o que sinto? Direis: ora, senhor, é meu rosto. Claro que ele mostra o que eu quero e o que eu permito – nada mais.

É o que todos dizem – mas não é o que acontece: como posso controlar o que não estou vendo?

Vamos costurar ou digitar, mas entre nós e a tarefa colocaremos um anteparo de cartolina, de tal forma que não se possa ver a costura nem o teclado. Quem conseguirá costurar ou digitar?

O mesmo acontece com o rosto – que eu não vejo. Um grande número de mal-entendidos ocorre entre as pessoas porque o rosto *não* mostra o que eu acho que ele está mostrando.

Você olha como se fosse um juiz implacável; você tem sempre nos lábios um sorriso de pouco caso; sua boca é muito amargurada; seu sobrecenho está muito carregado e outras frases assim são sempre mal recebidas, e a pessoa *tende sempre a negar o fato que para o outro é evidente*. Ora, se falo com alguém que me fita como juiz e sorri com pouco-caso, começo a me sentir mal, talvez perca o fio da conversa, acho a pessoa antipática sem saber bem por quê, e posso mesmo me afastar muito irritado. Digo que foi a conversa, a opinião do outro ou o fato de ele discordar de mim, mas o que de fato me incomodou foi o olhar mais o sorriso.

Mas ele não sabe que tem o olhar e nega o fato se eu lhe disser porque não conhece o próprio rosto.

Estamos todos na situação de um digitador perfeito que nunca olha para o teclado. Acontece que várias letras foram trocadas nele, de tal forma que toda a escrita sai errada.

Depois ficamos muito aborrecidos porque ninguém nos "lê" direito! Digamos que estou na sala de espera de um cinema. Digamos que posso controlar várias câmeras cinematográficas escondidas. Vou filmar as caras com as pessoas se entreolhando e depois as caras com que fazem fofoca – com seus acompanhantes – sobre o que viram nos outros. Pronto o filme, convido as pessoas filmadas a se ver. Quantos se reconhecerão? Quantos conhecem aquele olhar astuto, aquela expressão de desprezo, aquele olhar ferino?

Bebê tem cara?

Tem – poucas. Ele tem mais forma que expressão, exceto quando chora ou ri. Seu rosto, rechonchudo e pouco móvel, só vive das mudanças na direção do olhar – sempre atento!

A criança começa a ter mais cara quando começa a assumir a cara dos próximos, por imitação.

Primeiro a de mamãe, que está sempre por perto. Depois a do boneco de pano e a do bichinho de pelúcia. Depois a cara de espanto que o chocalho desperta, em seguida a carinha matreira do irmãozinho mais velho e assim sucessivamente.

Como se vê, nossa cara não é nossa na origem. É a cara de todas as caras que conhecemos.

Mais tarde aprendemos os códigos sociais. Há olhares e caras típicos para fazer visitas, para falar com os mais velhos, para brincar com crianças, dirigir-se ao professor, para fazer de conta que estou zangado, surpreendido ou aborrecido.

São caras sociais, fazem parte do ABC do convívio entre as pessoas, são tão pouco nossas como as palavras que usamos.

Mas o mistério maior ainda não foi revelado.

Examinando a anatomia e a fisiologia dos músculos da face, seria fácil mostrar que é praticamente impossível *repetir* uma expressão. Dito de outro modo, a cada instante nós temos uma *cara nova* – sempre nova. Mas ninguém acredita nisso! Por quê? Porque das faces conhecidas nós guardamos algumas expressões mais características e ficamos convictos de que já sabemos da pessoa tudo que é preciso saber.

Fulano é assim – gozador, sério, míope, atento, deslumbrado etc. Para nós, *fulano é assim* – sempre, a vida toda. É desse modo que o registramos em nossos arquivos interiores.

Claro que os outros nos registram do mesmo modo.

Se aceitássemos e percebêssemos nos outros e em nós mesmos que nunca temos a mesma cara, seria uma confusão total para nós. Seria o mesmo que dizer: o outro – digamos, meu irmão – é sempre diferente. Cada vez que o encontro ele é desconhecido para mim!

Desse modo, nossa cara, a bem da estabilidade das relações pessoais, sofre sua última e mais radical influência dos outros. Ela é esquematizada e rotulada. O pior é que eu também faço isso comigo. Ao ver uma foto minha, é comum eu olhar bem e dizer: não sou eu, não me conheço.

Se eu aceitasse todas as variações intermináveis de minha face,
EU NÃO ME RECONHECERIA!

Reconhecer quer dizer conhecer de novo, perceber o que estou vendo agora como igual ao que eu vi antes, em outro lugar. Assim, se eu aceitar meu rosto com todas as suas implicações, ver-me-ei, como se dizia de antanho, em palpos de aranha.

A CONVERSA COM A CARA DE DENTRO

Quando falamos sozinhos – todo mundo vive falando sozinho –, não sabemos muito bem *com quem* falamos.

Na certa há dois, pois a palavra é comunicação ou não é nada. Percebemos bem que estamos nos dirigindo a alguém, mas esse alguém é vago, fica meio na sombra. Nem por isso deixa de intervir no que digo. Parece aceitar ou não, aprovar ou não, concordar ou não. Por vezes, parece meu amigo, vezes outras, meu inimigo.

Há razões para crer que, quando falo sozinho, muitas vezes estou falando com minha cara.

São as expressões de minha face que respondem à – ou influem na – verbalização interior.

No solilóquio, falamos como alguém que se dirige a um interlocutor silencioso, mas que ouve com atenção e responde com acenos, sorrisos, expressões de preocupação ou de espanto, de acusação ou aprovação.

Nosso rosto – esse desconhecido! Mas o desconhecido mais importante de nossa vida! Vale a pena conhecê-lo bem.

Posso apresentá-lo a qualquer um. É só falar sozinho diante de um espelho.

Não conheço técnica melhor para conhecer-se. Meio louca – como tudo que funciona.

PESCOÇO

As propriedades especiais dos músculos dessa região são consequência das primeiras estratégias adaptativas da vida.

É bom recordar que a boca é o primeiro *instrumento de preensão* dos animais e foi o segundo dos orifícios na história do desenvolvimento das formas vivas.

O primeiro foi o ânus, o polo anal, o lugar onde se abriam na membrana celular orifícios para a saída de restos.

No início da boca – poros, estomas –, eram orifícios com anel contrátil em torno, anel que regulava a abertura do orifício, podendo fechá-lo completamente. A primeira *boca* dos seres vivos – pseudópodes e vacúolo alimentar das amebas – foi instável e incerta, formando-se no momento necessário e desfazendo-se depois.

Com o surgimento de carapaças (invertebrados) e depois de esqueletos, surgiu no mundo a *pinça viva*: duas peças rígidas capazes de *se opor* com força e com precisão, *segurando* assim o que fosse preciso segurar, prender ou pegar. Ao mesmo tempo que se organizava a primeira pinça viva, *em torno dela* desenvolviam-se os *sensores* (antenas, palpos, vibrissas) – por óbvias razões. É preciso saber o *que* segurar, se *convém* segurar ou ingerir, *como* segurar ou prender.

Se confrontarmos peixe e lagarto, veremos logo a vantagem do pescoço. Para pesquisar/pegar, o peixe *tem de mover o corpo todo*. O lagarto move apenas a cabeça, que está *na ponta* de um segmento longo e fino – fácil de mover, portanto.

O passo final desta estratégia natural foi o da mobilidade dos olhos e dos pavilhões auditivos, com o que a pesquisa do meio se fez

A MAIS FÁCIL POSSÍVEL,
a mais rápida e
a de menor custo energético.

Com isso surgiu e cresceu *a capacidade de perceber situações úteis ou perigosas*

ANTES

de estar na situação!

Um peixe que só vê de perto e não tem pescoço, quando percebe, já está dentro da situação – ou dentro do outro!

Com o pescoço, as chances de alimentação e defesa aumentavam bastante.

O limite dessa tendência da natureza temo-lo na cobra; quando em posição de defesa, por vezes ela fica com metade do corpo quase reto, bem elevado e muito móvel. Cria-se assim uma cúpula de raio igual a esse comprimento; dentro da cúpula seu corpo está defendido – ou o inimigo pode ser apresado.

Tanto na caça ao alimento como na defesa, certamente era bom que os animais pudessem ou conseguissem morder em qualquer direção e morder com a maior precisão possível. Daí a propriedade antes assinalada: a de que o centro visceral do pescoço funciona em *qualquer* posição da cabeça/boca.

FASES DO DESENVOLVIMENTO PSICOLÓGICO E FASES DO DESENVOLVIMENTO MOTOR

Recomecemos com a famosa frase de Freud: "O ego controla a motricidade". Se tomarmos essa declaração como ponto de partida, faremos uma história do desenvolvimento pessoal mais verossímil do que a baseada nas apetências viscerais e/ou instintivas – na sua gratificação ou frustração.

Se conseguirmos descrever o subjetivo da motricidade, se fizermos uma boa *fenomenologia da propriocepção*, teremos, no desenvolvimento dessa motricidade, a melhor pauta para avaliar e depois favorecer o desenvolvimento do ego.

De novo o personagem e sua teoria; a reflexão sobre afetos, vísceras e instintos (Freud) nos põe na impotência e na dependência. Não podemos deixar *de precisar* de materiais, objetos e pessoas que estão fora de nós. É nossa *motricidade* (o eu como ação) que nos permite ir, achar, pegar, fazer, usar.

A motricidade é nosso poder e nossa independência. Vamos concretizar.

Segundo a psicanálise, para o recém-nascido a única coisa importante é a alimentação, sendo ignoradas ou omitidas pela teoria outras necessidades fundamentais como a necessidade de calor e, antes dela, a de respirar.

O PRIMEIRO GRITO... DA INDEPENDÊNCIA

Na vida intrauterina o feto não respira.

A respiração marca o nascimento da individualidade: é a primeira função necessária à sobrevida que o neonato realiza pelas

PRÓPRIAS forças

em benefício PRÓPRIO.

Independência é isso.

Dentro do organismo materno, sabemos, é a mãe que respira pelo feto. Podemos dizer que, entre outras, o feto sofre de uma profunda dependência respiratória em relação à mãe, absoluta e urgentemente vital – sempre. Em outro livro[17], exploramos extensamente a fenomenologia e a psicanálise da respiração – dois tópicos básicos que NÃO EXISTEM para o psicanalista. Aqui nos limitaremos a uma recapitulação sumária. A respiração tem duas características que ainda não chamaram a atenção dos estudiosos: ela é *urgentemente necessária* SEMPRE, e qualquer comprometimento (inibição) respiratório é de imediato angustioso no sentido literal da palavra: estreito, apertado, sufocado, *asfixiante*. Tudo que há de urgente na crise de ansiedade é

---

17 GAIARSA, J. A. *Respiração, angústia e renascimento*. São Paulo: Ágora, 2010.

a inibição respiratória, como Reich mostrou em seus termos, e como pude ampliar sob outros aspectos.

A falta de alimento e a própria falta de afeto não têm esse caráter; podemos ficar sem comer (ou sem amor) durante muitas horas sem sofrer de angústia em função da fome – e SEM RISCO IMEDIATO DE MORTE.

A RESPIRAÇÃO: ÚNICO INSTINTO QUE OBEDECE (E FORMA) À VONTADE

Segunda característica da respiração que a coloca em posição central como fenômeno da personalidade é o fato de ela ser a única função visceral do organismo *realizada e regulada por inteiro pela musculatura estriada e pelo eixo cérebro-espinhal.*

É, pois, uma função
voluntária desde o começo (!)

No caso do pulmão, a inervação vegetativa tem pouco que ver com a *ventilação pulmonar* (tem mais relação com a perfusão sanguínea).

A RESPIRAÇÃO É A ÚNICA FUNÇÃO INSTINTIVA QUE PODE SER REALIZADA VOLUNTARIAMENTE

Se alguém se propusesse respirar *por querer* a vida inteira, poderia fazê-lo, ainda que não fizesse nenhuma outra coisa! Mas o que posso fazer com a respiração não posso fazer com nenhuma outra função visceral. Ninguém digere por querer, ninguém faz o coração pulsar mais depressa por querer, faz a vesícula biliar contrair-se voluntariamente etc. No entanto, em relação à respiração, mesmo um néscio consegue respirar desse ou daquele jeito – se for solicitado.

O controle respiratório é, pois, um dado primário do ser humano; aliás, não fosse assim e não poderíamos falar. Pode-se inclusive pensar às avessas: foi o falar que desenvolveu aos poucos no homem enorme capacidade de controle respiratório. Mas a boa colocação é a dialética, ou os ciclos autossustentados.

Algum controle respiratório permitiu ao homem falar e o falar desenvolveu muito o controle respiratório do homem.

Por sua proximidade em relação à angústia (asfixia – ameaça vital), por ser sempre urgentemente necessária, por depender por completo da musculatura estriada, podemos acreditar que a respiração é o *primeiro centro de formação do ego*; é a primeira função que exercita, inicialmente em nível reflexo, a musculatura estriada – aquela que o ego controlará com o tempo. Na verdade,

o ego vai se formando na medida exata em que for aprendendo a controlar essa musculatura – a fazer "por querer".

Mas é provável que o ego comece a controlar a musculatura *a cavalo* da respiração – se podemos dizê-lo. No neonato, a respiração é precária e ele tem de *aprender* a respirar; ele o faz durante as primeiras semanas de vida. Podemos dizer que a respiração inicial *se faz sozinha* (reflexamente). Mas ela é precária. O recém-nascido vai conseguindo influir cada vez mais por querer em sua respiração – sempre que ela é insuficiente.

É COM A RESPIRAÇÃO QUE O FETO APRENDE A CONTROLAR A RESPIRAÇÃO

(A controlar as contrações dos músculos respiratórios, todos estriados, e, *depois*, a controlar a musculatura voluntária do corpo todo.)

É com a respiração que o feto aprende a querer, porque todos os impulsos respiratórios (resumo de todas as necessidades do organismo) passam por ou alcançam as fibras nervosas e musculares sujeitas, entre outros, TAMBÉM a influxos voluntários.

Exemplo: os intercostais externos podem se contrair reflexamente para fazer o tórax inspirar – durante uma corrida; podem se contrair para *conter* a respiração e aí a pessoa parece orgulhosa (peito cheio); podem se contrair porque eu disse para a pessoa: "Encha seu peito ao máximo". Nos três casos, os neurônios motores medulares (ou bulbares) são os *mesmos*, bem como os nervos e os músculos.

Para nenhum outro sistema visceral isso é verdade. Eles começam e continuam a existir/funcionar independentemente da *vontade* e/ou da consciência e só podem ser sentidos e influídos por técnicas elaboradas de concentração ou *biofeedback*.

Esta é a realização fundamental do ego e marca da sua natureza: *capacidade de regular*, capacidade de influir sobre o orgânico numa direção ou na outra; capacidade *de um centro situado fora dos automatismos* que controlam as funções orgânicas, e que no futuro, aos poucos, ao longo do desenvolvimento, da vida e do treino, vai se fazendo A VONTADE – o querer. Voltaremos à questão ao estudar os *biofeedbacks*.

COMO TODOS NEGAM O SUFOCO DE TODOS

Como sempre existe ar à vontade, não ocorreu a ninguém a carência de ar como explicação do que quer que seja – em paralelo com a carência alimentar, afetiva, de contato, de bens concretos etc. No entanto, se RESPIRO MAL, não uso o ar que está aí. O sofisma/preconceito de todos – cuja função é negar a asfixia crônica da humanidade – é que respirar, como andar, é tão fácil que ninguém precisa aprender a fazer, e todos fazem muito bem. Essas duas *verdades* caem diante de cinco minutos de observação. As pessoas – nove em dez – andam mal, param mal em pé e respiram pessimamente, como este livro diz a cada página.

RESPIRAÇÃO: ESPÍRITO E ALMA

Foi da respiração – da consciência obscura da respiração – que nasceram todas as noções religiosas da humanidade. Assim: para o primitivo, como para a criança e as pessoas simples, respirar é ... encher e esvaziar eternamente um vazio – no peito – com *nada*, pois que o ar é

INVISÍVEL,

mas poderoso, como se vê quando venta e as árvores se retorcem e as folhas sobem e são levadas, e os homens se sentem ameaçados, porque suas casas balançam, os tetos voam e é difícil andar contra a força desse invisível poderoso.

Mas até aí falamos de algo exterior, como o trovão e o raio e outras ameaças naturais.

O mais importante vem agora: quando respiramos – se formos primitivos – deveras não sabemos o que estamos fazendo. Mas – e isso era mais cristalino que a água –

QUEM NÃO RESPIRA ESTÁ MORTO.

Quando cessa a relação/ligação do homem com o invisível, relação dinâmica continuamente em curso, sempre perceptível nos movimentos do tórax; quando cessa essa relação dinâmica o homem morre.

Logo, o silogismo é perfeito e irrefutável:

A MAIS IMPORTANTE DE TODAS AS RELAÇÕES

HUMANAS É COM O INVISÍVEL.

Vento, em latim, se diz espírito, alma; em hebraico, quer dizer *sopro*. Essa é a raiz natural das noções religiosas da humanidade; mas a religião tem raízes culturais, estas também de todo ligadas à respiração. Refiro-me à fala – à voz, à palavra. O mesmo invisível que nos dá vida ao sair de nós pode se transformar em palavra – que é um turbilhão aéreo

IGUALMENTE INVISÍVEL

que vai de um a outro com a rapidez do pensamento, e sem que se veja nem se saiba como. É o mesmo espírito invisível que, trabalhado de certo modo, como que SE TRANSFORMA no verbo, começo da cultura senão começo da humanidade.

A palavra – dirão todas as sagas de todos os povos – é um dom dos deuses. Depois nascem as noções de inspiração – do ar, das ideias, dos poemas, das mensagens divinas; vinham todas pelo ar – e por intermédio do invisível.

Como "nos vêm" à cabeça as palavras e os pensamentos? Alguém sabe? Num momento não há nada e no momento seguinte a inspiração veio – ou não veio (e quando ela não vem é ruim).

E os gritos e os brados – tão poderosos em comunicar, com força, tudo que cada um sente para todos os outros, de reunir todos sob um só sinal, de espalhar o medo ou a coragem para o bando todo...

Sempre e sempre PELO invisível, POR FORÇA do invisível, COM O AUXILIO do invisível... Vivemos do vento, somos levados pelo vento.

Ao respirar,

NÓS NOS DAMOS VIDA – somos Deus.

Por isso, senhora Melanie Klein, a criança não é paranoide, ela é verdadeiramente DIVINA.

E, quando ela não consegue se dar vida, morre de ANGÚSTIA – que é asfixia, incapacidade ou dificuldade de se ligar com o invisível.

O ar – a atmosfera (o céu) – está em todo lugar, a todos dá vida, contém todas as palavras (onisciente...). A atmosfera é Deus.

Freud, tolhido pelos graúdos preconceitos materialistas da ciência de seu tempo, não podia sequer pensar em espírito; seria uma gafe imperdoável. E então ele não VIU o invisível.

A psicanálise fala – mas não respira! Pensamento mágico é isso. Milagre às avessas.

MUSCULATURA VOLUNTÁRIA – O QUE SIGNIFICA?

A movimentação VOLUNTÁRIA nunca é dada de INÍCIO. A criança só sabe fazer o que ela *aprende* a fazer, exceto as poucas ações propriamente instintivas como mover os olhos conjugadamente, sugar o seio, gritar ou chorar, respirar, agitar-se, urinar e evacuar; eventualmente, vomitar, tossir e espirrar.

Com o sistema olhos/mão começa o aprendizado do controle voluntário dos braços/mãos e dos olhos ao mesmo tempo.

Quanto dissemos das regiões esfincteroides mostra bem que elas tampouco são voluntárias. Elas podem fazer-se voluntárias se eu trabalhar para isso. E, quanto mais se trabalha com os músculos, melhor seu desempenho – aparentemente sem limite.

Casos típicos:

* progresso gradual interminável dos recordes olímpicos;
* o melhorar contínuo nos esportes quando se começa a treinar um deles;
* as espantosas habilidades dos artistas de circo e dos iogues, mostrando os limites do que se pode fazer quando se treina!

Além disso, se mudo a atividade,

MUDO A FORMA DO CORPO.

O nadador, o ciclista, o halterofilista, o dançarino TÊM CORPOS TÍPICOS – e bem diferentes uns dos outros. Pode-se escolher o modelo de corpo que a gente quiser, e em três a seis meses esse modelo estará quase pronto na gente. Podemos depois optar por outro corpo e tê-lo em mais seis meses! E note-se que não é só o volume muscular que muda; muda toda a estrutura óssea, vascular e articular; mudam também numerosíssimas conexões nervosas intracerebrais.

Pergunta: será que a famosa PERSONALIDADE continua igual a antes? Além disso, pode-se dizer que muito do aprendizado motor se faz de modo espontâneo na infância; raramente explicamos a criança como se faz determinado movimento. Este ocorre sobretudo por meio de estímulos visuais (objetos desejados ou temidos) e modelos visuais de movimento (sentar, andar, correr, manejar talheres, vestir, despir).

O aprendizado se faz SEM CONSIDERAR (sentir) a organização INTERNA do movimento – como se compõem as alavancas, as forças musculares e o equilíbrio do corpo.

Daí que todos nós tenhamos músculos ou regiões musculares que

- se movem pouco (pequena amplitude);
- se movem poucas vezes;
- se movem sempre do mesmo modo.

Inclusive, como nosso aprendizado motor não é dirigido, como ele não explora todas as possibilidades de nosso equipamento, boa parte das pessoas jamais fez uma porção de ações – muitas delas banais. Não sabem, por exemplo, fazer gestos de carinho, não sabem exprimir seus sentimentos em gestos, não sabem brigar...

Pode-se definir a couraça, também, como aquilo que me IMPEDE de fazer os gestos e movimentos que EU QUERO, DESEJO ou PRECISO fazer; e que impediu – no passado – que eu fizesse os gestos que me vinham. Lembramos aqui Jung e sua ideia: existem, nas pessoas, funções psicológicas NÃO DESENVOLVIDAS, o que é muito diferente de função REPRIMIDA. Para desenvolver os gestos nunca feitos ou os gestos sempre proibidos, não adianta compreender por que não se fez.

É preciso FAZER – e o mais importante é conseguir condições favoráveis à realização desses gestos.

Tornar a vida cada vez mais voluntária – deliberada, consciente, racional – é um dos grandes ideais da humanidade. Vou entender esse ideal como uma das nossas possíveis linhas evolutivas.

AGE QUOD AGIS (FAZE O QUE ESTÁS FAZENDO)

O melhor lugar e o melhor jeito de aprender e tornar voluntários os movimentos é:

- tornando os movimentos voluntários;
- assumindo o movimento até fazê-lo por querer;
- TRANSFORMANDO TODO AUTOMATISMO (toda tensão e todo movimento involuntário) EM AÇÃO PROPOSITAL. É uma técnica básica da Gestalt, da teoria e da técnica da análise da couraça muscular do caráter.

A melhor técnica para vencer uma compulsão ou um tique nervoso é COMEÇAR A FAZER DE PROPÓSITO AQUILO QUE ME ESTÁ ACONTECENDO SEM QUE EU QUEIRA (que está acontecendo, na verdade, contra minha vontade).

Outra vontade diferente da minha existe em mim: a dos meus automatismos, dos meus complexos, das minhas tendências. Aquilo que a Gestalt está aprendendo a fazer com movimentos pode-se aprender a fazer com tensões estáticas. Essa é a melhor maneira de resolvê-las.

1. Primeiro, percebê-las – para o que, com frequência, convém realizar pequenos movimentos *em torno* da região que se está sentindo, a fim de definir melhor as sensações proprioceptivas, isto é, a localização e a direção precisas da tensão.

2. Depois de bem percebida essa tensão, o passo seguinte consiste em fazer *de propósito* aquilo que está acontecendo sem que eu queira.

3. Para executar este propósito, *é melhor exagerá-lo um pouco*: exagerar a tensão. Fazer mais força do que aquela que está aí é o jeito de a gente se apropriar da tensão que está aí.

4. Depois de ter conseguido *intensificar um pouco* a tensão percebida, a regra geral é fácil: *ir relaxando devagar* até desfazer a tensão anômala.

Como se trata, de regra, de um velho esquema motor muito automático, não basta executar o processo uma única vez. Assim, de modo *direto*, substituímos conjuntos de contrações – contra/ações – involuntárias, centrípetas, opressivas, aprisionadoras (imobilizantes) pelo fazer *por querer*. *Estou descontraído porque assim quero e determino e faço*, em vez de *"sou vítima de"*, *"me acontece"*, *"não sei o que eu faço..."*

NÃO ESTAMOS falando de campo de consciência, imagem, dramatizar, técnica *psicológica*. Falamos de técnicas de contração e descontração muscular, de controle, de propriocepção.

Esse é o momento fundamental em que as chamadas forças inconscientes ou as forças *do inconsciente* passam a se subordinar ao poder da consciência – mais exatamente da vontade. É assim que aprendemos a nos mover por querer em sentido próprio.

Quero dizer que nossos gestos, sempre que nos movemos por força de nossas IDENTIFICAÇÕES, ou pela VISÃO da situação, NÃO SÃO VOLUNTÁRIOS. Bem no fundo, são determinados pelo objeto ou pela identificação (inconsciente). Só quando começo a propriossentir minhas ações e atitudes é que elas começam a se fazer próprias, minhas,

ASSUMIDAS.

Somente quando começamos a propriossentir a organização
e a coordenação muscular como conjuntos de forças que SÃO
o Eu – ou que a ele se opõem – passamos a perceber com clareza
o que é a nossa vontade, quais são nossos limites, até onde
vão nossa potência e nossa impotência.

Nesse contexto, convém incluir uma reflexão biológica.

Um animal subitamente preso – por armadilha, pela boca ou pelas garras de um predador – DEBATE-SE furiosamente. É *a tempestade motora*, o suceder-se rápido de mil formas de movimento. A função dessa tempestade é clara: por vezes, entre tantas tentativas diferentes, uma é bem-sucedida e o animal escapa – e sobrevive.

É o que fazemos instintivamente contra nossas posições *internas* – quando algumas tensões da couraça se reforçam. Sentimo-nos *presos* e nos debatemos.

A pessoa que sai de uma discussão acalorada *continua a discutir consigo mesma*. Se na discussão – no choque, na briga – sobraram ferimentos, rancores, ressentimentos, então continuaremos *a nos debater* mentalmente durante um tempo, como que para nos livrar daquele *gancho* que nos prende.

Mas quando lidamos com amarras INTERNAS, *o debater-se para livrar-se é a pior das respostas*; ele tende a forçar as amarras, que, sendo *musculares*, SE REFORÇAM (reflexo de estiramento) – amarram mais.

Aqui mais do que em qualquer outra circunstância, é preciso ir contra a espontaneidade.

É preciso

DEIXAR-SE FICAR PRESO

– quieto, parado.

Logo depois, é bom

PRENDER-SE MAIS

– *reforçar* as cordas.

No mesmo ato começamos a *ganhar controle* sobre as amarras, e daí a pouco conseguiremos soltá-las.

Como exercício e técnica das mais úteis no trabalho corporal, temos a *descontração voluntária e fracionada*, feita pouco a pouco, em um ponto de cada vez.

O modelo natural dessa técnica temo-lo no DESFAZER de ações usuais. *Desfazer* um gesto ou uma posição até voltar a uma posição de repouso é um ato inusitado, mas tão complexo quanto *fazer* um gesto para pegar o garfo e largar o garfo, a maçaneta, a bola. Ninguém nunca nos falou a respeito; o reparo parece estranho, mas é evidente por si mesmo.

NÃO SABEMOS DESFAZER

– descontrair, relaxar.

Se o leitor achou fácil entender essas reflexões e instruções sobre a melhor técnica para afrouxar a COURAÇA, então ele está próximo de sua PROPRIOCEPÇÃO. Porém, tal reflexão será um mistério para quem *não se sente* muscularmente.

AMOR E CALOR

Além da respiração, o neonato tem problemas sérios com a termorre-gulação, que nele é precária. A criança humana morre de frio com facilidade. É desde essa época que calor e amor se fazem praticamente sinônimos. Também calor e contato: duas pessoas em contato extenso perdem menos calor do que perderiam se estivessem separadas.

O EU E A GRAVIDADE

O neonato tem mais uma função que não foi lembrada por Freud: desde que sai de dentro da mãe, ele já está brigando com a gravidade. Na vida intrauterina ele existe suspenso ou imerso em líquido e em vísceras, o conjunto – todo fluido – com densidade praticamente igual a um. Tudo se passa, portanto, como se ele não tivesse peso, isto é, ele não tem de *fazer força* para carregar-se, nem para equilibrar-se. Ao sair da cavidade uterina o feto não tem mais o suporte do líquido amniótico nem das vísceras próximas. E pela primeira vez sente os puxões da gravidade: qualquer que seja o movimento que lhe ocorra, ele perceberá de algum modo que todas as partes do corpo que são levantadas do plano de apoio "brigam contra ele" – exigem esforço.

O REFLEXO DE PREENSÃO (*GRASPING REFLEX*): OS AGARRADOS E O AGARRAMENTO

A primeira *defesa* do neonato contra a gravidade é sua capacidade de agarrar-se. Quando se excita a face palmar da mão, o recém-nascido fecha os dedos em torno do objeto excitante: agarra-se. Quanto mais se tenta, depois, puxar o objeto, mais a criança aperta o agarramento.

Nos símios, o recém-nascido, à custa desse reflexo, agarra-se aos pelos da mãe de tal modo que esta pode mover-se livremente, se necessário. (Os símios só carregam os filhotes no colo em contadas situações.) Em nós, por falta de estímulo e de uso, o reflexo se extingue.

Aprofundemos, porém, a psicofisiologia do agarramento, que tem enorme importância no desenvolvimento.

O reflexo de agarramento, bem aparente na mão, na verdade envolve toda a cintura escapular, como se vê no macaco quando ele se pendura. O *gancho* está nos dedos, mas a corda é o braço. O agarramento envolve mãos, braços e ombros.

O limite do agarramento é o abraço apertado.

Precisamos pôr em paralelo com essas reflexões as que podem ser feitas em torno do termo agarramento, agora em plano afetivo e emocional. Usamos com facilidade esta expressão: fulano é muito agarrado – à família, ao trabalho, ao dinheiro, à religião, ao que seja. Nessas descrições vai sempre a noção de que a pessoa está agarrada mesmo: como se ela pegasse o dinheiro nas duas mãos e o apertasse contra o peito, como se ela pegasse a mãe ou a família, as trouxesse para junto de si e ficasse agarrada a eles.

Pelo abraço podem passar sentimentos de coragem, amizade, vida – ou mágoa. Mas para que essas coisas passem para lá e para cá – se comuniquem – é preciso que as pessoas *não se agarrem* umas às outras durante o abraço. O abraço agarrado, ansioso, fixo comunica:

- desespero;
- *você é tudo para mim*;
- *não me deixe – não me largue, não me solte* – do abraço (senão eu caio);
- dependência.

O gesto – abraço agarrado – *diz* muito claramente: você é meu galho, meu eixo e meu sistema de referência.

Se solto – se fico solto –, *caio no vazio*: reação catastrófica de sobressalto, seguida do encolhimento (agarramento a si mesmo – posição fetal).

As características do abraço E das relações pessoais *muito agar-radas* são:
- restrição quase completa dos movimentos da pessoa... *amada*;
- restrição quase completa da respiração dos dois (não é amor pro-fundo, é amor asfixiado);
- diminuição dos movimentos de ambos a seus limites mais estreitos: *só nós dois no mundo, para sempre, e que tudo mais vá para o inferno!*

Se você é tudo no mundo para mim e se tenho você em meus bra-ços – *nas minhas mãos* –, então fico em paz. Pena que a asfixia se faça logo tão intolerável.

O abraço forte mas não agarrado é quando sinto e levo muito em conta teu corpo, tua forma, consistência, tua postura, tua reação ao meu contato e minha reação ao contato contigo. Em suma, se estou presente é bom; se quero – desejo – *me esquecer em teus braços*, então você é anestesia e asfixia.

A analogia entre o agarramento manual e o psicológico não pode ser desprezada nem ignorada. Agarramento e dependência fazem-se, assim, duas forças correlatas.

Dissemos antes que depender significa estar pendurado. Pergunto: qual é a forma típica de um homem pendurar-se? Agarrando-se.

Dos que não se agarram (ao dinheiro, por exemplo), dizemos que são *mão-aberta*. Dos que desistem de algum direito diz-se que *abrem mão* desse direito. Dos que NÃO são agarrados dizemos que são *des-prendidos* – de mãos soltas, livres, cujo contrário é estar seguro (segu-rando/segurando-se).

Seria útil em psicologia uma noção global de agarramento – o *complexo do agarramento* – incluindo boca, mão e braços; com ela compreenderíamos melhor muito do recém-nascido e dos sistemas psicológicos isomorfos que se desenvolvem a partir de então, ao modo como Freud se referiu à fase oral. O oral é um agarrado com a boca e com as MÃOS – o que esclarece sua impotência/dependência. A terapia, por sua vez, teria mais o que FAZER além de explicar.

Se cultivássemos a competência da criança de se agarrar, ela teria um coeficiente menor de dependência. O não agarrar-se da criança

– por falta de ocasião – é uma frustração motora forte, seja pela extensão da região envolvida, seja pelas suas funções. As funções são todas as dos braços e das mãos mais a de todos os movimentos inspiratórios auxiliares. A frustração dessa aptidão fundamental para os símios e, presume-se, igualmente fundamental para o homem é mais uma repressão coletiva por omissão!

É talvez uma das raízes profundas que tornaram o trabalho manual algo *inferior* em nosso mundo (e mal pago). É a explicação, em parte, da enorme incompetência dos indivíduos em fazer/manipular coisas, pessoas, funções. Esses instrumentos espantosos – as mãos – são pouco e mal usados por quase todos. E, bem lá no fundo, são nossas péssimas relações com nossas mãos que nos tornam tão precários na famosa PRÁXIS, na difícil situação: que faremos? Como é que se faz (o caríssimo *know-how*)?

Vimos também a oposição funcional entre agarrar-se e equilibrar-se. O agarrar-se envolve e ocupa *toda a metade superior do corpo*, enquanto o equilibrar-se envolve e ocupa primariamente *sua metade inferior*. O agarrar-se é de todo estável – embora exija esforço. Quero dizer que, quando estou agarrado, aquilo a que estou agarrado pode inclusive balançar muito e dificilmente cairei – justamente porque é enorme nossa capacidade de nos agarrarmos.

Já se estou de pé sobre minhas pernas posso cair, e de muitos modos. Esse é um drama/problema da humanidade inteira: luta eterna entre os agarrados – essencialmente conservadores – e os independentes (os não pendurados), os bem equilibrados, isto é, os menos ligados a coisas e pessoas, os mais capazes de uma liberdade maior de movimento, liberdade que os agarrados consideram temeridade, ousadia ou franca loucura.

Creio que, se *cultivássemos deliberadamente* o agarramento infantil e depois seu gradual descaramento – mais a passagem para o equilíbrio sobre as próprias pernas –, auxiliaríamos demais as pessoas a se libertar das famosas dependências, quase sempre familiares, que constituem só por si 9/10 de toda a patologia neurótica e psicossomática da humanidade – individual e coletiva!

Cultivar deliberadamente o agarramento e, depois, o soltar-se/ficar em pé significa oferecer circunstâncias, estímulo e orientação para que a criança *faça* essas coisas muitas vezes e de diversos modos.

Se estimulássemos a capacidade de agarramento do neonato muitos minutos por dia, logo ele ficaria pendurado pelas mãos com facilidade – e durante um bom tempo. Se a mãe, depois, usasse roupa fofa, imitando pelos, ele teria ao que agarrar-se, e então ficaria pendurado às roupas da mãe sempre que quisesse passear!

Armações complexas com chão macio convidariam a criança a *brincar de macaco* – subindo e descendo por essas armações. Falo de crianças de poucos *dias* a poucos *meses*. O equilibrar-se seria aprendido em lugares cheios de balanços, apoios e obstáculos sobre chão macio – com estímulo para que a criança brincasse muito (acho até que não seria necessário...). Crianças brincando *juntas* nesse ambiente se encarregariam de se empurrar à vontade – aprendendo assim mil modos de cair, de resistir, de equilibrar-se sem medo da queda (chão macio).

Um dos males da nossa sociedade é que, sabemos, as pessoas são muito agarradas. Num mundo onde as situações diversas se multiplicam velozmente, os comportamentos e atitudes se retraem e limitam cada vez mais. Quanto mais o chão balança ou o trem corre, mais as pessoas se agarram!

Porém, a favor dos conservadores é preciso dizer que soltar-se dos agarramentos significa *ficar solto*: ficar livre, sem referência, perdido. Quando e se as pessoas tivessem maior segurança no se pôr e se manter bem em pé, tenderiam bem menos a se agarrar. Creio também que o esquema agarrado *versus* equilibrado é uma boa referência para avaliar a personalidade, sua movimentação e seu desenvolvimento durante a psicoterapia.

O NEONATO E SUA COMPETÊNCIA

O recém-nascido ainda é capaz de sucção, ato complexo que não comentaremos; é capaz de choro/grito, de evacuação, de micção e de convergência ocular – além do que já dissemos do aquecer-se, do respirar e da luta contra a gravidade.

A maioria das crianças humanas – mesmo vendo bem mal – já nasce com os olhos capazes de funcionar juntos e nas primeiras semanas de vida essa capacidade se consolida. Parece fácil, mas não é.

O neonato, portanto, é bem mais do que uma boca e, se de vários modos ele depende do mundo, ao mesmo tempo pode-se mostrar com clareza que de muitos modos ele faz muito por si. Tem, desse modo, competência atual para certo nível de independência. A *fase oral* é uma forma (Gestalt) cujo *fundo* são todas as ações que descrevemos. A sensação que o neonato tem de si depende de *todos* esses fatores. A psicanálise quando se concentra no oral e omite tudo mais – que é muito –

APENAS CONTINUA O MESMO PROCESSO (SOCIAL)
DE CULTIVAR DEPENDÊNCIA (E CULPA).

Só os dependentes sentem culpa; os independentes sentem medo ou raiva. *Arrepender-se* (resposta à culpa) é um ato socioconvencional: não é possível desfazer o passado nem as consequências do que foi feito. A natureza, como diz Caetano, não conhece culpa – nem perdão.

O neonato goza de uma competência cujo desenvolvimento não permitimos; por omissão, deixamos de lado essas possibilidades, com o que aumentamos ARTIFICIALMENTE a dependência da criança – e, portanto, sua educabilidade. Sua coletivização se faz mais fácil, e logo ele se torna igual a todos na incompetência de sobreviver por conta própria. É exatamente como a escola, que perturba muito o aprendizado espontâneo e em troca enche a cabeça das crianças com sons vazios.

AS RAÍZES (AUTÊNTICAS) DO AMOR-PRÓPRIO (DO NARCISISMO)

Das capacidades que se vão desenvolvendo precocemente em nossa vida, quero salientar duas: a gradual competência do pescoço em manter a cabeça *em pé* e a gradual organização do sistema oculomanual – os dois completamente ignorados pelas psicologias dinâmicas.

A criança humana já nas primeiras semanas consegue, por momentos, manter o pescoço direito, isto é, consegue equilibrar a cabeça; lá pelo terceiro ou quarto mês já é capaz de fazer isso durante vários minutos.

Pescoço direito quer dizer também *independência: carrego/equilibro/movo minha cabeça*, isto é, sou capaz de ativar e manejar meus radares de pesquisa, que estão na cabeça. Sou *capaz de achar meu caminho.*

Cabeça levantada quer dizer também visão *ampla* e *posso olhar para você cara a cara: posso te enfrentar – nivelado.*

Além disso, este é o primeiro elemento da postura que se constrói em nosso corpo, as primeiras colocações e o início de manejo do segmento de vigilância e controle – como definimos antes.

É aí, enfim, que vão o orgulho, o amor-próprio e outras coisas semelhantes.

A gradual ereção do pescoço é a primeira afirmação de mim mesmo. Por isso captamos *intuitivamente,* como característico da pessoa orgulhosa, o fato de ela levar a cabeça bem levantada – a fim de poder olhar todo mundo de cima para baixo ou de se pôr acima de todos.

Podemos dizer que a posição esquizoparanoide (Melanie Klein) está em relação direta com dois fenômenos motores: o primeiro refere-se ao pescoço, que vai ganhando a capacidade de se manter direito; o segundo, à gradual abertura e expansão do tórax, que compõe, com o pescoço ereto, a figura do orgulhoso.

São necessários muitos meses para que a forma e a posição básica do tórax adquiram, de forma estável – como rigidez óssea e não como esforço muscular –, as características que têm no adulto. Neste, se perfurarmos a pleura, faremos que o pulmão se retraia, que ceda às suas propriedades elásticas e se recolha para o centro do tórax. Isso significa que o pulmão está continuamente sujeito a uma tração por força da sua aderência líquida à face interna do tórax; quer dizer, mais claramente, que o volume interno do tórax é maior *do que o volume mínimo do pulmão* – ou que o pulmão não enche o tórax inteiro, a não ser quando sujeito a trações expansivas. Esse fato não é verdadeiro para o feto, no qual o pulmão, ainda quase sólido, enche praticamente toda a cavidade torácica; ele começa a se fazer verdadeiro com os primeiros movimentos da câmara respiratória e se intensifica consideravelmente na época do nascimento, com o início da respiração. Mas decorrem muitos meses até que o *peito cheio* consiga manter-se sozinho – como ampliação e consolidação do tórax e da sua rigidez óssea.

Digamos, enfim, de outro modo: tudo se passa como se nos primeiros meses de vida o tórax crescesse muito mais depressa que o pulmão. Se o recém-nascido não fizer nenhuma força para manter o tórax expandido, seu pulmão tende fortemente a entrar em colapso – a fechar-se por completo; se o adulto deixar de fazer qualquer esforço respiratório, mesmo assim seu pulmão se conserva parcialmente expandido.

Desses dois modos igualmente importantes – o pescoço que se endireita e o tórax que se amplia – é que se constrói a primeira *sensação de si mesmo*: são esses os primeiros fundamentos somáticos, estruturais, anatômicos e fisiológicos do narcisismo, do amor-próprio, da capacidade de afirmação de si mesmo. É o começo do eu (fase esquizoparanoide de M. Klein). É esse eu que *se opõe à dependência* oral. Toda a fase oral envolve dependência: a comida *tem de vir* de outrem, de fora; o neonato *não tem meios* para consegui-la. Porém, note-se: mesmo assim ele *faz muito* por si – suga ou mastiga e deglute, atos complexos que ele é capaz de realizar.

Nessa gradual competência do pescoço de sustentar os radares de orientação e os painéis de sinalização (face) vai a formação do sistema de controle em sentido próprio: do superego! Como se vê, o superego começa *antes* do sistema de execução, ainda que por margem estreita.

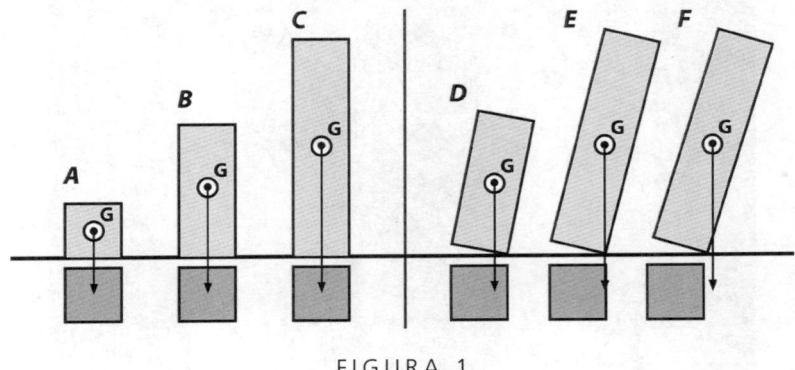

FIGURA 1

A, B e C ilustram o princípio básico do equilíbrio dos sólidos (como é nosso corpo): o equilíbrio de um corpo sobre um apoio, em relação à gravidade que o puxa para baixo (para a queda), é tanto mais estável quanto mais baixo seu centro de gravidade, quanto maior sua base e quanto mais próxima do centro geométrico da base (do polígono de sustentação) cair a projeção vertical de seu centro de gravidade.

D, E e F ilustram o único princípio negativo do equilíbrio, isto é: um corpo está tanto mais próximo da queda quanto mais a projeção vertical de seu centro de gravidade se aproxima dos limites da base (do polígono de sustentação).

E está quase caindo e F está caindo. C, E e F representam melhor as proporções de nosso corpo do que as outras figuras.

Todos os sólidos de substância homogênea e de forma geométrica têm seu centro de gravidade confundido com seu centro geométrico. Quanto mais irregular a forma de um corpo e quanto mais heterogêneos os materiais que o constituem, mais difícil localizar G.

O corpo humano tem forma irregular, constituição heterogênea e, dificultando mais ainda a determinação da localização do centro de G, muda de forma com facilidade; a cada mudança de forma – a cada gesto e a cada passo – o centro de gravidade se desloca, podendo inclusive cair fora do corpo: se, em pé, formos fletindo o corpo para a frente, até as mãos tocarem o solo, o centro de gravidade estará fora do corpo, próximo dos genitais. Nas figuras humanas que se seguem, o centro de G está colocado onde está por intuição mecânica. Está **próximo** do lugar exato, mas não está no lugar exato. Quero dizer que a figura dá uma boa ideia de sua localização, mas não se podem fazer cálculos exatos com tal localização.

NOTA: todas as representações mecânicas feitas sobre as fotos servem para dar ideia aproximada de como se passam as coisas, mas não servem para cálculos exatos.

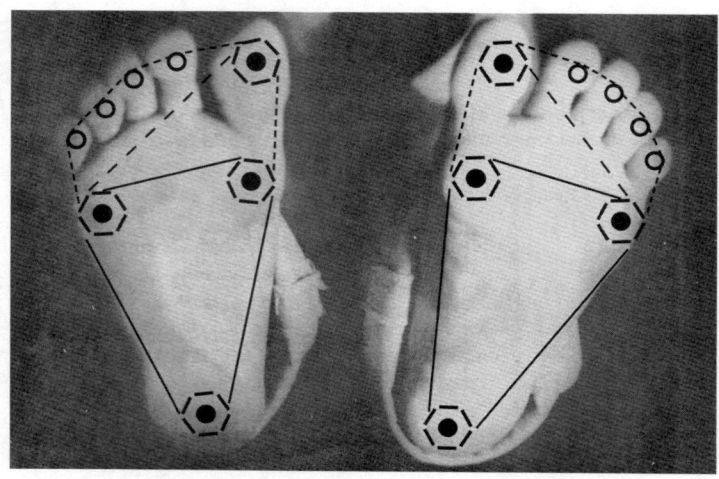

FIGURA 2

Polígono de sustentação (ou de apoio) de um corpo é o que se obtém ligando os pontos mais externos do apoio do corpo no plano que o sustenta (chão).

A figura mostra os pontos de apoio dos pés no chão, com a pessoa em pé sobre vidro horizontal, pés ligeiramente afastados.

Podemos falar em pontos primários e secundários. Os primários delimitam o triângulo de apoio básico (um em cada pé); mas como, pouco ou muito, nós oscilamos constantemente quando em pé, temos os pontos secundários sobre (contra) os quais atuam os músculos posturais adequados para "segurar" o balanço.

Pela mesma razão, podemos delimitar um POLÍGONO DE SUSTENTAÇÃO:

- Para cada pé
  primário – um triângulo que reúne os pontos de apoio primários;
  secundário – um eneágono irregular.

- Para os dois pés
  primário – um hexágono irregular;
  secundário – um tetradecágono (14 lados) irregular.

É dentro desse polígono que deve cair a projeção vertical do centro de gravidade – senão, chegamos a um limite de queda, a um quase susto, e fazemos força ao contrário.

Enfim, fizemos o polígono maior em torno dos pontos primários de apoio para sublinhar: o corpo não se apoia no chão como pé de cadeira; em cada "pé" (em cada ponto de apoio) há uma cabeça óssea esférica, com um ou mais centímetros de diâmetro, que se apoia, por sua vez, sobre um coxim de tecidos resistentes mas moles, que amplia a área de contato de cada ponto de apoio sobre o chão.

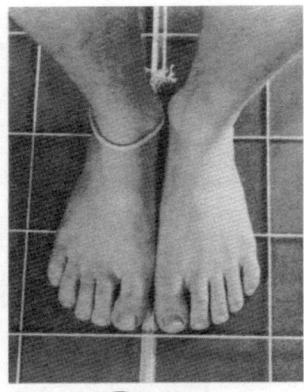

FIGURA 3

Nossa menor base quando apoiados sobre os dois pés juntos.

FIGURA 4

Nosso polígono de sustentação quando de pés meio afastados um do outro. Posição mais estável que a da Figura 3 (base maior).

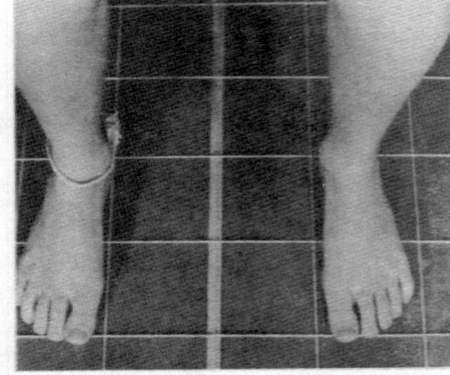

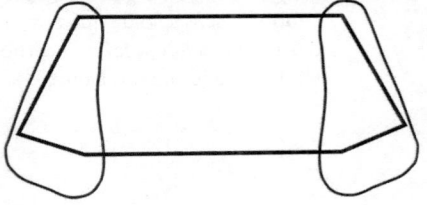

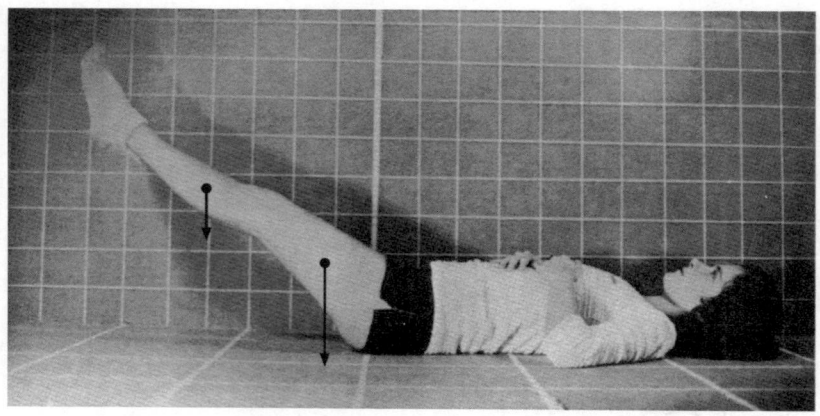

FIGURA 5

Sempre que uma parte do corpo deixa o apoio, começa a exigir esforço, e **esforço de certa forma** – com estes e aqueles músculos puxando nesta e naquela ordem.

Por isso, sempre que há uma parte do corpo que não descansa sobre o apoio, essa parte (as pernas, na figura) tem "atitude" – que é o **modo** de fazer força.

Deitados, não precisaríamos fazer nenhum esforço muscular – durante certo tempo. (Depois de uma hora ou mais de relaxamento, o corpo começa a esfriar – porque os músculos são nossa principal fonte de calor.)

Mas o fato é que praticamente ninguém relaxa de todo ao deitar. Representamos na figura a ação do peso da coxa e da perna/do pé aplicados ao centro de gravidade das mesmas partes.

Se Lica (nossa modelo) pesar 50 quilos, cada uma de suas coxas pesará 5,8 quilos, cada perna, 2,6 quilos e cada pé, 900 gramas.

Arredondando: as duas coxas, 12 quilos e as duas pernas mais pés, 7 quilos. Quando se faz como na figura, é nítida a sensação de que o tronco fica mais leve; o peso das pernas tende a fazer o corpo girar sobre as nádegas, tendendo a levantar o tronco.

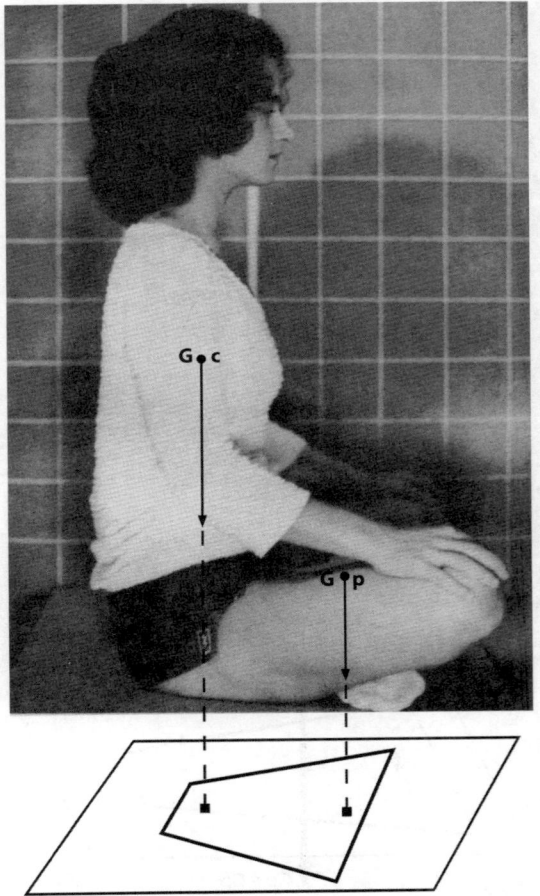

FIGURA 6

Peso das pernas anulado (apoiado). Centro de gravidade bem alto por causa disso e um pouco avançado (sempre em relação à sua posição no homem em pé). Posição **instável** – bastaria uma ligeira inclinação para trás e a pessoa poderia cair – se fosse um boneco rígido. A projeção vertical de G cairia fora da área (dos limites) do polígono de sustentação. Mas, na realidade, será preciso um grande empurrão súbito; nos demais casos, a pessoa se inclinaria para fora do polígono, mas o peso – considerável – das pernas (Gp) serviria de contrapeso para uma inclinação considerável do tronco.

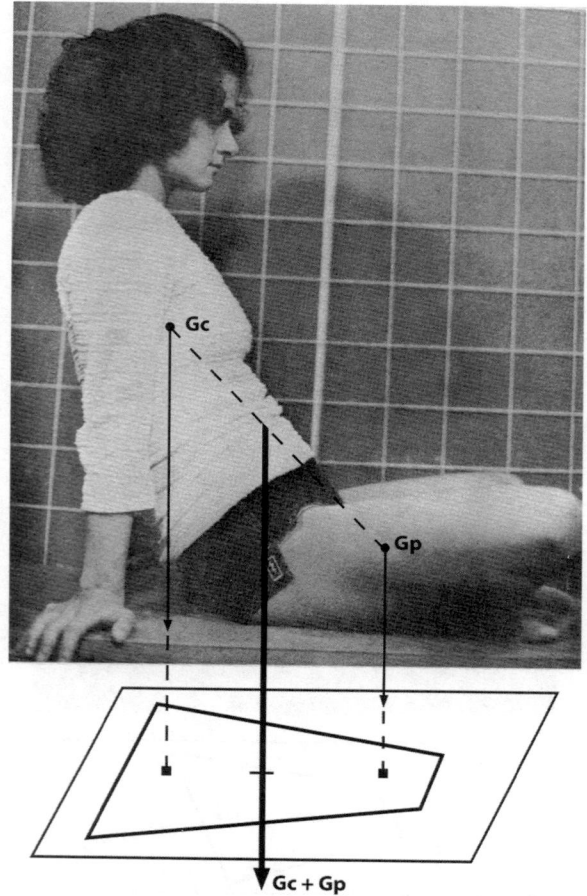

FIGURA 7

Posição estável, embora a projeção vertical de G caia bem próxima do limite posterior do polígono de sustentação. Estável pelo contrapeso das pernas, mas, principalmente, pela forma do apoio das mãos/dos braços no chão. Para que a pessoa caia será preciso, primeiro, que ela tire ou lhe tirem as mãos do chão...

A considerar: os braços ajudam a carregar o peso do corpo.

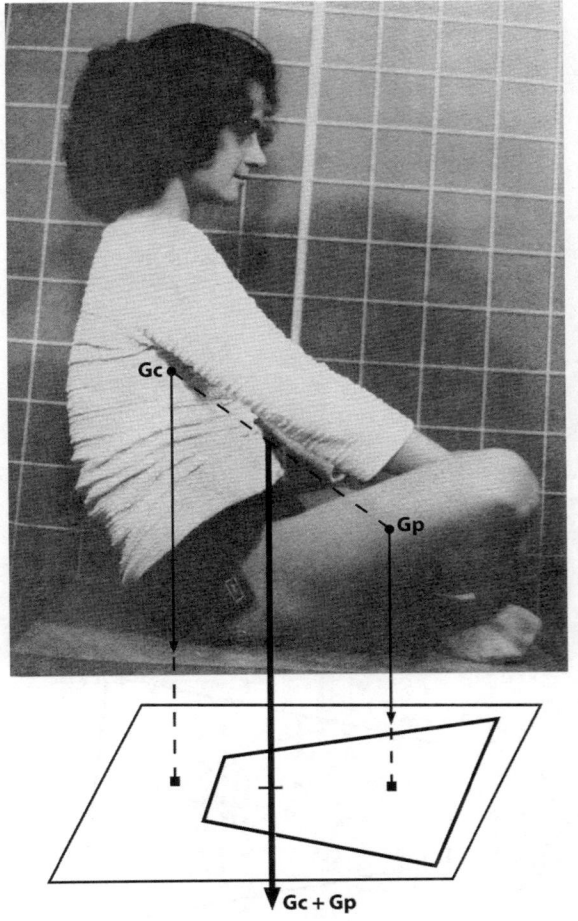

FIGURA 8

Equilíbrio instável. As nádegas (ísquios) servem como ponto de balanço entre o peso do tronco, o da cabeça e o das duas pernas. Os braços, com as mãos enganchadas nos tornozelos, servem de **corda** entre o tronco e as pernas. O pé/a perna esquerdo(a) controla o balanço.

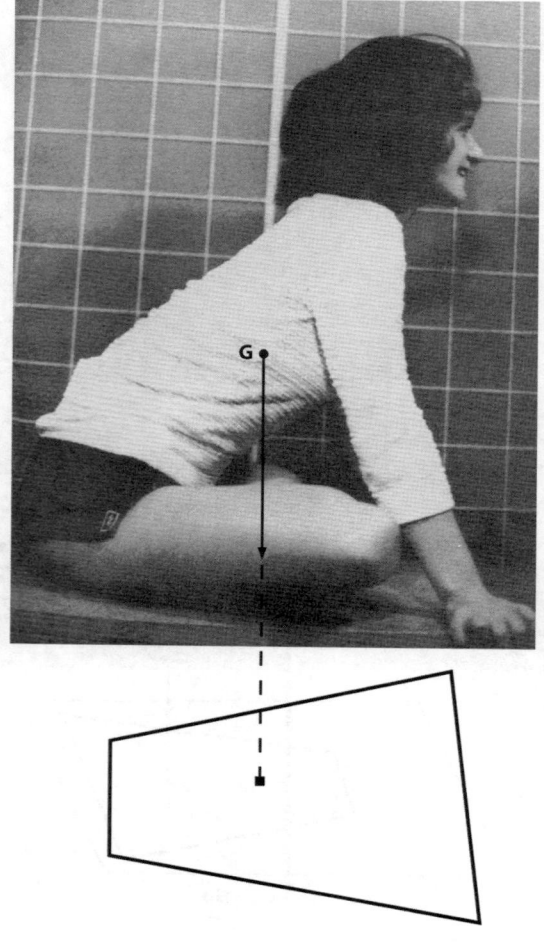

FIGURA 9

Polígono de sustentação triangular muitas vezes maior que o dos pés. Centro de gravidade bem elevado e bem adiantado (em relação à posição que ele ocupa na pessoa em pé, braços ao longo do corpo); ainda, centro de gravidade baixíssimo em relação à distância do apoio (a altura). Enfim, projeção vertical do centro de gravidade (G) praticamente no centro do polígono de sustentação. Posição **muito** estável.

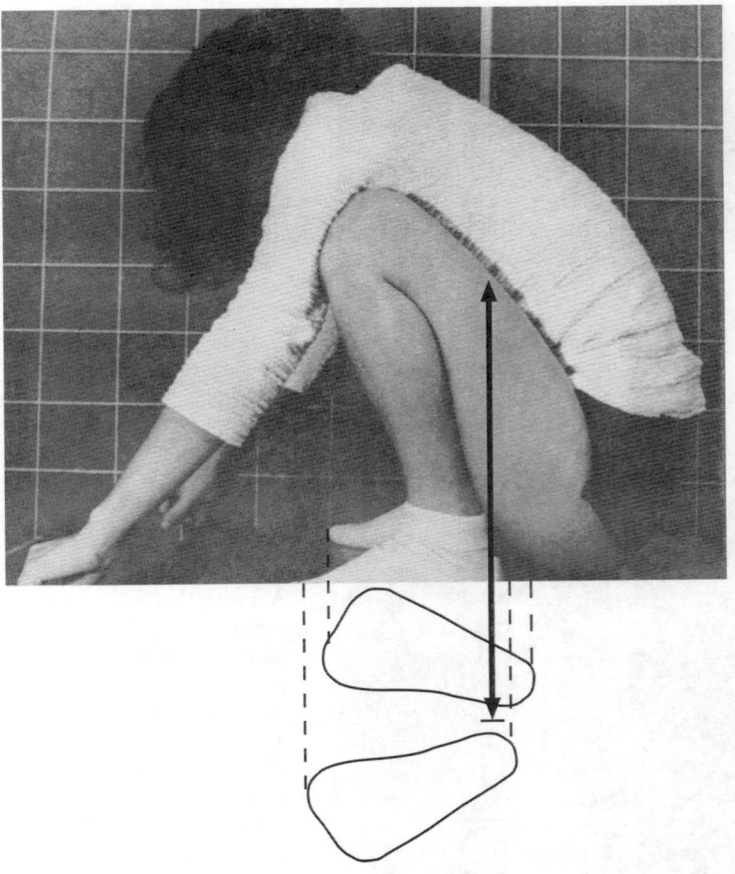

FIGURA 10

O famoso "de cócoras" do nosso caipira é a forma de aproximar **ao máximo** o centro de gravidade do corpo do plano de apoio (altura mínima do centro de gravidade) mantendo as plantas dos pés no chão (ou a planta de um pé no chão e a outra só com a metade anterior do pé no chão). Basta que Lica ponha os braços caídos ao longo do corpo e ela cairá para trás – facilmente e quase sem defesa.

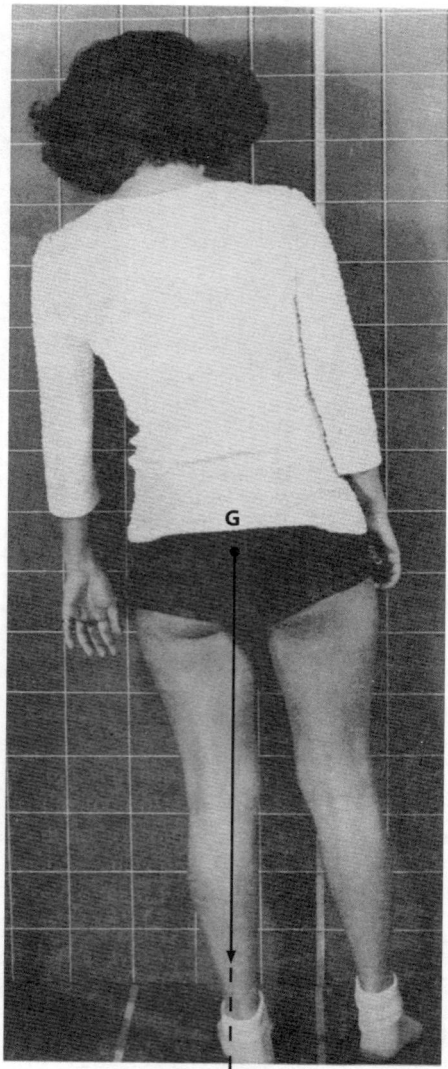

FIGURA 11

Limite de queda para a esquerda. A projeção de G cai no limite esquerdo do polígono de susten-tação. Se fosse um boneco e se afastássemos seu braço um palmo para a esquerda, ele cairia. Mas, que seja bem claro e valendo para tudo que dissermos sobre equilí-brio do corpo no espaço: nosso corpo, ao contrário de um boneco que tivesse nossa forma, só cai muito dificilmente. Ele alcança limites de queda e imediatamente depois reage automaticamente (reflexos posturais) com força, rapidez e oportunidade, detendo o corpo aí, no limite, ou puxando--o de novo para o centro.

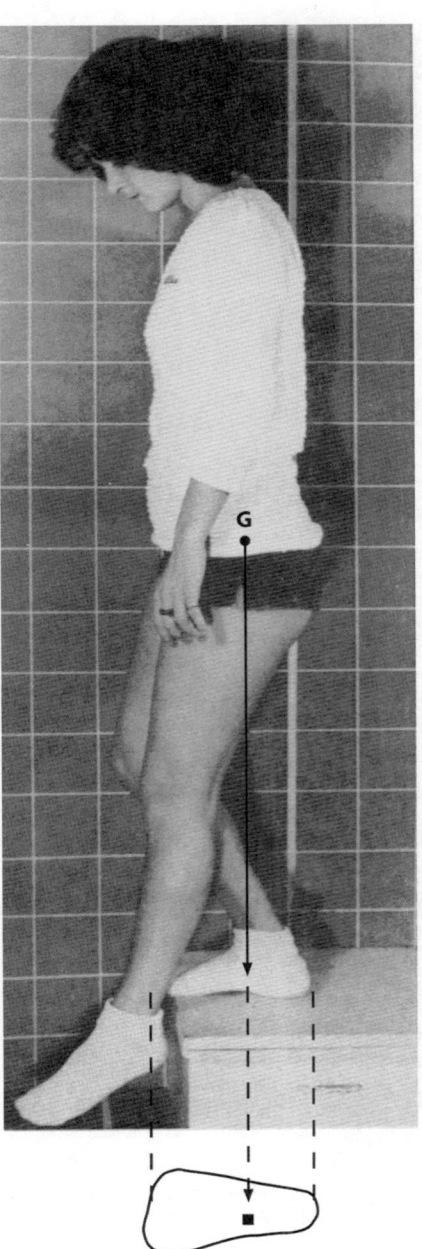

FIGURA 12

Parece que vai, mas não vai. Todo o peso ainda cai sobre o pé direito; basta relaxar a perna direita e a pessoa descerá verticalmente para o chão – podendo então se apoiar sobre o pé esquerdo.

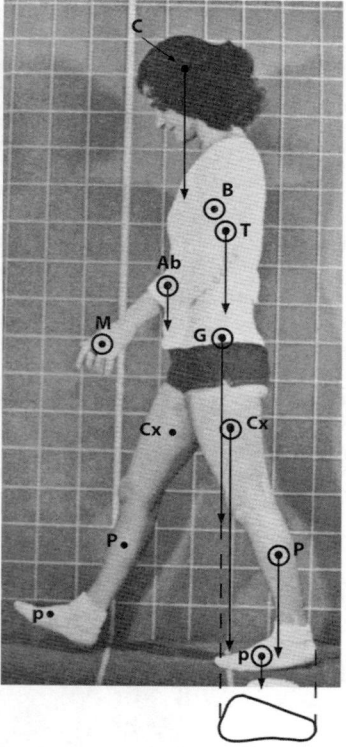

FIGURA 13

Andando. O pé direito está no ar e a pessoa não pode mais parar sobre o pé esquerdo. Essa é uma postura dinâmica – só pode ser assumida durante um movimento. Se a pessoa fosse congelada instantaneamente nessa postura, ela cairia.

G – centro de gravidade do corpo
T – centro de gravidade do tronco
C – centro de gravidade da cabeça
B – centro de gravidade do braço
Ab – centro de gravidade do antebraço
M – centro de gravidade da mão
Cx – centro de gravidade da coxa
P – centro de gravidade da perna
p – centro de gravidade do pé
Os vetores são proporcionais aos pesos das partes.

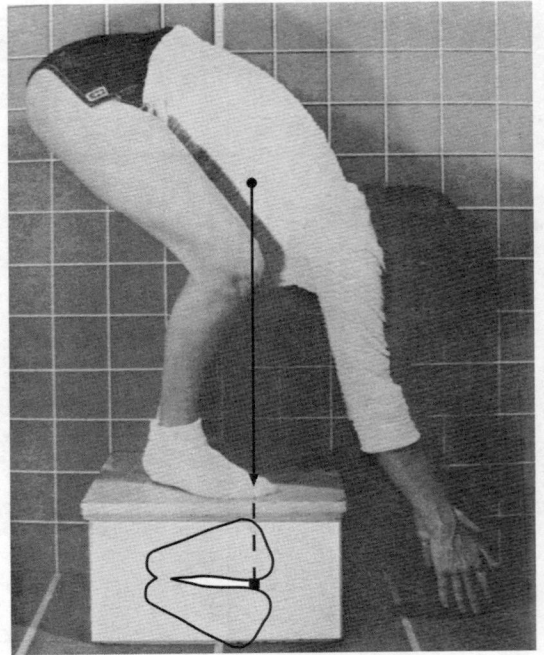

FIGURA 14

Colhendo nenúfares no lago...

A posição também é extrema e agora o avanço dos braços (mais tronco e cabeça) é compensado pelo recuo das nádegas (mais pernas e base do tronco).

Essa posição, como a mostrada na Figura 15, ilustra um princípio fundamental de mecânica: segundo nos parece, ele está no centro de todo o problema do pensamento dialético, do conflito "psíquico" e dos contrários (das atitudes contrárias ou contraditórias que nos animam).

Todo o peso, mais a força à direita do plano sagital que contém o centro de gravidade, tem de ser equilibrado – só pode ser equilibrado – pelo peso mais força à esquerda desse plano.

O peso é o das partes do corpo – inclusive dos próprios músculos; a força – os tirantes compensadores – vem dos músculos e das fáscias conjuntivas.

Sempre haverá em nós "forças em conflito" – tensões musculares opostas – por motivo de equilíbrio.

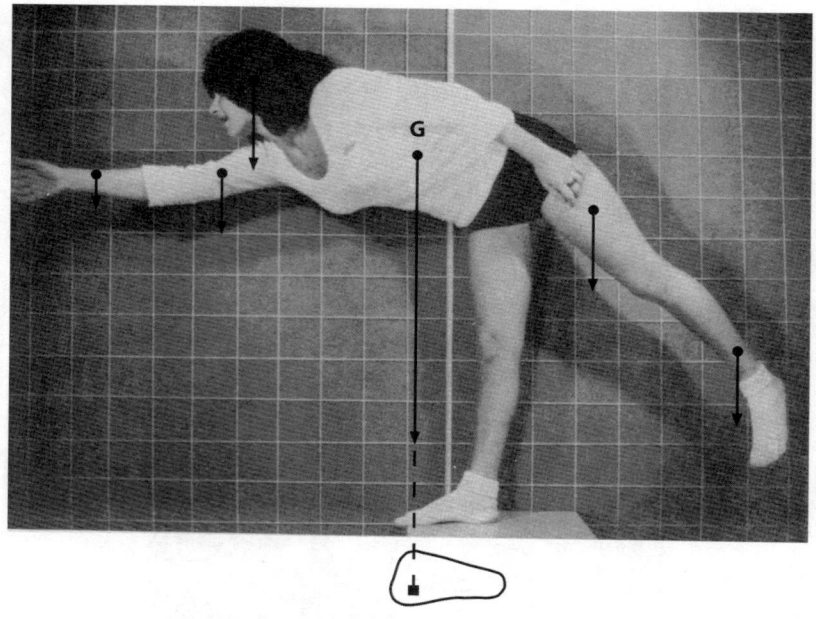

FIGURA 15

Mostra a dimensão do diâmetro horizontal de nossa "esfera de equilíbrio" – o volume irregular, vagamente esférico que podemos ocupar testando sucessivamente, em pé, todas as nossas posições que "param em pé". Aqui temos uma posição limite mantida pelo contrapeso da perna esquerda, que equilibra tronco (em parte), braço direito e cabeça.

Cada segmento móvel do corpo tem certo peso e um centro de gravidade próprio; a composição desses vetores leva também à localização do centro de gravidade geral ou do corpo todo. No caso da perna mais pé e do antebraço mais mão, achamos melhor simplificar – reunir as duas partes numa só. "G", na figura, é o centro de gravidade do tronco mais braço esquerdo, que ficou junto dele.

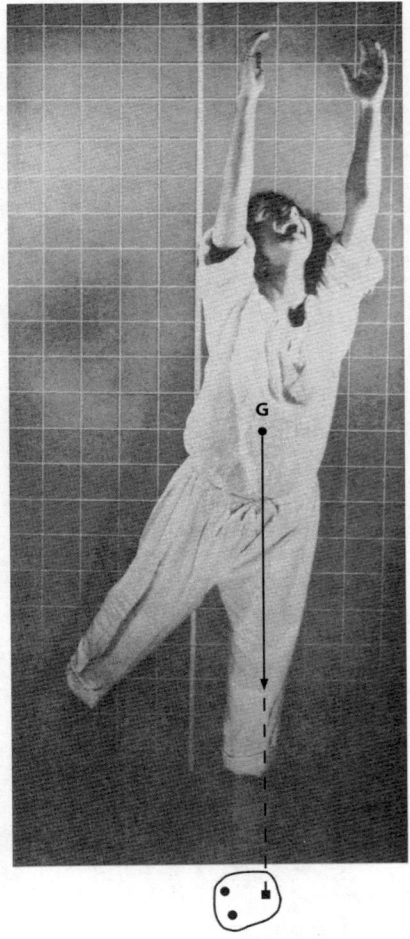

FIGURA 16

Exaltação – exultação. Perigo!

Nessa posição, a altura de G é a maior de todas (com os pés no chão), e o apoio é o menor de todos: um pé ou o dedo menor do pé (cabeça do primeiro e do quinto metatarsianos e falange menor do dedo grande do pé).

Difícil permanecer assim.

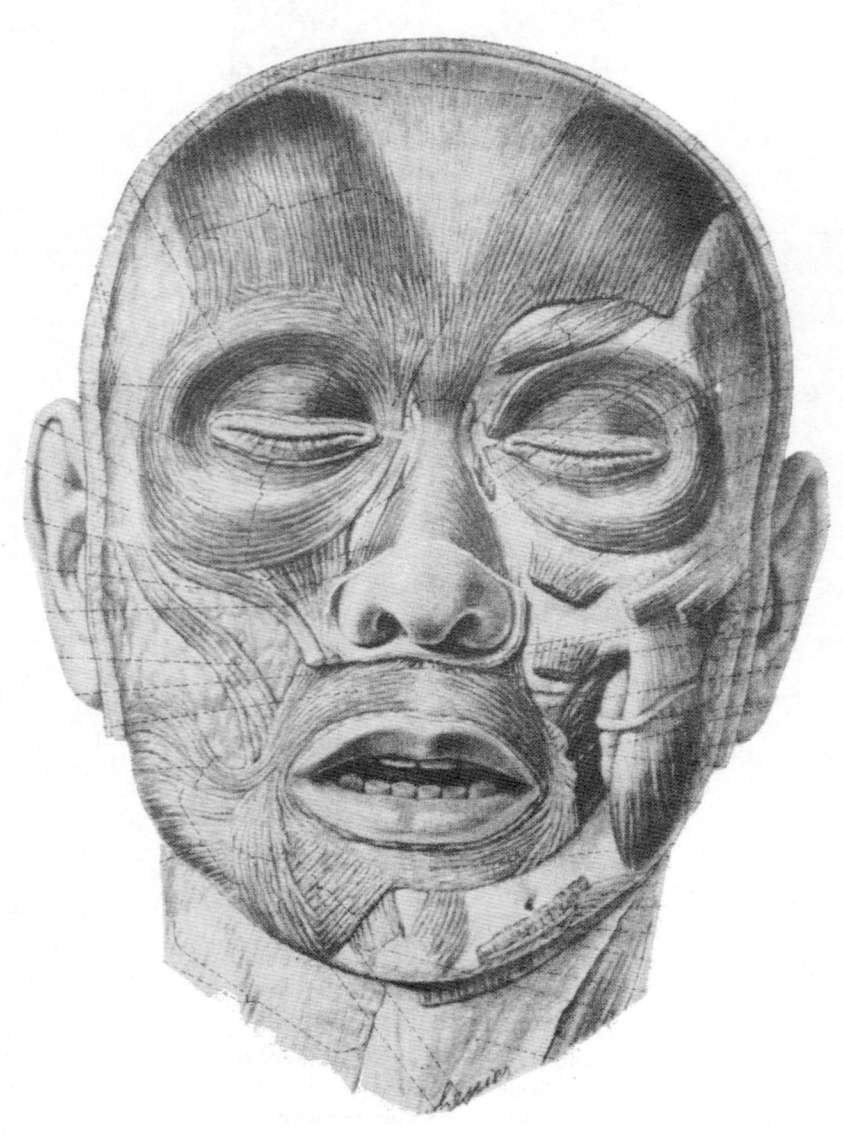

FIGURA 17 • MÚSCULOS DA FACE

Músculos responsáveis pelas expressões faciais. A função original de todos eles era abrir ou fechar os orifícios da face: olhos, narinas e boca. Em muitos animais, a musculatura que move o pavilhão auditivo é bem desenvolvida; em nós é atrófica. Parte desta atrofia se deve à hipertrofia da palavra. Como o que nós mais ouvimos são, na certa, palavras – e nisso nos separamos de todos os animais –, e como a fala em geral é feita de perto e vale pelo significado convencional, pouco nos adianta a mobilidade do pavilhão auditivo. Enfim, a mobilidade do pescoço nos permite dispensar a do pavilhão auditivo sempre que necessitamos localizar um som ou ruído. O desenvolvimento das expressões faciais permitiu ao homem, mais do que a qualquer outro animal, "dizer" coisas com muita precisão e enorme versatilidade.

Pelos muitos números que já vi, posso admitir que os músculos da face contêm não menos que 10 mil unidades motoras (UMs). Na figura, cada UM pode ser vista – de modo aproximado – na estripação longitudinal dos músculos, cada estria podendo ser tida como uma UM. Se fizermos um desenho a bico de pena, cada traço representando uma UM, veremos que a forma da face ou sua expressão, dependendo do estado de contração de cada UM, pode variar praticamente ao infinito. Basta uma pequena tensão em algumas UMs – basta mudar um quase nada, um dos traços do desenho – e eis a face modificada na sua forma e, pois, no sentido da expressão.

São os músculos mostrados na figura que fazem de todo homem um consumado ator, gerando suas mil máscaras, cada uma com um sentido, uma intenção. Bastando os pequenos movimentos da face para sinalizar nossas intenções, com isso economizamos muita energia ao influirmos uns sobre os outros. Não precisamos agarrar ninguém para levá-lo aqui ou ali, conforme nossa intenção; basta um olhar ou uma ordem e a intenção se faz clara.

Olhos, face e laringe são as regiões mais fáceis de mover, as de movimentos mais velozes e as que menos consomem energia para ser movidas. São, também, o principal quando se pretende comunicar o que quer que seja. Enfim, são as partes do corpo com maiores áreas de representação motora cortical, isto é, são as partes mais controláveis do corpo.

Como a face humana é, provavelmente, a coisa ou a região mais olhada do mundo, ela aprende a fazer como se deve – porque senão... Quero dizer que, sendo tão olhada, ela é muito controlada pelo próprio sujeito, sim, mas por força da vigilância constante dos demais. É um instinto a serviço do social esse de policiar a face do outro. Como a face "mostra tudo" (como ela pode trair-nos a qualquer momento), aprendemos desde cedo a falsificá-la, a fazer uma cara diferente da que corresponderia ao nosso sentir ou à nossa intenção. Esse treinamento é deveras precoce e muito insistente.

Depois que aprendemos a sinalizar "errado" – em não correspondência com nosso sentir –, começamos a obter dos demais respostas (*feedback*) que não correspondem ao que esperamos. Esperamos em função do que sentimos, mas o outro responde em função da face que ele de fato viu – que não é a que nós imaginamos estar mostrando.

Um número considerável de mal-entendidos humanos decorre desse processo.

EQUILÍBRIO DA CABEÇA

A postura do pescoço é a primeira a se instalar na criança – se deixar-mos de lado a postura ocular (convergência), que já nasce pronta.

Esse fato está em paralelo com vários outros.

Primeiro, a frequência e a tenacidade das tensões musculares crô-nicas da nuca; é difícil encontrar alguém que nunca tenha tido sensa-ções desse tipo.

Depois, a psicofisiologia do torcicolo agudo e crônico – como reações de amor-próprio ferido, orgulho ou, ao contrário, de humi-lhação, servilismo ou submissão (cabeça inclinada para a frente, cabe-ça *entregue* ao outro, *diante de você não tenho cabeça – não sou eu*).

Uma paciente minha sofria de intensa angústia persecutória. Ela era tão tensa que por vezes entrava em crise de catatonia franca – fica-va imóvel e rígida como estátua. Seu pescoço muito encurtado movia--se com dificuldade e a *rotação era impossível: ela era funcionalmente incapaz de olhar para trás*, o que alimentava coercivelmente seus temores persecutórios. Se atrás de mim há algo que me ameaça e eu não posso olhar para trás para ver o que é, estarei sempre com medo. Quem não conhece, em outra escala, esse sentimento/situação? À noite, sozinhos na rua, ouvimos e imaginamos coisas, mas muitas vezes nosso amor-próprio de adultos nos impede de olhar para veri-ficar – e continuamos com medo!

Essas tensões da nuca são o primeiro *tijolo* postural que se constrói em nós. Se este for mal construído, todo o resto da estrutura o será. Dando substância ao temor, temos a função do pescoço no controle do tônus postural. Sempre que movemos a cabeça é porque a tensão dos pequenos músculos cervicais profundos mudou – precisamente os que fazem a ligação reflexa (não só a ligação anatômica) entre a posição da cabeça e a posição do corpo. Quando a tensão crônica desses músculos cede ou se modifica, vivenciamos a sensação de desorganização *total* da postura; tememos perder qualquer posição e qualquer orientação – porque temos a sensação de *perder a forma* (da postura).

É ainda dessa região que depende a sensação de *cabeça bem ligada ao corpo* e outras, próximas, que podem ser ditas assim?

- medo de perder a cabeça (o controle);
- medo *de fazer* – ou de não fazer – o que *pensamos* – medo de que o *pensamento* passe para o corpo (ação);
- dificuldade – ou desejo – de entregar a cabeça ao outro, para que ele pense/decida por nós;
- desejo de irresponsabilidade ou temor de responsabilidade.

A cabeça não é só pensamentos (ou a sensação do eu). A cabeça é também *a visão*; quando a cabeça está inclinada ou torta ela serve mal à ação. Exemplo: experimente-se dirigir pondo deliberadamente a cabeça 20 centímetros fora de sua posição usual e verifique-se a dificuldade!

Se largo a cabeça (se relaxo a nuca), tendo a largar, no mesmo ato, ouvidos e nariz – isto é, abandono as minhas antenas, todos os meios que tenho de perceber a situação e me orientar diante dela.

Não é à toa que desde sempre *levantar a cabeça* é o primeiro sinal de autoafirmação e *baixar a cabeça* o primeiro sinal de submissão. NÃO HÁ oprimidos de cabeça levantada e levantar a cabeça é o primeiro sinal de rebeldia.

O GESTO SEM SENTIDO, MAS TRANSFORMADOR DO UNIVERSO, QUE SE FEZ TECNOLOGIA

Por volta do segundo/terceiro mês de vida, a criança começa a brincar um brinquedo dos mais curiosos e absurdos: ela pode ficar minutos e minutos fascinada vendo suas mãos se movendo dentro do seu campo visual – ainda confuso e vago. A criança humana nasce muito míope e portanto vê as formas próximas confusamente.

Nenhuma psicologia analítica valorizou essa fase da vida do neonato. É a etapa de maior valor cultural da espécie humana: foram as correlações oculomanuais que deram ao homem o controle tecnológico do universo.

Foram as patas dianteiras, que deixaram de ser patas e se fizeram inúteis, que se transformaram em mão: foram as patas dianteiras, que apenas suportavam e que de repente não serviam para mais nada;

foram esses dois apêndices inúteis e soltos no ar que caíram no campo visual e começaram a pegar coisas, a mexer em coisas, a dobrar coisas, a quebrar coisas, e aos poucos chegaram à produção dos botões que podem destruir o universo: a energia nuclear.

A coordenação cada vez melhor entre olhos e mãos tem, portanto, valor fundamental na história da cultura humana.

É nessa época – em que outra, senão? – que começa a surgir no homem *a responsabilidade pelos próprios movimentos*. Sabemos que as mãos, principalmente a mão direita, são um dos órgãos mais finamente controlados ou controláveis do corpo. A mão direita se faz por isso símbolo natural da ação; ao mesmo tempo, um símbolo natural da vontade e da responsabilidade.

É DIFÍCIL FAZER COISAS COM A MÃO DIREITA SEM QUERER – OU SEM PERCEBER

É em torno dessa mão direita, que comprometeu o equilíbrio energético do universo, que se centra todo o sentimento de culpa do homem, todo seu *temor de responsabilidade* e todo seu *desejo de irresponsabilidade*.

Se Freud descreveu a psicologia das apetências instintivas, a consideração da mão direita – e da motricidade que a apoia – nos permitirá avançar no estudo da *vontade*.

É a diferença entre

EU DESEJO e EU QUERO.

Nesses termos, compreendo muito bem metade da bibliografia da psicanálise, que não fala de outra coisa senão do *sentimento de culpa ligado à masturbação*. A masturbação é a capacidade de despertar prazeres no meu corpo usando a mão na função de vagina (ou de pênis) – e frustrando a fecundação/reprodução. Ao usar a mão para me agradar, faço um movimento pelo qual posso, em princípio, extinguir a espécie!

Tudo que se chama sentimento de culpa pela masturbação se traduz como *negação da responsabilidade pelo que fiz*, pelo que faço ou pelo que *estou fazendo*.

Os etólogos[18] descrevem os primeiros passos na diferenciação das funções da mão nos *homos* (*erectus, gracilis*). Viviam de colher o que achavam – principalmente brotos, raízes e frutos. Para arrancar brotos, os mais nutritivos e suculentos, os mais *delicados*; para arrancar raízes, puxando pelo talo; para colher e pegar com precisão frutos maduros entre frutos verdes – assim é que foi se desenvolvendo a sensibilidade tátil, a sensibilidade PROPRIOCEPTIVA e a precisão motora da mão.

Assim é que foi sendo construído o sistema oculomanual.

Logo depois o homem passou a usar ferramentas e assim começou o desenvolvimento desse instrumento universal de transformação das coisas – e do próprio sujeito; foi assim que o homem aprendeu a MANIPULAR[19] todas as coisas – as de fora e *as de dentro. Na medida em que as mãos aprendem a fazer, a cabeça aprende a pensar* – nos mesmos moldes, segundo processos isomorfos.

NOSSAS MÃOS – NOSSAS MÃES (E NOSSOS PAIS!)

Certo dia, tomando banho de chuveiro, de repente me pus a perceber o trabalho – dito *automático* – das mãos com meu corpo. Fiquei fascinado pela rapidez, precisão e força com que elas me ensaboavam e esfregavam, respeitando cuidadosamente a constituição, a forma e a sensibilidade de cada lugar do corpo.

Depois de minutos de fascínio e de apreciação desse trabalho, me veio à mente, com força própria, este pensamento curioso:

Minhas mãos – minhas mães (e pais).

Ninguém cuida melhor de mim.

Ninguém me protege melhor.

Aos seis meses, a criança já sentada, as mãos começam seu gradual reaprendizado do agarramento, primeiro semelhante ao dos símios,

18 GEIST, Valerius. *Life strategies, human evolution, environmental design.* Nova York: Springer-Verlag, 1978.
19 Manipular, manejar, masturbar (*manusturbare*) derivam, etimologicamente, de *manus*: mão.

com tendência a correr a borda interna da mão sobre o apoio, e agarrando com todos os dedos – preensão radial – até chegar à delicada pinça bidigital entre o polegar e um dos outros dedos, geralmente o indicador, o que só ocorre anos depois. Trata-se de um longo processo de aperfeiçoamento de nossa principal ferramenta: as mãos.

É nessa época também que a criança vai desenvolvendo *a postura da ação* ou de trabalho, conforme a descrevemos antes. Estando sentada, ela já se comporta como um pequeno burocrata: só consegue manipular o que está perto! Só por volta dos 6 meses inicia o engatinhamento e só após 1 ano começa a andar – a se pôr equilibradamente sobre os próprios pés, a carregar-se por inteira, a transladar-se à custa dos próprios recursos.

Parece-me fácil ver, diante dessa descrição, o enorme valor psicológico das etapas do desenvolvimento motor que vão marcando com clareza a gradual independência da criança em relação a movimentos e translações do próprio corpo.

É fundamental perceber – e NÃO ESQUECER – que a motricidade já *está desenvolvida* quando a criança *começa a balbuciar as primeiras palavras*, com 1 ano e poucos meses de idade. Baseados nessa proposição, podemos acreditar que, QUANDO a criança começa a falar, ela JÁ ESTÁ FORTEMENTE DETERMINADA pelas atitudes que JÁ TEM diante das coisas e pessoas do seu mundo. Durante ano e meio a dois, fomos visomotores e não verbais; isso quer dizer que todas as nossas noções primárias de aproximação e afastamento, de manipulação foram guiadas somente pelos olhos e pelas sensações corporais; isso quer dizer que até essa época as palavras dos adultos eram pouco mais do que música.

É importante assinalar esse fato – de si evidente – porque a todo instante tropeçamos com pessoas que ainda acreditam, na santa ingenuidade idealista, que o pensamento veio primeiro e a ação veio depois. Podemos ter certeza de que o principal das posições e atitudes da criança está bem estabelecido *antes* de ela começar a falar.

Piaget, que conheço pouco, parece ter trabalhado bastante com o mesmo fato ao estudar as raízes biológicas da inteligência, raízes que são sobretudo *abstrações das operações que as mãos conseguem fazer*: separar, juntar, empilhar, destruir, semear, conter, arranjar, desenhar, modelar etc. De cada dez verbos que usamos, pelo menos cinco referem-se a ações feitas principalmente com as mãos.

O tema é básico para este livro e vamos caracterizá-lo de vários ângulos e em contextos diversos. É principalmente devido ao fato de o comportamento se desenvolver antes da palavra que podemos dizer o que afirmou Neumann[20]:

O RITUAL PRECEDE O MITO

(primeiro fazemos e depois explicamos).

Só na ordem jurídica, didática e/ou convencional – na ordem da ideologia – é que as coisas acontecem ao contrário. Quero dizer que quando homens e animais defrontam com SITUAÇÕES NOVAS, geralmente encontram uma solução *sem saber como*. Se a situação se repete e a solução achada – sabe Deus por quê! – se mostra boa, então se consolida, e daí a pouco ela se torna passível de consciência abstrata, isto é, conseguimos isolá-la do conjunto das ações que fazemos. Creio que precedendo a conceituação/denominação ocorre a consciência PROPRIOCEPTIVA do ato – a percepção das *sensações* que resultam do funcionamento do esquema motor em desenvolvimento *espontâneo*. Só quando bem adiantado o processo começamos a compreender a articulação dessa ação com nosso contexto e com nossa pessoa.

A teoria – o verbal – vem muito *depois* da observação, e vem depois do acerto que ocorre, classicamente, segundo o método das tentativas e erros. Na ordem da pedagogia escolar, as coisas acontecem ao contrário: as pessoas aprendem todos os *princípios* e deles – idealmente – deveriam ser capazes de *deduzir* todas as aplicações, toda a prática, todo o realizável! Na verdade, sabemos que não é nada disso e que a educa-

---

20 NEUMANN, Erich. *The origins and history of consciousness*. Nova York: Harper Torchbooks/The Bollingen Library, 1962.

ção formal é de uma utilidade bastante limitada justamente por ser dedutiva, isto é, ao contrário da ordem natural de aprendizado.

O dedutivo é a ordem natural da academia, e tem pouco ou nada que ver *com a ordem natural de aparecimento e da organização efetiva das respostas motoras.*

Podemos ampliar essas proposições e dizer que as atitudes – pré--verbais – já estão exercendo *sua ação específica de seleção, que influi na formação do* SIGNIFICADO *das palavras* que a criança ouve e diz. A semântica existe e tem sentido individual por causa disso: só posso ir ligando o sentido das palavras *que vou usando* a experiências *que tenho*; e essas experiências – é o que estamos mostrando – são basicamente pré-verbais na origem e continuam a ter muitíssimo de não verbais na continuação.

Quero dizer o seguinte: além do período pré-verbal de formação das atitudes, na infância temos sempre um período pré-verbal de formação de noções – qualquer que seja o aprendizado a que nos dediquemos. Durante o aprendizado nós *vemos* as coisas, nós *nos relacionamos* com elas, nós tentamos *fazer algo* com elas; *só depois é que começamos a falar sobre elas* – nos casos em que a gente sabe do que está falando (em geral não sabemos!). Só na escola a inteligência é obrigada a funcionar ao contrário: primeiro a falar e depois a fazer (quando se faz!).

Quando a psicanálise nos diz que, a fim de curar-se, o neurótico precisa conquistar sua memória (imagens visuais e respostas afetivas de situações infantis), creio que ela afirma, na verdade, o seguinte: as pessoas precisam reaprender a viver como crianças – sem palavras! *Infante* significa: *o que não fala.*

O essencial de qualquer terapia seria a reconquista da capacidade de existir *sem definição verbal.* Seria a capacidade de "regredir" e permanecer regredido, sempre que possível, nas etapas pré-verbais (ou visomotoras) do desenvolvimento, que de regra são:

• mais individualizadas (e mais individualizantes);
• mais criativas (e mais destrutivas);
• mais prazenteiras (e mais dolorosas);

- mais verdadeiras;
- mais "infantis"

do que
- AS RAZÕES
- AS DECLARAÇÕES (DECLAMAÇÕES)
- OS PRONUNCIAMENTOS
- OS DEPOIMENTOS
- OS DOCUMENTOS
- AS EXPLICAÇÕES
- OS MOTIVOS
- AS JUSTIFICATIVAS...

Podemos dizer que é no comportamento pré-verbal da criança que encontramos os *primórdios da semântica, toda ela dependente do modo de estar no mundo* – do modo de se pôr, de observar e/ou interagir com as coisas e pessoas.

É O FEITO E O VISTO QUE DÃO SUBSTÂNCIA AO DITO – E NÃO O CONTRÁRIO. O que queremos reconquistar, como todos os iluminados do mundo, é a soberana capacidade de perceber – responder *sem explicar*, isto é, sem passar pelo circuito verbal.

A verdade não é uma frase. A frase declara, confirma, concorda ou descreve. A verdade é um ato – a verdade que mais aparece. Mas a verdade de fundo, a verdade forte é uma POSIÇÃO.

A força está em TER E MANTER POSIÇÃO.

O iluminado encontra força em si mesmo porque não se perde na obrigação de explicar/justificar *para os outros* tudo que lhe sucede. Essa obrigação pode referir-se ao outro de fora ou aos outros que moram em nós.

RESISTÊNCIAS

Poucas pessoas aproximam os vários sentidos da palavra resistência:

* resistência dos materiais (resistência à *deformação* e à quebra);
* resistência – noção psicanalítica de *defesa* psicológica; e
* resistência dos países ocupados contra os ocupantes, dos partidos políticos ilegais, dos que resistem aos tiranos.

Para nós, essas palavras são sinônimas. Não existe resistência *puramente psicológica*, feita *apenas* para conter um impulso interior e apenas invenção *pessoal*.

Toda resistência psicológica é ao mesmo tempo um preconceito social e uma posição/um papel convencional, que exerce efeitos sociais bem definidos – porque é visível. Voltaremos ao assunto muitas vezes.

FASES PRÉ-GENITAIS DA LIBIDO OU FASES PRÉ-VERBAIS DO COMPORTAMENTO?

Em psicanálise não se faz alusão nenhuma a outro fato de enorme valor cultural. Segundo Piaget e Vigotski, entre 4 e 5 anos de idade – fase áurea do complexo de Édipo – a criança adquire a *singular capacidade de falar consigo mesma*.

Até essa idade ninguém sabe bem como a criança fala. Quero dizer que os estudiosos descrevem diferentemente a verbalização da criança antes de ela se fazer reflexiva – antes de conseguir falar consigo mesma. Dizem alguns que ela se comporta como um pequeno locutor de si mesmo, pondo em palavras coisas que vai fazendo, mas aparentemente sem intenção de ser ouvida ou compreendida, menos ainda de que façam o que ela diz (conforme a hora, é claro); talvez ela esteja acima de tudo e apenas *aprendendo a brincar de usar as palavras* – esse instrumento tão delicado, tão complexo e tão equívoco.

Falar consigo é o limite do diálogo – isto é, o limite do uso *natural* da palavra. A palavra como elemento de comunicação *explícita e intencional* entre duas ou mais pessoas.

Ao mesmo tempo – e pouco se diz – a palavra se faz, aos 5 anos, instrumento de comunicação (e de influência) entre AS VÁRIAS *partes* da PERSONALIDADE/do CORPO. A técnica gestáltica do *fale com* (a dor, o desejo, a perna, o estômago) põe em evidência essa singularíssima propriedade da palavra de *influir para dentro*. O limite deveras MÁGICO dessa influência da fala sobre o íntimo temo-lo na hipnose, que hoje ressurge, modernizada e funcionalizada, na Programação Neurolinguística.

A palavra só está madura de vez *por volta dos 5 anos de idade*, e não aos 2 anos, idade dada usualmente como a de *início* da fala.

Há mais: partindo da psicanálise, segundo a qual os primeiros anos de vida são decisivos para a personalidade, numerosos outros estudos foram feitos e um bom resumo deles afirma que

80% de TUDO que as pessoas aprendem na

vida é aprendido *até os* 5 anos.

A declaração não é clara, nem pretende ser. Mas é por demais sugestiva. *Aprender*, nessa declaração, significa aprender a ver/identificar objetos, agir e reagir ante situações e personagens típicos, aprender comportamentos, gestos, expressões, aprender a manejar esse conjunto riquíssimo de possibilidades que é nosso corpo, aprender a modelar sons (e respirar), criando a base da língua, aprender a sentir sentimentos e sensações etc.

Em toda essa vasta área de aprendizado, o não verbal é 80% – só para pôr em números o que não cabe neles.

Logo, é bem certo:

o ritual precede o mito.

O ato precede a ideia.

A prática faz a teoria.

NO COMEÇO ERA O ATO (GOETHE).

DEUS É ATO PURO (SÃO TOMÁS DE AQUINO).

A *ideia* que vem com o ato – ou até antes – é a *visão da situação*, ou da sua *imagem interna*, e NÃO sua definição verbal. O circuito visomotor é MUITO mais veloz do que o circuito verbomotor.

A LIBIDO OBJETAL, O OBJETO E
O ELO ENTRE AMBOS

O libidinoso – o fascínio pelas sensações vitais, o gosto, a necessidade e o desejo de contato físico com o próprio corpo, com a mãe e com os outros – é um interesse fundamental da criança, creio. Mas sem o *contexto* do mundo físico, dos objetos e demais aptidões que a criança exercita, o libidinoso não tem sentido.

SEM O MUNDO EM VOLTA,

NENHUM DESEJO TEM SENTIDO.

Primeiro é a cena.

Depois a colocação – a POSIÇÃO.

Só aí e só então *pode haver* movimento.

"Faça movimentos sem sentido" é uma ordem

tão difícil de obedecer quanto

"Invente palavras que não queiram dizer nada".

O psicanalista, seguindo o sentimentalismo popular, é

por demais e é exclusivamente

NOVELESCO,

isto é, eu, você, ele e mais uns poucos (a família). O que se sente – o que se deseja –, o que se teme? Como se tem ou não se tem contato, cooperação, oposição?

O novelesco é o mundo explicado e compreendido em termos de relações pessoais e familiares – E MAIS NADA. É o mundo dos heróis, dos mitos, dos grandes personagens; é papai, mamãe, titia e vovó – às vezes o cachorrinho também – vistos/sentidos pela criança.

O novelesco é real e importante, porque as pessoas envolvidas existem e se relacionam.

Mas sem palco não há teatro, sem chão não há posições, sem caminho FÍSICO

• não há *métodos* (que quer dizer caminho em grego);

• não há modos, maneiras, composição de movimentos capazes de me levar até onde meu desejo ou meu precisar se fazem meu querer: disposição e aptidão corporal para fazer o que é preciso a fim de ter, haver, fluir, obter, conseguir, desfrutar.

É sempre *no meio do caminho* que tem uma pedra, segundo o poeta. Toda dificuldade psicológica das pessoas está em encontrar o caminho, o jeito, o modo, a maneira, o macete, a dica.

Muito do sofrimento humano nasce da incapacidade – aqui e agora! – de

* *afastar* o que incomoda ou ameaça; ou então de ME AFASTAR;
* me *aproximar* e *ter* aquilo que quero/desejo ou preciso. Ao ler com atenção textos de psicanálise, concluímos que o *mundo* é feito de umas poucas vísceras e de parentes[21]. Tudo é reduzido à família e às emoções primárias. Nunca vi objeto estudado pela psicanálise que não fosse tido como símbolo – isto é, alguma coisa que não tem existência autônoma, mas recebe força de outra realidade, que acaba sendo sempre o digestivo, o sexual e o familiar. Depois que se lê alguns livros de psicanálise, é muito difícil conter a náusea pela repetição incansável e interminável dessas frases vagas. Ela parece, por demais, com a cartomante ou a vidente que, diante da maior parte das pessoas, diz frases mais ou menos assim: o senhor é uma pessoa muito preocupada com sua família; vejo na sua mão que o senhor tem graves dificuldades conjugais; percebo na bola de cristal que o senhor ainda não encontrou o amor da sua vida; eu sei que bem no fundo o senhor deseja riqueza e outras coisas semelhantes – que são desejos/temores/problemas de TODOS. O que se consegue com esse modo de proceder é reforçar todas as estruturas sociofamiliares existentes! Isto é, a psicanálise, que se propõe como alavanca e instrumento de transformação pessoal e de liberação, é na verdade um instrumento de reforço das instituições.

---

21 Nem sempre as pessoas se dão conta de que o homem freudiano só tem aparelho digestivo (boca e ânus) e genitais. O homem freudiano NÃO TEM tórax (nem aparelho respiratório, nem aparelho circulatório), não tem cabeça nem cérebro, mal tem músculos na pele, não tem aparelho urinário. Ou seja, para a teoria segundo a qual o psicológico se assenta e deriva do visceral, nenhum dos órgãos assinalados tem valor psicológico; nem se cogita das omissões nem se tenta mostrar que aqueles aparelhos orgânicos por esse ou aquele motivo não têm valor psicológico. O homem é aparelho digestivo e genitais. Só (S. Freud).

O PECADO ORIGINAL

Voltemos ao momento em que a criança começa a andar. Estamos em plena fase anal de Freud – entre 1 e 2 anos de idade. A criança é teimosa, difícil de levar, voluntariosa.

Se considerarmos que nosso equilíbrio depende sempre da *coexistência de forças musculares opostas*, necessárias à manutenção da posição ereta;

Se levarmos em conta a organização de nosso movimento em *pares opostos*, um que me leva (como se o objeto me puxasse) e o outro que me segura (como se eu não quisesse ir), compreenderemos facilmente que é nessa época que se iniciam os *conflitos*: consciência da coexistência de INTENÇÕES contrárias!

É nessa época que começa a teimosia, isto é, o esforço *reflexo* (automático) da criança para se manter em pé – a qualquer preço – contra ordens, desejos e temores que vêm de todos os próximos, isto é, de todas as direções.

Eu me seguro: é assim que a criança começa a existir nessa época. Eu me seguro pode referir-se ao esfíncter anal – *eu seguro tudo dentro de mim* – como pode referir-se à postura: *eu não me solto – eu me seguro (eu me mantenho) em pé*. Mas é importante separar modos de segurar: como a boca segura o mamilo, como o ânus segura as fezes, como a mão segura as coisas, como o corpo *se segura* em pé. Fácil ver que as duas primeiras – boca e ânus – são vísceras (instinto, id) e que as duas últimas são voluntárias (musculoesqueléticas). Deixar de separar modos tão diversos de pegar é fácil – baseado na palavra, que é a mesma –, mas leva a confusões conceituais *insanáveis*.

A afirmação de si, nessa época, confunde-se não só e talvez nem tanto com o controle esfincteriano, mas com a capacidade de se pôr, se manter e agir em pé, momento em que atinjo minha dimensão maior, que me faço deveras gente – ou humano. Momento também a partir do qual começo a *poder cair*.

O PECADO ORIGINAL

Em português fala-se na QUEDA ORIGINAL como sinônimo de PECA-
DO ORIGINAL. Por que queda?

Que tem que ver algo tão terrível quanto um pecado (ofensa a
Deus!) com um simples tombo?

É que, para *poder* cair, era preciso que o homem *se pusesse em pé*.
Orgulho!

Segundo os teólogos, o pecado original foi pecado de orgulho. Ao
se pôr em pé, o homem pôde começar a experimentar oscilações
(incertezas, dúvidas, CONFLITOS em todas as direções). Oscilações,
isto é, possibilidades de queda.

Além da queda original, existe também *a queda no pecado. The
fall*, diz-se em inglês.

E Reich em contracanto acrescenta: a pior das resistências, quando
se faz análise da couraça muscular do caráter, é... a *falling anxiety* – o
temor de cair!

A mais óbvia separação entre homens e animais é que os animais
são quadrúpedes ou quadrúmanos, e só o homem é bípede.

Pergunta: será que uma conquista tão fundamental na história da
vida pode não ter valor psicológico?

Bergler, famoso psicanalista austro-americano, escreveu um dia
(não consegui reencontrar o texto) que "o superego é uma estrutura
absolutamente estúpida e cruel, criada pelos homens exclusivamente
para se torturarem!"

Essa convicção é tão pessimista quanto a de Freud, para quem *o eu
é o lugar do medo*. A outra afirmação famosa de Freud era esta: "Não
há civilização sem repressão".

O divã legendário e o paciente *deitado*, como exigência técnica, não
permitiram que os psicanalistas percebessem a função objetiva do
superego, que é literalmente o *integrador* dos opostos – ou das oposições.
É ele que faz em todos os instantes e em cada instante a síntese dos contrários. Talvez seja ele o dispositivo neuromotor que nos equilibra automaticamente o tempo todo: aquilo que *faz* o movimento dialético e aquilo
que nos permite sentir/perceber/compreender a dialética do universo!

Deitado e sem o problema da manutenção do equilíbrio na posição ereta, o superego não tem sentido objetivo, *não serve para nada.* Se concluirmos, como temos concluído pouco a pouco, que o superego tem muito que ver com nossa competência em matéria de equilíbrio, então as forças e as funções do superego não são APENAS psicológicas (e sem sentido). Se paramos mal em pé ou se não sabemos o que fazer com nosso corpo é outra história, mas a função ou a estrutura que nos mantém em pé é certamente o ponto mais alto da evolução biológica do nosso planeta.

Em psicoterapias de certa duração, que envolvem modificações apreciáveis de personalidade, pode-se quase sempre acompanhar nos sonhos sequências bem regulares de imagens.

O AMOR-PRÓPRIO E A GRAVIDADE

Primeiro o indivíduo consolida-se cada vez mais na sua posição básica – reforça a couraça – porque está sendo insistentemente ameaçado/ *empurrado* pelo processo terapêutico (na verdade, pelo terapeuta). Ao sentir abaladas ou contestadas suas posições básicas, o primeiro movimento mais reflexo do que refletido é firmar-se mais nessa posição. É assim que acontece sempre que fazemos um reparo que toca ou fere o amor-próprio de alguém – seu narcisismo. A reação típica de amor-próprio ferido é a empertigação: o indivíduo se põe MAIS em pé, levanta a cabeça acima do nível em que estava, tende a olhar para o outro de cima para baixo e mostra cara de ofendido. Essa é exatamente a posição e a cara que alguém faz se, em pé, receber um empurrão. Ao ser balançado pelo empurrão, o indivíduo consolida a posição ereta e chega à expressão de empertigação, que é o exagero e a caricatura da ortostática.

Quando o indivíduo *está sentado,* tais reações têm menor amplitude e menor risco, porque é bem mais difícil cair estando sentado do que em pé. Se o indivíduo estiver deitado, como no caso da psicanálise, essas reações corporais não serão percebidas, mas equivalentes delas aparecem em imagens, fantasias e sonhos.

Eu dizia que a primeira resposta motora que se vê em muitas psicoterapias, quando estão sendo eficazes, é o toque ao amor-próprio, o enrijecimento da pessoa, a intensificação das resistências, da postura ou da couraça muscular do caráter.

Se o trabalho prossegue a contento, a pessoa vai oscilando (hesitando) e caindo, até ficar de quatro, depois deitada e por fim largada no chão. Depois, retratando o processo de reorganização de personalidade, o indivíduo começa de novo a ter sonhos e fantasias com movimentos primários do corpo, de torção, de abalos motores, alusões ao descontrole da mão direita, à reorganização da visão, da marcha, da respiração; em suma, ele vai repetindo o processo de se pôr em pé – vai reaprendendo a andar.

Espera-se e supõe-se que seu novo equilíbrio, sua nova maneira de ser – que é também uma nova postura – será melhor que a anterior, na certa mais bem equilibrada, ou mais difícil de desequilibrar, ou mais fácil de reequilibrar.

A pessoa fortemente encouraçada sente-se às vezes e comporta-se sempre como alguém que desce uma ladeira íngreme e escorregadia: ela sente medo de mover subitamente qualquer parte do corpo porque isso poderia levar a um tombo. Nos momentos de conflito mais agudo, a pessoa se sente como se estivesse vestida de uma roupa de borracha, forte, muito justa, ou como se seu corpo se debatesse inutilmente contra uma teia de aranha invisível, tentando livrar-se de algo que a paralisa, mas que ela não consegue perceber com clareza o que é.

Nesse contexto, convém notar que nossa descrição de psicoterapia poderia ser aceita por um professor de luta quase que nos mesmos termos: o terapeuta usa mil recursos – e alguns são eficazes – para perturbar e instabilizar o paciente, *ao mesmo tempo* que o apoia e estimula. No entanto, as cartilhas de psicoterapia dizem que o terapeuta – como as mães, aliás – *jamais* têm raiva do paciente. Quero dizer que nenhum texto de psicoterapia assinala que o processo é TAMBÉM uma BRIGA, um CONFRONTO e um DESAFIO RECÍPROCOS.

De novo, psicoterapeutas e mães se igualam na aceitação dos deveres impossíveis. O terapeuta DEVE ser SEMPRE permissivo, acolhedor, oferecer compreensão infinita e simpatia incondicional.

AMÉM, ó, Santo! Mas onde se vai buscar tudo isso ninguém sabe.

PARA VIVER BEM EQUILIBRADO, SÓ SENDO BOM EQUILIBRISTA

O importante é perceber que quase tudo que nos acontece perturba nossa estabilidade (nossa segurança), e que lutamos mil vezes por dia para não cair – mesmo. Não é alegoria.

Importante é perceber que preciso me deixar cair
– ou ser derrubado – uma porção de vezes, até perceber
como eu caio; importante é levantar-me uma porção
de vezes para perceber como me ponho em pé.

É quando aprendi uma porção de maneiras de cair e de ficar em pé, então – e só ENTÃO – não preciso mais ficar teso, rígido e prevenido para não cair!

Se quisermos entender de vez o significado do termo inseguro, contemplemos uma criança quando começa a se pôr em pé.

Inseguro é aquele que não está se segurando.

É aquele que está com os braços soltos, no ar, livres. Sua base ainda o sustenta pouco e mal – ele deveras não pode confiar em si mesmo. Inseguro: começando a aprender a andar.

Ao mesmo tempo desamparado (sem amparo), perdido, sem referência, sem direção, sem propósito – mãos soltas.

O homem é um animal que se pôs em pé, que buscou a vertical e que depende vitalmente dela. Nunca vi em estudo de psicanálise a menor referência a esse fato. O próprio Reich, que descreveu com total clareza o temor da queda – do qual ainda falaremos muito –, não citou esse período da infância de seus pacientes, e na verdade acabou *interpretando* o temor de queda como... medo de mergulhar no inconsciente! Bem mais tarde começou a fazer a ligação concreta: o *temor de queda* é o medo de não conseguir parar em pé. Hoje, em bioenergética, dá-se grande peso ao *grounding* – ao estar bem posto sobre o chão. Mas nem em bioenergética se explora, como seria necessário, a biomecânica da postura.

O aprendizado da marcha é o período de insegurança autêntica. Quando a marcha começa a consolidar-se, essa liberdade vai se fazendo gaiola outra vez (ou pela primeira vez). Como não se ensina nem se controla o aprendizado dos movimentos usuais e como não se oferecem à criança ambiente e assistência para que aprenda direito, ela vai aprender "de qualquer jeito", pondo-se e mantendo-se em pé com esforços excessivos ou mal aplicados. Sublinhar: é nessa época, além disso, que se consolidam na criança, TAMBÉM, suas IDENTIFICAÇÕES MAIS PRECOCES e MAIS SIGNIFICATIVAS, o que quer dizer: o psicológico interfere fortemente no aprendizado da ortostática e da marcha. Todo movimento forçado amarra e atrapalha. Todo elemento de couraça funciona precisamente como uma placa de couraça real, de metal, dificultando mais ou menos a movimentação. Dificultando sobretudo as reações automáticas de reequilibração. Quero dizer que, quando escorregamos, por exemplo, somos levados a fazer movimentos bem diferentes dos usuais. Essas reações de compensação rápida de desequilíbrio são muito limitadas no indivíduo encouraçado. Ele não tem a liberdade de movimento que é NECESSÁRIO ter. Mais uma razão para ele se sentir inseguro – e amarrar-se mais! Se ele tiver de atravessar uma ponte estreita sentirá muito medo, perdendo assim mais uma chance de se desamarrar. *Cada vez se aceita mais como amarrado.*

A ESTRUTURA SOCIAL FUNCIONA COMO A POSTURA

As mudanças históricas ou jurídicas, e as do processo biomecânico (postura) e psicológico, parecem variar de modo semelhante, ainda que em *ritmos notavelmente diferentes.* O plano mais veloz é indiscutivelmente neuromuscular; o segundo na duração certamente é o psicológico, o individual; e o terceiro, o social, sempre muito mais tardio em responder às mudanças em curso. Também as mudanças do sistema social ocorrem *após o endurecimento* do regime vigente, que se *empertiga* (reafirma) tanto quanto o indivíduo cujos hábitos foram contestados. Ao permanecer o regulamento, ele obriga as coisas a acontecerem daquele jeito. As coisas que não aconteceram daquele jeito não terão a aprovação da lei – não terão o direito civil de existência!

Os processos de transformação são, pois, isomorfos, porém não sincrônicos. Estamos descrevendo de certo modo uma verdade óbvia para todos: o conservador, no movimento social, são os hábitos estabelecidos, aprendidos (ou impostos) por todos, com evidentes variações de classe.

Sabemos bem as comédias e as tragédias do novo rico – do indivíduo que sobe na escala social. É o modelo padrão do que dizemos: dificuldades das mudanças de hábitos que existem em cada classe social, hábitos que são muito mais numerosos e complicados do que à primeira vista se imaginaria. É que são modos de vestir, são hábitos de sorrir, de olhar, de entonação de voz, de postura corporal, de código para ordenar, para pedir, para impor e assim por diante. Exemplo melhor do que o do indivíduo que ascende na escala social é a vendedora de flores de Pigmalião (de Bernard Shaw), que um famoso linguista treinou por muito tempo para que falasse e se comportasse como uma *lady*. Aí se podia ver bem que mudar de classe social é mudar de personalidade – ou vice-versa.

Neste sentido, podemos dizer que estar seguro é igual a estar-se segurando – agarrado. Dependente, em latim, significa dependurado! Quem está seguro está dependurado na, ou pela sua segurança, ao objeto ou pessoa que lhe desperta ou permite essa confiança.

Mais do que corrente em nosso mundo é dizer que a segurança depende da confiança ou vice-versa. Quase sempre que essa ligação é lembrada, as pessoas estão falando de negócios – financeiros ou afetivos – e da *garantia* que se pode ou não ter dentro dos deles. Nossa *confiança* em contratos de compra e venda *garante* o futuro! Garante até que vou viver para pagar as prestações! O que resulta desse teatro do absurdo (que é tido como coisa *muito séria* no nosso mundo) é que essa segurança *segura* o futuro, isto é, imobiliza o tempo; ao *confiar* uns nos outros, nós nos damos as mãos (agarramos uns nos outros), voltamos de costas para o futuro e começamos a resistir, a resistir, a resistir... a qualquer mudança (que é o futuro).

Resistir – re-existir, re-estar, re-ser, re-pedir.

As pessoas preferem sentir que permanecem a aceitar que variam. Mas perceber a duração imóvel ou cíclica é a própria inconsciência, difícil de perceber, facílimo de acontecer. O sistema – qualquer sistema – subsiste pelos automatismos de seus cidadãos.

O sistema são nossos *hábitos*.

A couraça muscular em todos nós é aquilo que nos dá uma sensação de permanência e invariância – a sensação de ser sempre eu.

A couraça muscular é o conjunto de dispositivos psicofisiológicos que nos permitem

TRANSFORMAR QUALQUER RENOVAÇÃO NUMA REPETIÇÃO.

A couraça, sendo entre outras coisas o conjunto de todos os nossos automatismos motores (de nossos hábitos), é a descrição empírica daquilo que os filósofos chamavam e talvez ainda chamem de sensação de permanência do eu.

Eterno não porque dura sempre, mas porque faz sempre a mesma coisa. Eterno não porque se desenvolve, mas porque está sempre fora do tempo.

Quero relembrar que esses dispositivos automáticos são nós mesmos, são nossa substância dinâmica, são o nosso acontecer a cada instante, são nossas forças interiores – apesar disso palpáveis (musculares!).

HARMONIA PREESTABELECIDA

É bem provável que a maior aliada do "eu que sou sempre o mesmo" seja a palavra – a verbalização. Também, o mais poderoso fator de permanência da estrutura sociojurídica.

Gostaria de lembrar que essa soma mais do que complexa de automatismos motores muito provavelmente é a base das atitudes INTE-LECTUAIS chamadas de convicções. O que pensamos vem depois que nos colocamos, depois que tomamos posição; a posição é a base do nosso ponto de vista.

Como todas as palavras duram – como o significado das palavras varia pouco –, elas são uma tentativa contínua de eternizar o presente. Sempre que a palavra não é expressão direta – articulada e musical – do que estou experimentando e sentindo aqui e agora, ela assume a função de confirmar e legitimar as repetições ou a permanência das coisas. Só nos textos as coisas são iguais.

O texto do casamento, no contrato civil como no religioso, é o mesmo para todos – nas palavras. Todos fazem o mesmo casamento. Todos se casam do mesmo jeito. Tem cabimento?

Não fosse a palavra, sobretudo a escrita, não saberíamos
o que quer dizer a mesma coisa.
Nós não RE-CONHECERÍAMOS NADA.

Faz parte dos esquemas automáticos – no corpo como na empresa e no Estado – o fato de eles tenderem a se autossustentar e autorreforçar cada vez mais.

Primeiro, pela *seleção dos estímulos* capazes de desencadear tais automatismos.

Os *outros* estímulos – que despertariam OUTRAS reações:

- não são percebidos, porque "não levam a nada", "não servem para nada", "não têm sentido" (não têm sentido NESSE contexto social, nesse sistema de valores);
- ou são depreciados – não têm existência legítima, não são aceitos, são "errados", "falsos";
- ou são combatidos, são o mal, a subversão.

Os automatismos tendem a se eternizar também, e acima de tudo, porque são mais velozes, são o mais fácil de fazer, tudo já está pronto para eles – tanto os pré-requisitos sociais quanto os psicológicos.

O FALADOR E O AGENTE

É dos 2 aos 5 anos que a criança se mexe mais. O aprendizado da palavra, que vai ocorrendo no mesmo período, traz como consequência uma redução considerável da motricidade. Essa redução depende de muitos fatores – um deles é a fala. Basta a criança *dizer* e a mãe *faz*.

O falar é fortemente recompensado e reforçado, enquanto o agir é reprimido em vez de favorecido. A maioria das pessoas acha um encanto criança que fala bastante e acha um inferninho a criança que se mexe muito. Falar é tão fácil que o fazer vai se fazendo cada vez menos importante e menos necessário. Como da criança não se espera que faça nada em termos de trabalho (movimento) eficiente (ou remunerado), com facilidade ela passa a ser apenas um falador emérito que na verdade pouco sabe do que está dizendo.

Criança que fala incomoda menos que criança para cima e para baixo, correndo riscos e procurando aventuras; é portanto do interesse de todos que se ponha a criança sentadinha e falando como um papagaio o mais cedo possível: fica tudo mais simples.

Creio que é nessa época que se vai formando o personagem que chamo de *o falador* – o burocrata em todos nós –, o paraplégico sentado que julga compreender, acredita situar-se e *influir* sobre o mundo apenas falando.

À custa do falar, ele consegue afastar quase todo o fazer – e TODA A RESPONSABILIDADE pelo feito. Basta *fazer crítica* e descobrir quem é o culpado e meu trabalho (!) está *feito*!

O falador VIVE PARA inventar desculpas pelo que não fez, para confessar sua culpa pelo que deveria ter feito, para provar de quem é a culpa e para dizer de quem é o dever.

Com tudo isso, o falar, ao mesmo tempo que se faz a *atividade* mais frequente de todas, se faz no mesmo ato a dissociação básica de todos, que passam *a existir* de dois modos:

- ao modo dos automatismos motores, que vão levando/fazendo *pelas* pessoas o que elas precisam fazer, mas fazem quase sempre sem que a pessoa perceba: existir concreto, atuação real;
- e ao modo verbal, ao falar contínuo, pouco e mal dirigido, muito ligado ao novelesco ou ao *eu disse – ele disse*. O que ele disse, nove vezes em dez, é mais importante do que o que *ele faz* e MUITO mais importante do que o modo COMO ele fez ou disse!

OS PRIMÓRDIOS DA MÚSICA
– E DA LETRA!

A criança humana emite ruídos variados desde o nascimento. Há evidências de que mesmo dentro do útero ela faz movimentos com o aparelho respiratório, algo assim como soluços, e que tais movimentos contribuem para a formação do pulmão, para a expansão gradual da árvore traqueobrônquica.

A espécie *Homo sapiens* é capaz de emitir um número considerável de sons diferentes – basta considerar os fonemas de todas as línguas existentes...

Os etologistas dão grande valor a essa capacidade humana de emitir sons e, principalmente, à de imitá-los. É provável que, no passado, o bando primitivo de humanoides a se mover pela savana – planície quase sem árvores – se defendesse dos grandes predadores fazendo eco – ampliado! – de seus rugidos!

Essa habilidade começa do modo como estamos descrevendo: na vida intrauterina. Os acompanhamentos minuciosos de Gesell mostram que a criança, a cada poucos meses, vai mudando os tipos de som que emite até alcançar, por volta do segundo ano de vida, o patamar das palavras inteiras.

Muito antes de *falar* a criança *vocaliza*, isto é, emite sons aparentemente sem propósito nem significado. Ao longo de todo esse tempo ela está treinando a modulação do aparelho emissor da palavra; esse brinquedo leva aos poucos a um verdadeiro domínio da modulação do som – *e da modulação da respiração.*

A criança que vocaliza está aprendendo – pelo som que ouve – a controlar a respiração voluntariamente.

É muito evidente também este outro reparo, que não vi comentado: *crianças que ainda não sabem falar imitam a música das frases dos adultos próximos.* Elas fazem uma algaravia paralela da pauta musical do adulto: não há articulação, mas a vocalização por vezes é perfeita, ouvindo-se com facilidade o *tom* de zanga, o *tom* de chantagem emocional, o *tom* de ameaça, de teima, de pergunta e outros. A criança *canta* a fala dos próximos.

A mais, e na mesma direção: quando um adulto se propõe aprender a cantar uma música, aprende *primeiro* – e mais depressa – a música propriamente dita e só *depois* vai decorando a letra.

Do nascimento aos 2 anos a criança prepara, portanto, o instrumento musical que a partir de então começa a se pôr a serviço da palavra – da comunicação verbal com o outro. Porque, até aí, bem se pode dizer que a criança, nos muitos sons que produz, está muito mais se divertindo ou brincando do que fazendo alguma coisa. É claro também que esses sons se misturam com mono ou dissílabos já significativos, e que todas essas coisas se sobrepõem extensamente – tornando precária qualquer distinção de *fase* de desenvolvimento.

A audição do som que eu emito me dá um retrato perfeito da *forma da respiração* que produziu o som (*biofeedback* natural).

OS MANTRAS E A CANTORIA

O melhor *feedback* para a respiração é o som que nasce dela. Creio que os famosos mantras dos hindus são pautas musicais para que se aprenda a respirar de muitas maneiras – *dentro* de posições determinadas (ássanas) e ao longo de ou junto com muitas ações diferentes. Cada tipo de ação e de posição exige um modo especial de respirar. O aparelho respiratório é uma vesícula flutuante *dentro* da – incluído, circunscrito na – postura global, e bem no centro da postura de ação (anel toracobraquial de Reich).

Isso nos permite compreender a vocalização de povos primitivos; falo de cantorias de africanos, dos nossos índios e de muitos outros povos que podem ser vistas/ouvidas em documentários cinematográficos ou de TV. A maior parte das sonorizações das tribos primitivas é composta de vocalizações e não de palavras. As cantorias do pajé, por exemplo, não foram feitas para dizer o que quer que seja. São música e ritmo – sua inteligibilidade pouco importa.

De autoridade idônea ouvi em conferência, muito tempo atrás, que certa escola antropológica russa desenvolvia a tese de que a palavra humana nascera do canto.

Primeiro havíamos aprendido a cantar – e *depois* a falar.

Os elementos que estamos apontando podem-se somar à proposta dos antropólogos russos sobre a origem mais do que obscura da fala no homem.

A maior parte dos povos tribais *canta quando trabalha coletivamente.* Função óbvia da cantoria é *sincronizar* os movimentos do grupo – o que é essencial em tarefas comunitárias como carregar e remar canoas, levantar cumeeiras, puxar rede.

Em segundo lugar, marca o *modo respiratório adequado* dentro da movimentação que está sendo feita. Se temos uma cantoria estabelecida para um conjunto de movimentos conhecidos, ela certamente governará a respiração *durante* o ato, e poderemos executá-lo durante muito tempo sem sentir falta de ar. Lembremos: ao começar a agir, com demasiada frequência *deixamos de respirar.* A cantoria evita essa falha.

Seria de esperar nas terapias que as pessoas, depois de algum tempo, começassem a fazer e cada vez fizessem mais sons desconexos durante a análise. Aqui também, segundo o ensinamento de todos os mestres, antes de começar é preciso desmanchar; é preciso desmanchar toda a semântica falsa que nos confunde e criar toda uma nova maneira de falar. Qualquer pessoa que comece a exprimir problemas de matrimônio em termos familiares vai acabar nas insolvências familiares – nem mais nem menos! Se ela colocar a questão do jeito de sempre, ela vai ficar como sempre.

Se a filha for falar com a mãe sobre suas dificuldades conjugais, nove vezes em dez ouvirá de volta: "Filha, casamento é assim, paciência. Homem é assim..." (*Todos* os conselhos que as pessoas dão sobre problemas de família são um só: *Aguente!*)

Reaprender a falar é uma das funções básicas de qualquer psicoterapia.

Sobre essa deficiência específica – o paradoxal descaso da psicanálise pela psicanálise da vocalização e da verbalização – enxertou-se toda a terapia pelo grito primal, que explora a capacidade humana de vocalização. Não duvido que ela permita às pessoas experimentar emoções profundas e variadas. Voltaremos ao assunto.

Se as pessoas conseguissem recompor em grupo um pouco dessas vocalizações primitivas, é bem provável que experimentassem, com isso, emoções profundas de solidariedade afetiva. Quem canta em coro experimenta tal emoção. Pode-se, nesse caso, dizer que o grupo se sente, de fato, vibrando em uníssono. Não creio que a palavra possa levar as pessoas a esse estado. Só mesmo a vocalização, o grito, o canto ou a cantoria.

RACIONALIZAÇÃO E INTELECTUALIZAÇÃO: QUANTO MAIS PALAVRAS, MENOS EMOÇÃO

Quanto mais palavras ponho no fluxo aéreo – expiratório – dos pulmões, mais estou interrompendo o som contínuo que era o emocional.

Se, muito enraivecido, eu der dois ou três berros com vontade, posso acalmar-me em dois ou três minutos; se eu não conseguir dar os berros, vou ficar falando comigo ou com alguém durante muitos minutos ou horas a respeito daquele assunto.

Os grandes ventos, os grandes sopros pulmonares que não saíram como expressão da minha fúria e da minha força, demoram depois muitas horas para sair, à custa de mil e um microjatos verbais.

Quero novamente assinalar aqui minha estranheza com a psicanálise. O instrumento primário – na verdade, o único instrumento perceptível da psicanálise – é a palavra. Acho surpreendente que não tenha vindo ainda, da psicanálise, nenhum estudo global profundo sobre o tom da voz e quanto ele serve à emoção, ou um estudo sobre a psicanálise do aprendizado dos sons e da fala.

O ponto comum a essas duas omissões inexplicáveis é a respiração, que faz os sons, que fazem as palavras. A psicanálise esqueceu a respiração e assim não entende nem pode entender seu instrumento. Estamos propondo aqui – e em outros lugares exploramos muito o tema – uma psicanálise da respiração, da vocalização e da verbalização. Um exame das origens, isto é, das situações originais em que a pessoa foi aprendendo a emitir sons, depois a articular palavras, depois a falar.

Existe uma escola de psicoterapia derivada da linguística, denominada semântica, que ensina as pessoas a falar: treino sistemático e implacável de só dizer *aquilo que eu sei bem o que é*; o que eu não sei bem o que é fico esperando até conseguir dizer bem.

Há quem defenda a ideia de que a incompreensão humana é uma fatalidade irremediável. A demonstração é esta: é claro o sentido das palavras que designam objetos por demais familiares – parede, mesa, prato, vento, árvore, morro (os substantivos concretos). Mas o sentido das demais palavras depende estritamente do ambiente onde o indivíduo se desenvolveu – seu ambiente do lar e da infância. Sempre que ele fala de morte, de saudade, de justiça, de direito, de reivindicação, de liberdade, de amor, de ódio, estará fatalmente circunscrito ao que *sentiu em si*, mais aquilo que possa *ter visto* em torno de si. Ele terá sempre uma dupla percepção do sentimento humano. As subjetivas (sensações internas já experimentadas) e as objetivas (cenas visuais): os outros como atores e ele como espectador. Em tudo que não seja substantivo concreto, estaremos sempre falando de nós mesmos, e somente de nós mesmos. O outro estará sempre fazendo a mesma coisa. Portanto, estaremos sempre falando sozinhos. Talvez se possa resumir assim: o que se espera que as pessoas percebam é que as palavras não querem dizer absolutamente nada. Isto é, nada de fixo, estável, definido, certo, determinado e para sempre.

A psicanálise pode ser tida como método linguístico de ressemantização. O indivíduo, durante o processo, aprende a *falar de si* de modo adequado. Antes falava de si como os outros falavam dele, e nesse falar de si como os outros falariam vai uma despersonalização, um julgamento e uma conclusão do tipo "Eu SOU assim" em vez de "eu FAÇO assim".

A DANÇA DOS GESTOS FAZ PARTE DA CONVERSA

Voltaremos muitas vezes a essa ligação inevitável – coletiva, dada – entre o fraseado e o gesticulado, entre a conversa

1) como som articulado, e suas ligações
2) com a música da palavra ou da voz, e
3) com a dança dos gestos.

AS TRÊS SÃO RIGOROSAMENTE CODIFICADAS
EM TODOS OS UNIVERSOS SOCIAIS CONHECIDOS.
No entanto, achamos que só a palavra é constante. Não fazemos só, nem principalmente, troca *de ideias*; no diálogo, fazemos uma dança que pretende mudar a POSIÇÃO do outro, crendo que esse é o único modo de *fazê-lo ver de outro modo.* Se ele não mudar de posição, continuará vendo do mesmo jeito. Meu trabalho de persuasão, portanto, é também uma dança – e uma luta – para que ele *mude de posição!*

OS OPOSTOS DIALÉTICOS DO FALADOR: O AGENTE E O BAILARINO

Ao falador oponho o *agente* e o *bailarino*. O agente quando atuamos de modo eficaz, organizado e rendoso (trabalho); o bailarino quando nos exprimimos, quando somos atuados por afetos, temores, desejos. O agente é o homem da ação e do trabalho, da COORDENAÇÃO MOTORA EFICAZ.

O bailarino é o emocional, o dramático e o que brinca – o que dissipa energia disponível e ensaia-descobre novas formas.

A psicanálise esqueceu um dos prazeres mais altos da vida, que é a tarefa executada com precisão, eficiência e controle da situação. Por exemplo, pilotar um avião a jato, dirigir uma empresa, organizar uma pesquisa ou um livro com habilidade e inteligência. O prazer da organização é o prazer específico do ego – e de muitos modos seu mais legítimo prazer.

Com base em quanto venho expondo, tenho para mim que a ORGANIZAÇÃO (dinâmica) é o MESMO que coordenação (motora).

Entre o controle de dominação (poder) e o controle necessário, a diferença é por vezes difícil de estabelecer. Podemos dizer, por exemplo, que o piloto *manda* no avião, faz *o que quer*, controla o aparelho. Mas essa é a visão ingênua, cinematográfica, novelesca – heroica! Ainda que *mandando* no avião, ele tem de *obedecer* a todas as propriedades do vento e dos comandos, senão não voa – e se machuca. O controlador, portanto, é sempre controlado também. Se nos dermos conta desse ciclo de retorno do controle, resolveremos simultaneamente duas questões: primeiro, eliminamos de vez todo o ranço e toda a maldição que pesa sobre o termo e a função chamada autoridade (hoje mais chamada de *poder*). Quase sempre que se fala em autoridade, o que se está comentando são abusos de autoridade – principalmente as coisas que a autoridade faz sem levar em conta as pessoas a ela subordinadas. Hoje, a oposição oprimido/opressor está na moda, e aceita-se implicitamente que o opressor detém TODO o poder – que ele pode literalmente fazer O QUE QUER sem limites nem oposição.

Tal noção é descabida. Se nos dermos conta de que toda autoridade em maior ou menor grau é controlada pelo subordinado, começaremos a pensar outras coisas em relação ao autoritarismo, à manipulação de pessoas pela propaganda, ao uso do poder e outras coisas afins.

Os estudos de *biofeedback* mostram que não há no organismo autoridade absoluta; que cada ação orgânica é determinada pelo interesse e pela influência de todas as partes do corpo. Não há no ser vivo o que seja *mais importante* de modo absoluto ou permanente. Mais importante é aquilo que está faltando agora e aquilo que está aqui. Se estou com sede ou se estou fortemente premido pela necessidade de urinar, não consigo pensar em outra coisa. Nem o maior filósofo ou o maior santo conseguiria afastar-se dessa sensação de carência ou de pressão. No organismo não há nenhuma autoridade absoluta – nem no sentido de autoridade que é sempre autoridade, sempre a primeira, sempre no trono; nem no sentido de autoridade que faz o que lhe dá na cabeça, ou seja, arbitrária.

A COURAÇA MUSCULAR E O PODER

O principal da patologia da couraça muscular do caráter depende precisamente de ela não obedecer a nenhuma dessas duas propriedades das organizações vivas. *A couraça muscular do caráter é autoritária e pouco sensível ao* feedback, *porque consegue de algum modo diminuir ou anular todos aqueles estímulos que poderiam comprometer seu funcionamento.* Ela torna a pessoa pouco sensível às correções de retorno, à percepção dos efeitos do que a pessoa provoca no outro. O ressentido crônico, por exemplo, sabe ressentir-se muito bem, ressente-se depressa e frequentemente; escolhe, procura, acha ou relaciona motivos e razões para ressentir-se, aconteça o que acontecer, seja qual for a pessoa ou a situação. É um especialista em ressentir-se.

Quando existindo em seu ressentimento, se alguém tentar lhe mostrar fatos ou aspectos positivos da situação, encontrará, *no próprio ressentimento, o mecanismo que anula a influência de retorno*. Em vez de atentar para o outro e ver se o que lhe apontam é plausível ou não, a pessoa recebe o reparo como uma espécie de agressão de desprezo ou de pouco caso e... ressente-se disso!

É desse modo que um traço dominante de caráter se autoalimenta, se autodefende e se autoperpetua constantemente. Por isso ele – o modo de ser – acaba autoritário, de algum modo absoluto e tirânico. Por isso mesmo é difícil muitas vezes alcançar esse tirano – *pelo seu profundo isolamento em relação a todos os demais elementos da personalidade e da realidade*.

COURAÇA MUSCULAR DO CARÁTER E CARMA

Um dia eu vi, no rosto de uma criança distraída, a expressão de uma mulher de 45 anos, cansada, desiludida e gasta – sua mãe, com certeza. No momento seguinte ela olhou para mim e voltou a ter 5 anos. Depois de ver a primeira vez, comecei a ver muitas vezes, em muitas crianças. Fiquei por demais impressionado com a metamorfose; mas fiquei impressionado sobretudo com a "alma" da mãe que já possuía a alma da filha. Todos os problemas emocionais da ancestral – todo seu sofrimento – passaram para a filha por meio da identificação VISUAL da menina com o rosto da velha mãe. Tenho certeza de que é assim que se faz a transmissão "cultural" das insolvências emocionais de cada geração para a seguinte.

Dizia Leboyer em *Nascer sorrindo*[22] que os adultos deveriam olhar para as crianças com muito cuidado, porque seus maus sentimentos podem prejudicá-las.

22 LEBOYER, Frederick. *Nascer sorrindo*. 8. ed. São Paulo: Brasiliense, 1982.

Enfim, crianças saudáveis cuidam muito do próprio olhar – de para onde olham; não olham para qualquer um, olham durante tempos bem diferentes para este ou aquele, desviam muito segura e deliberadamente o olhar quando não querem ver. Seria importante NÃO DESTRUIR essa defesa da criança. Seria bom não chamar constantemente seu olhar (sua "atenção") e deixá-la olhar para onde quisesse, quando quisesse e quanto quisesse.

O CENTRO DE GRAVIDADE

Examinemos a relação entre o centro de gravidade do corpo e

O *SELF*

O *TAO*

O CENTRO

O EIXO

O SUPEREGO

O *HARA*.

O conceito de centro de gravidade dos corpos, em geral, é uma projeção da percepção interna desse mesmo centro, como se vê pelas propriedades – idênticas – de ambos os conceitos. O centro de gravidade do corpo:

• não tem localização fixa – conforme a configuração, a posição e os movimentos do corpo em cada momento, tal será a posição do centro de gravidade;

• não tem nenhum substrato anatômico, nenhum "ponto" ou "lugar" concreto do qual se possa dizer que seja o centro – tal característica decorre, aliás, da precedente;

• o centro de gravidade não tem lugar de projeção cerebral certo – não há um centro nervoso, dito de outro modo, que responda por ou que represente o centro de gravidade;

• se a pessoa engorda ou emagrece, a posição do centro de gravidade muda;

• se a pessoa está sentada, há um centro de gravidade para o conjunto tronco-cabeça-braços e outros dois, um para cada perna (inteira). Falo, no caso, da compreensão mecânica da posição ou dos movimentos que são feitos a partir dela.

O centro de gravidade do corpo é pois totalmente IMATERIAL.

Ele não existe em forma concreta nenhuma; ele é, na linguagem simbólica tradicional, inteiramente

ESPIRITUAL

"sem peso" e, pois – e de novo –, sem matéria nenhuma.

No entanto, esse ponto mágico é a referência obrigatória de todos os nossos movimentos. Nesse sentido, ele é uma realidade muito poderosa e importante; na verdade, é a garantia primeira de toda eficácia e, assim, de toda a sobrevivência de qualquer animal. O centro de gravidade e o eixo de movimento que passa por ele, ou que com ele se relaciona, mostram propriedades ainda mais mágicas se considerarmos o corpo todo em movimento.

Cada segmento móvel do corpo (mão, antebraço, braço, pé, perna, coxa, metade inferior do tronco, metade superior do tronco, cabeça) tem um centro de gravidade, desde que pesa e que goza da propriedade de mover-se com certa independência em relação ao conjunto de que faz parte.

Somos, dito de outro modo, um boneco multiarticulado. Se suspendermos um boneco multiarticulado, digamos, pelo alto da cabeça; se imprimirmos ao cordel suspensor rotações rápidas, veremos o boneco fazer movimentos que, se fossem feitos pelo nosso corpo, levariam a lesões graves, arrancamentos, estiramentos ou dilacerações sérias: só não aconteceria assim se o movimento ficasse aquém de certa velocidade crítica, além da qual começariam as lesões.

Conosco, porém, pode acontecer diferente; se em alta rotação eu me *arrumar com jeito*, poderei mover-me sem perigo. Digamos de outro modo: todos os nossos movimentos são PENDULARES, visto que cada segmento do corpo se move ou gira em relação a um eixo (ou a vários eixos); ou combinamos adequadamente essas oscilações ou elas gerarão batimentos, isto é, choques desarmônicos, potencialmente perigosos para a integridade de nosso aparelho de movimento.

Além dos momentos de inércia das partes do corpo, temos os momentos de inércia resultantes – relativos ao CORPO TODO quando em movimento; trata-se, então, de COMBINAR vários momentos de inércia (tangenciais, ou circulares) para que a movimentação se faça sem choques. Se examinarmos quantas rotações parciais ocorrem no corpo de um futebolista quando ele chuta a bola, ficaremos impressionados com o número de giros que é preciso combinar nesse movimento unitário aparentemente simples.

Logo, nossos eixos são muitos e não um só – são um para *cada instante* do movimento; nossos eixos de movimento – mecânicos – são muitos e difíceis de achar; são, como o centro de gravidade, inteiramente virtuais, sem nenhum substrato material a lhes emprestar realidade, sem nenhum substrato nervoso, variáveis na posição a cada momento. No entanto, quando esses eixos não estão no lugar o movimento fica mais ou menos seriamente prejudicado, será malfeito, incômodo, ineficiente, custoso ou, no limite (altas velocidades), perigoso.

Aí temos os dois substratos mais importantes de todos os nossos movimentos, as duas realidades mais importantes em tudo que fazemos, as duas realidades mais importantes para a sobrevida dos animais, em suas lutas e carreiras de sobrevivência.

Repetindo e variando:

TODOS
os nossos movimentos e posições se
organizam em torno de centros e eixos
MECÂNICOS,
cujos equivalentes psicológicos são
o centro e
o eixo
da personalidade.

O fenômeno mecânico é o centro organizador da consciência.

Podemos exprimir essa mesma ideia pensando em termos de conflito, de oposição dialética; somos "feitos" de oposições mecânicas; como vivemos na vertical e oscilando em torno dela, desenvolvemos a habilidade de combinar forças opostas; como bípedes, nossa dimensão vertical é – em confronto com nossa base – muito maior que a dos quadrúpedes. Nosso equilíbrio é incomparavelmente mais instável que o deles. Em nós, os conflitos são mais acentuados e críticos; se nos colocamos mal em relação ao equilíbrio, perdemos muito de nossa eficácia e, se estivéssemos em luta de sobrevivência, poderíamos ser vencidos.

O centro é centro de gravidade e, ao mesmo tempo, centro ao qual se referem todas as tensões musculares opostas, atuantes a cada instante; essas tensões são, *ao mesmo tempo e no mesmo ato*, oposições de intenções (de metas, de propósitos, de motivos, de impulsos, de desejos). Quem NÃO acha o centro oscila muito ou é levado; quem se coloca "sobre" o centro – quem está centrado – se mantém em pé *pela força de seus conflitos*. Essa é a diferença entre o centrado e o... excêntrico.

Os dois – centro e eixo – são completamente imateriais, como o *self*, como o *tao*, como o *hara*, como o superego.

São, todos, a MESMA realidade – e a MESMA noção.

De onde se conclui que aparelhos mecânicos capazes de facilitar a busca – de apurar a sensibilidade – podem contribuir apreciavelmente para facilitar no mesmo ato *a integração da personalidade*. Desenvolvemos essa ideia e alguns dispositivos mecânicos para esse fim no livro *Organização das posições e movimentos corporais*.[23]

---

23 GAIARSA, J. A. *Organização das posições e movimentos corporais – Futebol 2001*. 3. ed. São Paulo: Ágora, 1984.

5

COMO VOLTAR A SER CRIANÇA

TÉCNICA COLETIVA NÃO VERBAL DE DESENCOURAÇAMENTO CARACTERIOLÓGICO

A técnica pode ser usada coletivamente, mas serve igualmente bem ao indivíduo. A realização sistemática dos exercícios – três vezes por semana no mínimo – tem excelentes probabilidades de se mostrar mais eficaz do que qualquer outra técnica de análise do caráter; uma vez conseguido o desencouraçamento, espera-se que a técnica tenha se tornado parte da vida da pessoa, garantindo a permanência dos resultados.

A declaração poderá parecer pretensiosa ou descabida para muitos dos que se aprofundaram nos textos reichianos da análise do caráter, que lá aparece como uma estrutura muito complexa e portanto – mas esse portanto é falso – impossível de se resolver com meios simples como esse, uma sequência de movimentos bem simples realizados com respiração contínua. Uma reconsideração dos elementos essenciais do encouraçamento nos mostrará, se de fato acreditamos na síntese teórica, que os exercícios são a resposta exata para o problema.

Vejamos – resumindo e repetindo o que ficou exposto e proposto ao longo de todo este livro.

Neurose é BIOPATIA: perturbação mórbida de TODO o
sistema vivo. Indica
ENCOLHIMENTO: contração, primeiro muscular
(a reação mais rápida),
logo seguida da retração vegetativa (falta de contato) e, com
repetição da agressão ou da frustração,
da gradual proliferação

do tecido conjuntivo e redução do metabolismo local pela restrição circulatória. As áreas mais seriamente encolhidas se tornam concreta, fisiológica e biologicamente menos ativas, tendendo para a degeneração celular hipóxica (baixa oxigenação crônica, mais acúmulo de metabólitos de excreção).

Se conseguirmos reativar TODAS AS PARTES do corpo, teremos excelente probabilidade de fazer regredir e eventualmente normalizar o organismo.

Consideremos outras definições da neurose para verificar que todas elas se sobrepõem em maior ou menor extensão.

Neurose é CONTRAÇÃO (muscular) e CONTRA-AÇÃO psicológica.

Ou seja: o neurótico nunca faz o que deseja, mostrando, de regra, "querer" o contrário do que pretende; em vez de, como criança saudável, "se inclinar" para o que lhe apraz, ele *recua* em relação ao objeto desejado – mostra não querer, não fazer questão ou, no mínimo, se assusta com ou teme muito o que deseja.

Todas as contrações neuróticas, na medida em que se repetem, se integram à postura e ao sistema de equilíbrio do corpo, com o que a "cura" (o desencolhimento) se torna cada vez mais difícil; sempre que surge a oportunidade de descontrair, ele se sente ameaçado de queda – e se segura imediatamente. (Na verdade, ele é *segurado* pelas reações posturais, muito mais velozes do que o querer deliberado e mais velozes, inclusive, do que a percepção consciente.)

Outro fator pesado de reforço constante do modo de ser neurótico é que ele concorda sempre com os preconceitos do mundo em que o neurótico se formou e, portanto, tudo que ele faz (contra si) é "certo", "normal" – até digno de elogio e admiração. A mais, e na certa não menos importante, a neurose goza (ou sofre) dessa propriedade sobremodo infeliz: ela tende a gerar em torno da pessoa reações complementares que verdadeiramente se engrenam entre si. (Freud chamava essa engrenagem de "vantagem secundária da neurose". A vítima "chama" pelo algoz ou pelo salvador.) O último modo como a neurose tende a eternizar-se é pela restrição da percepção e por vezes

da compreensão; tudo que se opõe à neurose (tudo que poderia curá-
-la) NÃO É PERCEBIDO – ou tende a não ser percebido.

A neurose (a couraça muscular do caráter) é um CONTRA-IR.
Quando se põe a neurose no corpo em vez de "no inconsciente", nos
automatismos MOTORES e não nos "complexos psíquicos", nas intenções
(em tensões) em vez de nos afetos ou fantasias inconscientes; quando
se faz essa transposição, caímos na segunda característica somática da
neurose: como toda couraça é uma soma, maior ou menor, de tensões
musculares, ela acaba afetando sempre a respiração; um tronco contraído na retenção dos afetos ou dos movimentos desejados na certa restringe a respiração, que é, em sua essência mecânica, uma EXPANSÃO
deste mesmo tronco.

Contração e hipoventilação pulmonar – as duas características
orgânicas fundamentais da neurose, quando se a percebe e considera
na PERSONALIDADE INTEIRA, e não apenas ao nível da verbalização.

Nesse contexto, como se poderá saber o que é SAÚDE? Saúde é o
contrário da neurose. É:

- ESTIRAMENTO MUSCULAR (o contrário da contração); e
- VENTILAÇÃO (respiratória) livre, ou respiração intensificada (vida
  intensificada).

Estiramento ou alongamento muscular é todo movimento que leva
passivamente alguns músculos a suas dimensões máximas. É o contrário da contração, que é centrípeta, tende a trazer a parte para junto do
corpo. Alguns músculos: porque, dada nossa organização muscular em
pares ou conjuntos de músculos de ação contrária (extensores-flexores,
adutores-abdutores etc.), a contração de um grupo leva ao estiramento
do grupo antagonista.

DESDE QUE ESSE GRUPO ANTAGONISTA NÃO SE CONTRAIA TAMBÉM,
opondo-se assim ao estiramento. O alongamento pode ser feito pela
própria pessoa, por outra, por outras ou por dispositivos mecânicos
– como é fácil imaginar.

NÃO EXISTEM NEM É PRECISO QUE EXISTAM EXERCÍCIOS ESPECIAIS
DE ESTIRAMENTO; o estiramento é um MODO de movimento; qualquer

exercício pode ser feito de modo estirado ou de modo contraído (com tendência centrípeta ou centrífuga, com ou sem tensão simultânea dos antagonistas).

O estiramento, conforme o usamos em nosso esquema, aparece sob dois aspectos:

- sempre que se estira um membro inteiro, o movimento deve ser feito como se às suas extremidades estivessem amarrados cordéis que PUXAM o movimento sempre para LONGE do corpo, sempre centrífugo, "buscando" lá longe...;

- quando os movimentos estão localizados em juntas menores (dedos, punhos, tornozelos), para estirar os músculos próximos será preciso fazer movimentos amplos, até o limite dos batentes articulares (até que o movimento não possa mais continuar). No tornozelo, por exemplo, levaremos o pé até sua *flexão* máxima (estiramento dos *extensores*) e depois até sua *extensão* máxima (estiramento dos *flexores*).

O exercício deverá – parece óbvio – pôr em ação (estirar) TODOS os músculos do corpo.

A RESPIRAÇÃO, por sua vez, deverá ser

- CONTÍNUA;
- INTEGRADA AO MOVIMENTO; e
- COM EXPIRAÇÃO COMPLETA.

Ela deverá

ser *ouvida* como um Haaa!

PROLONGADO,

SUAVE,

"ATÉ O FIM" (da expiração).

É a respiração que, na falta de melhor nome e seguindo o costume, chamaremos de bioenergética. O "ir até o fundo" é essencial; tudo indica que, quando a expiração NÃO vai até o fundo, a pessoa NÃO ENTRA EM CONTATO COM SEUS SENTIMENTOS e o exercício se faz apenas mecânico – automático. A respiração, como está na etimologia (espírito é vento e alma é hálito), é o que dá alma ao movimento, o que dá expressão, sentido vivo. A integração da respiração aos movimentos é fundamental, mas não é fixa; cada pessoa, em princípio, poderá ajustar a respiração a seu gosto ou capricho, mas é essencial que haja respiração SEMPRE.

O exercício pode durar de uma a duas horas – não menos. Começo fazendo a ativação dos músculos respiratórios durante 15 a 30 minutos; depois entram os movimentos com todos os músculos do corpo. Para facilitar a compreensão da sequência, vou escrever o texto na forma como costumo instruir as pessoas para que a realizem. Quem queira gravar este texto terá a instrução pronta para ser executada. Após cada instrução será dada uma pausa de silêncio, durante a qual a pessoa executará os movimentos. *A duração dessa pausa nunca deverá ser maior do que 30 segundos.* O fato de se dar instrução a cada 30 segundos, ou menos, contribui muito para que os executantes não se distraiam – não automatizem o movimento.

A instrução dos exercícios obedece a todos os critérios estabelecidos por mim para que a movimentação corporal tenha valor psicológico (de transformar a personalidade.) O ideal é que cada participante disponha de aproximadamente quatro metros quadrados de espaço próprio. Alguns dos exercícios exigem espaço para ser feitos com liberdade.

PERÍODO DE ATIVAÇÃO DOS MÚSCULOS RESPIRATÓRIOS

Deitados no chão, de costas.

"Vamos tomar um primeiro contato conosco mesmos; arrumem o corpo como ele quiser, sintam o contato com o chão. Sintam se alguma peça de roupa incomoda ou aperta, cintos, sutiãs, colares... Vamos perceber a respiração como ela está se fazendo aqui e agora; não interfiram com ela, não façam nada com ela – sintam apenas... Agora vamos levantar os joelhos e assentar a planta dos pés no chão. Mantenham as pernas *paralelas* – nem juntas nem abertas. Vão subindo os calcanhares na direção do traseiro até sentir que a coluna lombar assenta no chão...

Tragam o queixo para o peito e depois soltem o pescoço. Vamos respirar algumas vezes enchendo bem o peito, lentamente, e cuidando sempre de manter a coluna lombar colada ao chão; não se preocupem com a barriga – vamos enchendo bem o peito como se a gente fosse uma pessoa muito orgulhosa... Com o peito cheio, paramos uns instantes e depois soltamos tudo – como criança que se solta num escorregador... Ao soltar o ar vamos tornar audível a expiração como um Haaa longo, suave e que vai até o fundo... Ao mesmo tempo que esvazio o peito vou relaxando e me entregando e me soltando... (quatro a seis movimentos). Agora vamos entrelaçar os dedos das mãos e formar com eles um barrete para a cabeça... As palmas das mãos ficam cobrindo o alto da cabeça... Agora vamos lentamente encher o peito até em cima – o mais que pudermos, com jeito – e sem que nada doa. Quando o peito já estiver cheio, vamos puxar a caixa torácica para cima como se os cotovelos fossem se afastando cada vez mais do corpo... No limite do movimento vamos parar e contrair ao máximo todos os músculos dos ombros e do tórax que já estão contraídos... Vamos parar assim alguns segundos e depois, MUITO LENTAMENTE, afrouxar a tensão e em seguida esvaziar o tórax... Não é bem um exercício respiratório, mas um trabalho de avivar e congestionar todos os músculos inspiratórios... Depois de esvaziar, respiramos livremente algumas vezes até retomar o ritmo respiratório e em seguida repetimos o movimento e a tensão máxima dos músculos inspiratórios... Mais uma vez ainda, peito bem cheio, músculos todos puxados pelos cotovelos, bastante, bastante, bem contraídos e depois, MUITO LENTAMENTE, soltando, soltando, soltando... Agora, com calma e vagar, vamos sentar, achando o caminho mais fácil para isso, o que exige menos esforço... Sentados, pernas cruzadas, mãos apoiadas nos joelhos, *cotovelos retos*; se não der certo, apoiem as mãos *no chão, junto dos joelhos*, mas é essencial que os braços fiquem retos, apoiando o tronco inclinado no chão. Deixem pender a cabeça completamente. Agora vamos esvaziar o peito AO MÁXIMO, até o fundo, e segurá-lo aí alguns momentos, fazendo força adicional nos músculos já contraídos, esforço máximo, firme, mas macio e sempre sem se machucar, sem exigir nada de absurdo de si mesmo. Contração máxima mantida de todos os músculos expiratórios. Então soltamos PRIMEIRO os músculos muito contraídos e DEPOIS a inspiração – BEM LENTAMENTE... Vamos repetir... Mantemos a posição mas voltamos a face para cima o mais que pudermos – sempre sem se machucar; nessa nova posição repetimos o esforço de esvaziar o peito até o fundo, reforçar a tensão dos músculos expiratórios, segurar um pouco e depois, MUITO LENTAMENTE, vamos soltar primeiro a tensão muscular e depois o movimento inspiratório... Vamos repetir... Vamos deitar de novo, com calma, achando o caminho mais fácil... Agora vamos fazer o Feldenkrais respiratório, vamos fazendo enquanto eu digo. Encham o peito UM POUCO MAIS do que o comum... Vamos fechar a garganta e agora em um momento estufamos muito o peito e encolhemos a barriga. No momento seguinte estufamos a barriga e encolhemos o peito... Se quiserem, ponham uma mão sobre o peito e outra sobre a barriga para sentir melhor os movimentos... estufar a barriga e achatar o peito, estufar o peito e encolher a barriga... Vamos fazendo até faltar o ar. Aí paramos, soltamos o ar preso e respiramos algumas vezes livremente, e logo enchemos o peito um pouco mais do que o comum, fechamos a garganta e repetimos o balanço do peito e da barriga... Movimento cada vez mais redondo, lento e bem percebido, sem choques, sem esforços duros, bem líquido – como se o tronco fosse uma banheira e como se o movimento fosse o de uma onda líquida que vai e que vem, que vai e que vem, bem redondo... Vamos fazendo... Estufando bem o peito, encolhendo bem a barriga, depois achatando bem o peito e estufando bem a barriga, sempre bem redondo, sem choque, sem forçar com dureza, procurando o mais fácil, o ritmo melhor, o balanço mais fácil, o que vai quase sozinho... Cada um fará pelo menos três vezes a sequência... Sempre com calma e sempre sentindo cada esforço, vamos ficar de bruços – achando o caminho mais fácil, mais indolente, mais gostoso... Mãos uma sobre a outra, postas sob a face, bem descansadas... E nessa nova posição vamos repetir o balanço entre o tórax e o abdome, estufando, encolhendo, bem redondo, bem amplo, bem líquido... Vamos fazer três vezes, respirando livremente nos intervalos, respirando livremente nos intervalos...

AUTOESTIRAMENTO SISTEMÁTICO

Vamos virar de novo de barriga para cima e sentar, sempre com calma e sentindo todos os movimentos. Agora vamos encostar na parede (ou ficar em pé, mas nesse caso teremos um apoio para as mãos – o que facilita a manutenção do equilíbrio). Sentados de costas contra a parede, nádegas encostadas nela, coluna tão encostada contra a parede quanto possível – sempre sem se violentar, queixo no peito, face olhando bem em frente... mãos apoiadas no chão, ao lado das nádegas... Vamos começar a nos mexer. Primeiro, flexão e extensão dos dedos dos pés, simultânea dos dois lados; dedos bem para cima num momento e bem para baixo no seguinte... quando sobem, os dedos também se abrem o mais que eles podem; quando descem se fecham, o mais que podem... Respirando... Dedos para cima, peito cheio, dedão para baixo, peito vazio. Movimento lento, bem sentido, puxado até seu limite... respirando sempre... dedão para cima, peito cheio; dedão para baixo, peito vazio – com respiração sempre audível, ar entrando pelo nariz e saindo pela boca, com um Haaa longo, suave, solto. Shhh (inspiração)/Haaa (expiração). Movimento respiratório bem sincronizado com os dos dedos... Não mexam os tornozelos, ou deixem que eles se mexam um pouco para não ser incômodo, mas que se mexam pouco, movimentos principalmente dos dedos dos pés... dedão pra cima, peito cheio; dedão pra baixo, peito vazio, movimento lento, bem puxado, com jeito e com gosto, de batente a batente... Shhh/Haaa... Shhh/Haaa... podemos ir parando... Agora vamos fazer a extensão e a flexão do pé – o movimento se faz principalmente no tornozelo... Deixem os dedos à vontade, mas seu movimento facilita o do tornozelo; extensão e flexão do pé... Respirando sempre... dedão pra cima, peito cheio, dedão pra baixo, peito vazio... Shhh/Haaa... Shhh/Haaa... Deixem ir até o fundo... o pé vai e vem sempre no mesmo plano, sem torcer nem desviar, estendendo... fletindo... Façam até começar a incomodar ou doer e aí parem, mantendo a respiração e a consciência da respiração, e começando a perceber a circulação que se anima, a sensação de calor nas pernas, a coluna reta colada na parede, queixo no peito...

Vamos para as mãos. Cotovelos junto do corpo, antebraços na horizontal, mãos bem abertas, palma das mãos para cima. Flexão e extensão dos dedos da mão; dos dedos, não do punho. Flexão e extensão dos dedos das mãos. Respirando sempre... Mão aberta, peito cheio, mão fechada, peito vazio... Shhh/Haaa... Shhh/Haaa... Quando abre, abre de tudo, bem estirado; quando fecha, fecha forte, estirando bem... Quando abre, afasta os dedos uns dos outros o mais que puder, quando fecha a mão, junta os dedos o mais que pode... abre e afasta... fecha e aproxima... abre e afasta... fecha e aproxima... Quando fecha, faz punho de soco, os dedos bem fechados e o dedão por cima... dedos fechados e dedão por cima... Respirando... mão aberta, peito cheio, mão fechada peito vazio... Shhh/Haaa... Shhh/Haaa... O punho pouco se mexe, só os dedos... Vamos fazendo até cansar, até começar a ficar difícil – ou ligeiramente doloroso – e aí paramos... Fazemos movimentos livres no local para aliviar a sensação de fadiga, mas sempre presentes à respiração, sentindo a circulação que vai se abrindo onde há movimento, que aquece o lugar dos músculos que estão trabalhando... Agora vamos fazer a rotação do punho – os antebraços na mesma posição, mas começando com a palma das mãos para baixo. Fechamos as mãos e começamos a rotação do punho... rotação do punho bem pelos extremos, de batente a batente articular... Rotação do punho com estiramento contínuo... bem para cima... bem para fora... bem para baixo... bem para dentro... Respirando... Mão para cima, peito cheio, mão para baixo, peito vazio... Respirando... Shhh/Haaa... Shhh/Haaa. Agora vamos INVERTER a rotação do punho... sempre respirando Shhh/Haaa... Shhh/Haaa... Girando o punho segundo seu círculo máximo, bem puxado para cima, bem puxado para dentro... para baixo... para fora... Respirando... mão para cima, peito cheio, mão para baixo, peito vazio... Até começar a cansar – e um pouco mais... Aí paramos e agitamos as mãos à vontade para aliviar a sensação pesada... sempre sentindo a respiração... o calor no local... a sensação crescente de circulação – de energia – que se vai ampliando... Coluna bem junto da parede, face bem para a frente, queixo no peito... Vamos fazer agora a provação e a superação do antebraço. Cotovelos junto do corpo, antebraços na horizontal, palmas das mãos para cima – posição de superação. Agora voltamos a palma das mãos para baixo (provação)... para cima (superação)... para baixo... para cima... o mais que der, tanto na ida como na volta... estirando bem... provação e superação... Respirando sempre... palma das mãos para cima, peito cheio... palma das mãos para baixo, peito vazio... palma das mãos para cima, peito cheio... palma das mãos para baixo, peito vazio... Shhh/Haaa... Shhh/Haaa... vamos fazendo até cansar... Aí paramos e movemos livremente mãos e braços, mas ficamos sempre atentos à respiração, ao calor que vai tomando conta do corpo, à circulação que se vai ativando...

Vamos voltar para os pés... voltar para os pés... Coluna junto da parede – sem se torturar! Face bem para a frente... queixo no peito... Provação e superação dos pés... giro dos pés segundo o eixo que vai do calcanhar ao dedão... Num momento, planta dos pés para fora, no outro, planta dos pés para dentro. Mas o eixo calcanhar-dedão não se desloca... Quando a planta dos pés fica para dentro, todos os dedos se recolhem, quando a planta dos pés fica para fora, todos os dedos se abrem... Respirando... planta dos pés para fora, peito cheio, planta dos pés para dentro, peito vazio... Shhh/Haaa... Shhh/Haaa... Planta dos pés para fora, peito cheio; planta dos pés para dentro, peito vazio... Vamos fazendo até cansar... até cansar... Aí paramos e fazemos movimentos livres para aliviar, mas sempre presentes ao que fazemos, à respiração, ao calor que se espalha... à sensação de energia crescente... Se sentirem tontura, se as extremidades começarem a formigar ou a ficar meio anestesiadas, não se preocupem – é o excesso respiratório... se der para aguentar, aguentem e continuem; se ficar muito incômodo, DIMINUAM a respiração... Ou parem um pouco de respirar – mas não parem de fazer os movimentos...

Vamos agora fazer a rotação do tornozelo... rotação dos dois tornozelos... dos tornozelos e não da perna toda... os joelhos pouco ou nada se movem... os joelhos não se movem... só os tornozelos... rotação dos tornozelos... dedão bem para fora... bem para longe... bem para dentro... bem para cima... dedão traçando continuamente seu círculo máximo... Respirando... dedão para cima, peito cheio... dedão para baixo, peito vazio... dedão para cima, peito cheio, dedão para longe, peito vazio... Shhh/Haaa... Shhh/Haaa... Os dois tornozelos girando... Vamos agora inverter a rotação... inverter a rotação dos tornozelos... ponta do dedão fazendo o círculo máximo... bem para cima – peito cheio... bem para dentro, bem para baixo – peito vazio... bem para fora... respirando sempre... Até cansar... Aí paramos, fazemos movimentos livres, checamos a posição da coluna junto da parede, queixo no peito, face para a frente... Voltamos ao tornozelo... pedalagem dos tornozelos... Quando um dedão está para cima, o outro está para baixo... de novo, flexão e extensão dos tornozelos, mas alternadamente... um vai e o outro vem... um vai e o outro vem... Respirando sempre... É um fio que puxa sempre o dedão e com ele segue o pé... o fio puxa sempre para longe durante o movimento todo... bem para cima quando é para cima, bem para o nariz quando é para cima... bem para longe quando é para baixo... um fio puxando cada pé pelo dedão... sempre para longe... sempre estirando... Respirando... Shhh/Haaa... Vamos sentir o tornozelo direito durante o movimento, que continua... atenção ao tornozelo direito... sentindo o tornozelo direito de olhos fechados... sentindo o tornozelo direito com os olhos fechados... sentindo... respirando... respirando... Até cansar... parar... mover livremente... presente à respiração... calor... circulação... energia crescente... formigamento nas extremidades... energia...

Voltamos para as mãos... mãos para cima, cotovelos meio dobrados, palmas das mãos para a frente... mãos abertas... Vamos fazer o afastamento e a aproximação dos dedos das mãos. Aproximação e afastamento dos dedos das mãos... firme... forte... bem afastados... bem aproximados... Respirando... dedos afastados, peito cheio, dedos juntos, peito vazio... dedos afastados, peito cheio, dedos aproximados, peito vazio... Shhh/Haaa... Shhh/Haaa... Vamos parando... vamos parando... Vamos fazer a oposição do polegar com todos os dedos... oposição do polegar... braços e mãos como estamos... mãos para cima, palmas das mãos para dentro... palmas das mãos para dentro... uma olhando a outra... polegar contra o indicador – aperta... expira... solta... inspira... polegar contra o médio... aperta... expira... solta... inspira... polegar conta o anular... aperta... expira... inspira... solta... polegar contra o mínimo... aperta... expira... solta... inspira – vamos de volta... polegar contra o anular... aperta... expira... solta... inspira... polegar contra o médio... aperta... expira... solta... inspira... polegar contra o indicador... aperta... expira... solta... inspira... Vamos repetir toda a sequência... polegar e indicador... médio... anular... mínimo... anular... médio... indicador. Movimentos livres de alívio... Respiração--circulação-energia.

Vamos agora para a flexão e a extensão dos antebraços – incluída no enrolamento e desenrolamento do braço todo. Vamos nos afastar da parede, sentar de pernas cruzadas... Cotovelos junto do corpo... antebraços na horizontal. Vamos levando os cotovelos para a frente e depois para cima – braços paralelos – até os cotovelos ficarem o mais alto que eles conseguem; quando os cotovelos chegaram lá, o peito está vazio de ar, os dedos estão todos dobrados – mãos fechadas e os punhos firmemente fletidos; vou voltando e enchendo o peito, passam os cotovelos junto do tronco e seguem para trás sempre paralelos, e seguem até que não dá mais para ir. Na posição terminal os punhos estarão de todo estendidos e os dedos também... e o peito cheio. Os braços, nesse exercício, se movem sempre em dois planos paralelos. Na ida os cotovelos vão o mais alto possível, com os cotovelos bem dobrados e as mãos bem junto dos ombros e bem enroladas sobre si mesmas. Na posição extrema oposta, os braços estão quase na horizontal, porém para trás, bem retos e com punhos e dedos de todo desenrolados... Respirando... cotovelos para cima peito vazio... cotovelos para trás peito cheio... Vamos fazendo, com cuidado, estirando bem... enrolando e desenrolando dedos, punhos, cotovelos e ombros... Até cansar... paramos... movimentos livres... respiração... circulação... calor... energia...

Vamos encostar de novo na parede... sentados... traseiro bem encostado no apoio... coluna encostada na parede... queixo no peito... pernas estendidas à frente... paralelas... pernas estendidas e paralelas – nem abertas nem encostadas... paralelas... Vamos fazer a rotação das pernas... das pernas e não dos tornozelos. A rotação das pernas se faz nas articulações coxofemorais e pode ser vista na ponta dos dedões, que giram bem para fora – vamos fazendo – e bem para dentro, dedões girando bem para fora e bem para dentro, perna rolando numa direção e na contrária... numa direção e na contrária... os pés ficam em ângulo reto em relação à perna... Respirando sempre... dedão para fora, peito cheio... dedão para dentro, peito vazio... uma vez um dedão passa adiante do outro e na outra vez ao contrário... rotação da perna vista no movimento do pé, que gira bem para fora e bem para dentro... respirando sempre... dedão para fora, peito cheio, dedão bem para dentro, peito vazio... respirando... Shhh/Haaa... Shhh/Haaa... pernas retas... pés perpendiculares às pernas girando bem para fora... bem para dentro... Até cansar...

Psoas... vamos trabalhar com o músculo psoas, importante em toda a estática postural. Sentados contra a parede, coluna colada, queixo no peito... pernas paralelas, dedão apontando para o nariz, dedão SEMPRE apontando para o nariz... pernas paralelas. Vamos levantar um calcanhar do chão... só um pouco... não precisa levantar muito... dedão sempre para o nariz... levantando uma perna do chão... sempre reta... sem dobrar... Respirando... Pé no ar, peito vazio... pé no chão, peito cheio... levantando uma vez um pé e na outra vez o outro, vamos fazendo... dedão sempre apontando para o nariz... pé no ar, peito cheio... pé no chão, peito vazio... basta levantar um pouco só... se for muito difícil afaste um pouco os glúteos da parede... vamos fazendo até cansar... paramos... respiramos... sentimos...

Vamos trabalhar o pescoço... Desencostem da parede dois palmos, pernas cruzadas confortavelmente... coluna bem reta e bem perpendicular ao chão, coluna bem reta e bem perpendicular ao chão... Mãos descansando sobre os joelhos, palmas das mãos sobre os joelhos... olhando bem em frente, mas mirando um ponto certo, o rosto de um companheiro... olhando como quem vê... face bem para a frente, olhos na horizontal. Vamos começar movendo apenas os olhos, com fixação da mirada no meio e nos extremos... olhamos para a extrema esquerda... para a extrema direita... Olho bem em frente... giro os olhos esvaziando o peito e olho para um lugar certo nesse extremo... volto com o olhar para o centro e olho para o companheiro em frente – enchendo o peito... vou com os olhos para a direita e no extremo volto a fixar – esvaziando o peito... Olhos no centro, peito cheio, olhos nos extremos, peito vazio... movimento dos olhos com fixação no meio e nos extremos. Cabeça imóvel, ombros imóveis... só os olhos se movendo na horizontal, com fixação e visão nítida bem em frente e nos extremos... olhos no meio, peito cheio, olhos nos extremos, peito vazio... Agora vamos começando a girar a cabeça também, MAS A CABEÇA SEGUE OS OLHOS... Os olhos levam a cabeça como se seguissem objeto que faz trajetória circular em volta da cabeça... os olhos levam, a face segue... de extremo a extremo – que agora ficou mais amplo... Respirando... Face para a frente, peito cheio... face nos extremos, peito vazio... respirando sempre... Shhh/Haaa... Shhh/Haaa... Ombros imóveis, usando as mãos nos joelhos como referência... ombros imóveis, cabeça girando para um lado e para o outro... sem inclinação nem torção, giro puro da cabeça levada pelos olhos... para a esquerda... para a direita... fixando no centro... fixando no extremo... Respirando sempre... centro, peito cheio; extremo, peito vazio... Agora vamos incluir os ombros no giro... os olhos levam a cabeça e a cabeça leva os ombros... até o extremo... rotação total da coluna levada pelos olhos... rotação total da coluna levada pelos olhos... fixando o centro e fixando os extremos... respirando sempre... peito no centro, peito cheio, nos extremos, peito vazio... podemos usar o apoio das mãos nos joelhos para forçar de leve a rotação da coluna... podemos usar o apoio das mãos nos joelhos para forçar de leve os extremos da rotação... olhos girando bem na horizontal... Agora vamos ficar em pé, soltar os braços, que seguirão passivamente os movimentos do tronco, e ampliar o giro até os quadris... respirando sempre... face no centro, peito cheio... face nos extremos, peito vazio... Mas agora os olhos não fixam mais nada... os olhos agora varrem o cenário de um extremo a outro... o cenário... Mas vejam se pouco a pouco vocês conseguem a ilusão de que é o cenário que está girando, e não a cabeça... é o cenário que gira e balança, não a cabeça... Balançando e girando o corpo molemente de extremo a extremo...

braços soltos... olhos varrendo o cenário na horizontal... ilusão de que é o cenário que gira, e não a cabeça... respirando sempre... face para a frente, peito cheio... face nos extremos, peito vazio... continuem o balanço e fechem os olhos... fechem os olhos e sintam a vertigem do giro... atentos ao equilíbrio. Vamos ao 007... continuem a fazer o que estão fazendo, mas vamos abrir os olhos outra vez... Quando giramos para a direita, ao chegar ao extremo, o braço ESQUERDO se põe na horizontal como se empunhasse um revólver e como se, ao localizar um inimigo bem atrás da gente, a gente apontasse o revólver e disparasse nele... giramos ao contrário e quando o corpo chegou ao extremo esquerdo, o braço direito "aponta diretamente para trás e "dispara" um tiro imaginário... vamos para a direita e damos mais um tiro... para a esquerda e novo disparo... respirando sempre... face para a frente, peito cheio... face nos extremos, peito vazio... Fazendo o giro máximo da coluna... em pé... coluna bem reta o tempo todo... pés afastados e joelhos ligeiramente dobrados... Vamos acelerar devagar esse movimento e fazer que pouco a pouco ele vá se tornando cada vez mais duro... giro forte... brecada forte... tiro seco... volto rápido, olhos varrendo o cenário... freio rápido... mais rápido... mais forte... mais rápido... mais forte... respirando sempre...

Parando aos poucos... parando aos poucos... fechando os olhos e seguindo a vertigem... deixando o corpo balançar livremente... como bêbado... até a vertigem parar de todo... respirando sempre... Vamos deitar... devagar... deitados de todo... relaxados e de pernas estendidas... respirando livremente... sem pensar em nada... descansando... Vamos recomeçar... com as pernas... Levantem os joelhos e assentem as plantas dos pés no chão... vão subindo com os calcanhares na direção dos glúteos até sentir a coluna lombar colada ao chão... a coluna lombar fica logo acima da curva do traseiro... Pernas paralelas – nem abertas nem juntas – pernas paralelas... Agora vamos levar o joelho direito até o peito... quando ele vai chegando ao peito as duas mãos se apoiam no joelho e o trazem mais para o peito, estirando um pouco mais... um pouco mais... Busquem o gostoso e não o que machuca... Em seguida, a perna vai voltando para sua posição original e quando ela chega lá a outra começa a subir, indo para o peito... respirando sempre... joelho no peito, peito vazio; quando o joelho começa a voltar encho o peito, e quando ele começa a descer para assentar no chão esvazio de novo. Encho o peito sem me mexer e ao esvaziar vou trazendo o joelho para o peito... dedão do pé sempre para o nariz... dedão do pé sempre para o nariz... vamos repetir a respiração... Começo enchendo o peito sem me mexer... esvaziando o peito, vou levando o joelho para o peito e ao puxar o joelho com as mãos, esvazio o peito ao máximo... Ao soltar o joelho, começo a encher o peito até ele ficar no alto, e quando ele (joelho) começa a descer, vou esvaziando... dedão do pé sempre para o nariz... dedão do pé sempre para o nariz... pernas movendo-se sempre em dois planos paralelos... estirando o joelho com as mãos, mas com jeito, elasticamente, firme mas elástico... sem puxões bruscos nem forçados... gostoso... Agora vamos complicar... dedão sempre para o nariz – o tempo todo... dedão para o nariz... agora as mãos não vão mais trabalhar... só as pernas... Encho o peito e depois levo o joelho para o peito expirando, depois endireito a perna, que fica na vertical, enquanto encho o peito... depois vou descendo a perna reta enquanto esvazio o peito, e vou descendo até depositá-la no chão – reta e com o dedão sempre para o nariz... Enchendo o peito, deslizo o calcanhar puxando-o na direção das nádegas e fazendo o joelho subir até ficar paralelo com o outro... esvaziando o peito, trago o outro joelho para o peito, bem junto... enchendo o peito, estico a perna para cima, bem reta, dedão sempre para o nariz... vou descendo a perna reta – enquanto esvazio o peito – até depositar a perna no chão –, peito vazio; enchendo o peito, vou levando o calcanhar na direção das nádegas, e quando as pernas – as duas dobradas – estão paralelas, o peito está cheio e ao começar a esvaziar a outra perna começa a se dirigir para o joelho... dedão do pé sempre para o nariz, pernas movendo-se sempre em dois planos paralelos – o tempo todo as duas pernas em planos paralelos... Vamos fazendo até cansar. Aí paramos, mexemos livremente o corpo para rejeitá-lo e repousamos uns instantes sentindo a respiração, o calor, a circulação, a energia que agora percorre e anima todo o corpo... sentindo a vida... sentindo que a gente está vivo...

Vamos sentar sentindo o movimento e fazendo devagar... sentando devagar... Pernas estiradas à frente, paralelas – nem juntas nem abertas... sentados no chão... coluna bem reta, perpendicular ao chão... face para a frente, pescoço direito, queixo na direção do peito... dedões sempre apontando para o nariz... mãos apoiadas no chão, junto das nádegas... mãos apoiadas no chão, junto das nádegas... Vamos girar o dedão dos pés o mais para fora que for possível. Pontas dos pés apontando bem para fora, mas o dedão continua apontando também para o nariz – quando der. Enchemos o peito e, ao esvaziá-lo, levantamos o calcanhar do chão – sempre com os pés virados para fora... É o Carlitos... ora uma perna, ora a outra... Não precisa levantar muito, basta sair do chão... Encho o peito e depois, ao esvaziá-lo, vou levantando um calcanhar do chão... ao descer o calcanhar, vou enchendo o peito... Ao esvaziar, levanto o outro pé... dedão sempre para o nariz, pontas dos pés sempre para fora... Carlitos... coluna sempre reta... face sempre para a frente... esse é pesado... se cansar pare... relaxe... perceba a respiração, a circulação... o calor... a energia...

Vamos agora estirar o tronco. Sentamos, pernas estiradas à frente, bem paralelas... pés perpendiculares ao chão, dedão sempre para o nariz. Vamos levantar os dois braços até que eles fiquem paralelos e verticais ou muito próximos disso... não forcem a posição... façam até onde dá... Agora imaginem que cada dedo tem um elástico amarrado na ponta, e que estes elásticos é que puxarão sempre o movimento, estirando o braço o tempo todo... Peito cheio para começar, e na medida em que esvazio o peito vou-me debruçando para a frente, sempre levado pelos elásticos que puxam os dedos e os braços para longe do corpo... Ao descer, olho para o intervalo entre os dedões. Vou descendo até os braços ficarem horizontais... tudo e sempre bem puxado... bem estirado... Agora começo a encher o peito e a voltar para a posição sentada – sempre puxado pelos elásticos... fico de novo com os braços verticais – agora os olhos olham entre as mãos – peito cheio. Ao esvaziar o peito olho para o intervalo entre os dedos e depois vou descendo... sempre estirado... Começo a encher o peito e vou subindo com os braços sempre estirados e olhando para a frente...

Com os braços na vertical, começo a esvaziar o peito... olho para o espaço entre as mãos e vou descendo com o tronco, esvaziando o peito e olhando para o vazio entre os dedos... Ao cansar paramos... respiramos, sentimos...

Agora vamos abrir as pernas o mais possível... dedões sempre apontando para o nariz... braços de novo verticais e acima da cabeça. Olhamos em frente. Peito cheio. Ao esvaziar, vamos com os olhos para o dedão direito e os braços sempre muito estirados vão buscar esse mesmo dedão... vamos fletindo o corpo quanto der – sem se machucar... Enchendo o peito, vamos voltando para a posição sentada, braços para cima, olhar e face para a frente. Paramos um instante na posição do meio, bem verticais, de costas, de braços... olhamos para o dedão esquerdo e, esvaziando o peito, vamos com as mãos na direção desse mesmo dedão, chegando tão perto dele quanto possível, inclinando bem o corpo que está sendo continuamente puxado pelas pontas dos dedos... enchendo o peito, vamos voltando para a posição sentada, bem no meio, bem verticais... Vamos fazendo até cansar.

Vamos deitar... relaxar... repousar... respirar livremente... espreguiçar... fazer caretas... Vamos recomeçar... Joelhos para cima... plantas dos pés no chão... pernas JUNTAS... agora pernas JUNTAS... agora movimento lento, fácil, solto, gostoso... Vamos deixar cair os dois joelhos para um lado... vamos trazê-los para o meio... vamos deixá-los cair do outro lado... Joelhos no meio, peito cheio... joelhos caídos, peito vazio... movimento mole, gostoso, fácil... joelhos no meio, peito cheio, joelhos caídos, peito vazio... tudo solto. Balanço mole das cadeiras... pra lá... pra cá... Agora façam assim: quando os joelhos estão para um lado, girem a cabeça para o lado oposto, girem a cabeça sem tirá-la do chão... joelhos para um lado, face para o lado oposto... Respirando sempre Shhh/Haaa (deixar esse movimento se fazer bastante tempo, dois a quatro minutos).

Agora vamos trabalhar os ombros – principalmente os músculos posteriores da cintura escapular. Deitados, joelhos para cima, plantas dos pés no chão, pernas paralelas, coluna lombar no chão. Mãos no peito, uma mão sobre cada mama, cotovelos para fora. Agora vamos enchendo o peito e levantando uma mão, que ao final estará bem na vertical, buscando bem lá longe, bem estirada, com todos os dedos bem afastados... depois vamos esvaziando o peito e relaxando o braço, que vai descendo para sua posição de saída. Ao encher o peito, levantamos o outro braço, que também sobe buscando e estirando até ficar bem vertical – dedos bem separados, começar a descer, começa a expiração. O cotovelo é sempre puxado para longe... Ao subir a mão, os olhos vão-se abrindo e todo o corpo vai se animando... quando a mão desce, os olhos vão-se fechando, vou voltando para mim e relaxando todos os músculos, primeiro do braço e depois do corpo todo... vivendo ao sair de mim e ao buscar... morrendo ao voltar para mim... depois sobem os dois braços ao mesmo tempo e assim continuamos, primeiro um braço, depois o outro e depois os dois... entre cada três movimentos façam uma pausa, respirem livremente, relaxem uns instantes e recomecem... Agora vamos fazer um pouco diferente; após um braço, outro braço e os dois braços, relaxamos de vez e ficamos completamente sem respirar, aguardando o começo da vontade de respirar... quando ela surgir, façam o braço subir como se ele estivesse sendo levado pela respiração, como se fosse um braço oco de borracha que a respiração vai inflando até ele ficar bem estufado... Ao esvaziar, ao contrário, é como se um pneu fosse furado e começasse a murchar... Atentos ao começo da respiração... atentos e imóveis enquanto ela não começa... e, quando começa, é ela que "enche" o braço, que depois se esvazia quando começa a expiração. Buscando... querendo alcançar... vivendo e morrendo a cada respiração... (este também pode ser longo – quatro a cinco minutos).

Sentados de novo. Pernas retas em frente do corpo, paralelas, dedões apontando para o nariz, coluna bem perpendicular ao chão, face bem para a frente, cabeça bem equilibrada; dedos das mãos entrelaçados e mãos postas na convexidade posterior da cabeça, cotovelos bem para fora e para trás, braços bem abertos. O elástico está agora nos cotovelos. Encho o peito e depois, ao esvaziá-lo, inclino-me para a frente puxado pelos cotovelos, que vão bem para a frente e puxam o corpo até onde ele for – dedões sempre apontados para o nariz. Ao encher o peito, vou-me endireitando e abrindo os cotovelos

– sempre puxado por eles, que se abrem ao máximo quando chego à posição de saída –, pescoço bem direito, face bem para a frente, cabeça sempre puxada verticalmente para cima por um fio que se prende bem no alto dela... Quando me inclino para a frente, minhas mãos forçam de leve o giro da cabeça – põem a face bem para baixo com estiramento do pescoço. Não forçar demais a inclinação. Aos poucos.

Agora, sentados, afastamos de novo as pernas o mais que pudermos... pernas esticadas, dedões sempre para o nariz. Braços bem para cima, verticais e paralelos. Olhando sempre em frente, faço a inclinação lateral do tronco para um lado e para o outro; no meio, peito cheio e, nos extremos, peito vazio. As nádegas suportam sempre a mesma pressão – o movimento NÃO é de balanço do tronco, mas de estiramento de suas faces laterais; todo o tronco e os braços ficam sempre no mesmo plano – o plano frontal (da fronte). Balanço lateral do tronco... para um lado – para o outro. No meio, peito cheio, nos extremos, peito vazio.

Vamos deitar de novo... vamos trabalhar os abdominais... Deitados, pernas estiradas, braços ao longo do corpo. Encho o peito e, ao esvaziá-lo, levanto as pernas e o tronco, formando em conjunto um balanço ou um arco, cuja corda está sendo esticada. Ao inspirar, volto a descansar no chão, e ao expirar levanto pernas e tronco, ficando no chão as nádegas e a região lombar. Tronco e pernas se levantam até formar com o chão ângulos de 45°. Na inspiração me estiro e na expiração me envergo – até cansar. Aí relaxo... respiro... descanso... sinto o corpo... o calor... a energia... Em pé – vamos nos movendo devagar, sentindo cada esforço... Em pé... vamos mexer com os ombros. Primeiro para cima – ombros nas orelhas, mas sem mexer a cabeça nem o pescoço –, só os ombros. Depois, ombros puxados diretamente para baixo – esvaziando o peito; ombros para cima – enchendo o peito... ombros bem puxados para baixo – esvaziando o peito... Agora, fazendo o giro máximo do ombro, para cima, para frente, para baixo, para trás e para cima outra vez... vamos fazendo... ombros para cima, peito cheio, ombros para baixo, peito vazio... Agora ao contrário – rotação inversa.

Em pé. Vamos chegar a uma imitação do reflexo do orgasmo. Começamos assim: braços ao longo do corpo, rotação do braço ao máximo – a palma da mão olha de para frente e para fora até de todo para fora – enquanto o braço propriamente dito gira quase 360 graus. Agora vamos fazer que o ombro avance ao mesmo tempo que gira e que recue, abrindo o peito, até que as palmas das mãos olhem completamente para fora. Respirando... quando os braços giram para fora – quando o peito se abre –, enchemos o peito de ar; quando ele se fecha, esvaziamos o ar do peito... respirando... Shhh/Haaa... peito aberto/peito cheio, peito fechado/peito vazio... Shhh/Haaa... Aos poucos, vamos levando os braços para a horizontal, sempre girando e respirando... Ao mesmo tempo, quando fechamos o peito, levamos os genitais para a frente... ao abrir o peito – ao girar os braços para fora – pomos o traseiro para trás – mas de leve... pouco... Acentuar muito mais o movimento de projetar os genitais para a frente do que recuar o traseiro... ao levar os genitais para a frente, contraímos firme e gostosamente os abdominais, as nádegas e o períneo... respirando... bem aberto e bem desenrolado em um momento, bem fechado e bem enrolado em outro momento... Ao abrir inspiro e ao fechar expiro...

Deixar bastante tempo – três a cinco minutos.

Agora vamos mobilizar a bacia. Em pé. Em um momento, elevamos a cadeira de um lado, levantando também um pouco o calcanhar; no momento seguinte elevamos a outra anca – e o calcanhar correspondente. Bacia movendo-se no plano frontal... não girem nem inclinem a bacia: respirando sempre... cada movimento completo, uma respiração completa... basculando a bacia no plano frontal... imaginem que há uma tábua na frente, encostada aos genitais, e uma atrás, encostada às nádegas. O movimento se faz dentro desse sanduíche rígido... movimento puro de oscilação da bacia no plano frontal... Respirando sempre... Shhh/Haaa...

Agora vamos fazer o balanço anteroposterior da bacia – uma imitação dos movimentos que fazemos durante as relações sexuais... num momento, genitais bem para a frente e, no outro momento, o traseiro meio arrebitado para trás... mais para a frente do que para trás; acentuem bem mais a projeção anterior dos genitais do que o arrebita-mento do traseiro para trás... ao levar os genitais para a frente, contraiam os abdominais, as nádegas e o períneo. Respirando sem-pre... genitais para a frente, peito vazio – fim da expiração –, traseiro arrebitado, peito cheio... Respirando... Shhh/Haaa...

Agora vamos fazer caretas – trabalhar a máscara da face. Em pé. Primeiro abrimos muito os olhos – arregalamos os olhos, elevando as sobrancelhas o mais possível, enrugando toda a fronte e enchendo o peito de ar... depois vamos esvaziando o peito, fechando os olhos e continuamos o movimento até apertar bem as pálpebras sobre e con-tra os globos oculares, elevando inclusive a parte mais alta das boche-chas – como faz o míope quando quer ver. Olhos e fronte bem apertados, fechados, e com o cenho bem apertado em um momento de peito vazio... depois abrindo cada vez mais as pálpebras, elevando as sobrancelhas até uma expressão caricatural de espanto total – mas olhando sempre em frente... vamos lá... respirando sempre... olhos abertos, peito cheio... olhos fechados, peito vazio... Apertem bem, com firmeza e maciez... respirando sempre...

Vamos para a metade inferior da face... vamos abrir os lábios ao máximo, o queixo ao máximo e depois vamos fechar o queixo e depois os lábios... ao abrir, encho o peito, ao fechar a boca, esvazio o peito. Abrindo e fechando os lábios e o queixo ao máximo... ao abrir a boca, vou fazer na garganta o movimento que faço quando começo a bocejar... ao abrir a boca, faço na garganta o começo de um bocejo... faço também o som... Haaa! Ao fechar a boca, aperto os lábios um contra o outro e aperto o queixo contra o maxilar superior... ao abrir, abro de todo, encho o peito e faço Haaa! de bocejo... ao voltar, aperto os lábios entre si e aperto o queixo conta o maxilar superior... Vamos fazendo... respirando sempre... Shhh/Haaa... Agora, quando abrimos bem a boca, pomos a língua bem para fora, o mais comprida que a gente conseguir... ao abrir a boca pomos a língua para fora o mais possível... Vamos fazendo... (várias vezes). Agora vamos continuar todos esses movimentos, porém *com a face bem para cima*... abrindo e fechando a boca... pondo a língua para fora e bocejando, mas com a face bem para cima... não se preocupem com os olhos, mas se eles continuarem se abrindo e fechando amplamente, bem estirados, tanto melhor... (várias vezes). Sempre abrindo e fechando a boca e pondo a língua, mas agora com o queixo junto do peito... queixo junto do peito... abrindo e fechando a boca... bem aberta e bem fechada... Agora vamos brincar de animal feroz... vamos ameaçar e morder com força, em várias direções, de ameaça e de mordida propriamente dita... rosnando ao mesmo tempo... dirigindo a mordida para um companheiro... mordendo com força em todas as direções... rosnando sempre... Ao mesmo tempo, façam um giro máximo, mas irregular, do pescoço, mordendo assim em todas as direções... também para cima... para os lados... bem para baixo... mordendo e rosnando...

Agora vamos gritar... Grito forte, mas controlado, no sentido de não se machucar... o grito mais forte que a gente conseguir, sem estropiar a garganta... vamos achar a posição da face que melhor permite a impostação do grito... a posição da qual ele sai mais fácil... Combinamos assim: damos um grito mantido vários segundos e vamos gritar todos juntos, de tal forma que, quando acabar meu fôlego, os outros estão aguentando o grito. Aí eu encho o peito de novo e continuo meu grito... Atenção a minhas mãos. Vamos gritando e a cada vez que eu elevar um pouco as mãos vocês elevam o tom do grito. Vamos assim subir na escala até onde a gente conseguir, passo a passo – sempre sem arrebentar a garganta. Depois vamos baixando juntos o tom – mas não a intensidade. Vamos baixando de acordo com a posição de minhas mãos, até alcançar os sons mais graves que a gente consegue – sempre forte... Vamos lá... Enquanto gritamos, vamos movendo a cabeça e soltando o som do grito em todas as direções... Vamos lá...

Calma... Calma... Calma... Vamos agora fazer um coro igual e bonito e bem mantido... cada um solta o som que lhe cabe melhor, mas todos mantêm o som e fazemos um coral, agora mais manso, para sossegar... vamos lá... Haaaaaaaaaaaaaaaaaaaaaaaaaaaaaaaaa...

Vamos deitar outra vez. De costas. Joelhos para cima, plantas dos pés no chão, pernas meio abertas. Agora levantamos o traseiro do chão um quase nada – apoiados nas pernas. Agora vamos fazer um giro bem

COURAÇA MUSCULAR DO CARÁTER

nítido da bacia que, num momento, leva os genitais bem para cima, e, noutro, leva o traseiro meio para trás... cadeiras suspensas no ar – a pouca altura... giro da bacia como se fosse relação sexual... os genitais vão para cima e voltam para baixo... acentuem bem a subida dos genitais e não acentuem a volta... quando os genitais vão para a frente, o peito se esvazia, e ao mesmo tempo apertamos as nádegas, o períneo e contraímos os abdominais... quando os genitais descem, esvaziamos o peito... respirando sempre. Repito: quando os genitais vão para cima, puxo os abdominais com firmeza, aperto nádegas e períneo, esse movimento pode ser muito prazenteiro... procurem sentir o prazer dessas contrações da pelve... sintam o prazer... respirando sempre... genitais para a frente, peito vazio... genitais para baixo, peito cheio...

Em pé. Vamos fazer a rotação das cadeiras... um círculo perfeito das cadeiras... vamos imaginar que nossa bacia é uma bacia mesmo, com água... façam o giro da bacia como se faz com a bacia de verdade antes de jogar água fora... girando a bacia... respirando sempre... cada giro uma respiração ou meia respiração, conforme o gosto (tempo). Vamos girar ao contrário... bacia girando ao contrário (tempo).

Agora vamos fazer um "oito" com as cadeiras... um oito com as cadeiras (tempo). Em pé. Inclinação lateral começando pela cabeça. Inclinamos a cabeça para um lado e para o outro, mas sempre dentro do plano frontal, sem girar nem torcer o pescoço; pêndulo de relógio com a cabeça... ombros imóveis... cabeça no centro, peito cheio... cabeça no extremo, peito vazio... cabeça no centro, peito cheio... cabeça no extremo, peito vazio... Olhando sempre em frente... Vamos começar a balançar também os ombros junto com a cabeça, sempre no plano frontal... inclinando o corpo para um lado e para o outro... corpo no meio, peito cheio... tronco no extremo, peito vazio... os braços deslizam ao longo do corpo... Vamos ampliando o balanço, incluindo a coluna inteira – mas as cadeiras ficam fixas... inclinação lateral da coluna toda com bacia fixa... agora começamos a balançar as cadeiras também, ao mesmo tempo que levantamos os braços e fazemos que, num momento, eles se estirem para um lado, sempre buscando, longos, e noutro momento, seguindo o tronco, eles se estiram do outro

lado, bem para o alto e bem para o lado ao mesmo tempo... pés afastados, ligeira ajuda dos joelhos ao balanço total do corpo para a direita...
para a esquerda... os braços na vertical oscilam também junto com o
tronco, para um lado, para o outro... corpo no meio, peito cheio, corpo
no extremo, peito vazio...

Vamos parando... Olhos fechados... sentindo a tontura... seguindo
a tontura... respirando livremente... sentindo a circulação, o calor, a
moleza... o gostoso... a leveza... Agora em pé – balanço anteroposterior do corpo. Em pé e imóveis começamos a mover APENAS os olhos
bem para cima, enrugando a fronte, e depois bem para baixo, acentuando o aperto dos sobrecenhos... olhando para cima, fronte espan-
tada... olhando para baixo, fronte preocupada... só os olhos se
movem... na horizontal, peito cheio... nos extremos, peito vazio... na
horizontal, peito cheio, nos extremos, peito vazio...

Agora a cabeça entra no balanço, MAS SÃO OS OLHOS QUE LEVAM
o movimento – balançando a cabeça bem para cima e para baixo,
seguindo sempre os olhos, que, ao olhar bem para cima, ficam espan-
tados; e ao olhar bem para baixo, ficam preocupados... rotação total
da cabeça no plano sagital – anteroposterior... olhando em frente,
peito cheio, olhando nos extremos, peito vazio... em frente, peito
cheio, nos extremos, peito vazio... Vamos agora incluindo aos poucos
a coluna dorsal no movimento, que continua sempre sendo levado
pelos olhos... vou inclinando a coluna dorsal cada vez um pouco mais
para trás e cada vez um pouco mais para a frente... ampliando o
balanço agora até as cadeiras – que ficam imóveis. Balanço anteroposterior completo da coluna vertebral e da cabeça e dos olhos... Agora
os olhos não fixam mais... agora os olhos varrem o cenário de cima a
baixo e de baixo para cima... vamos ver se conseguimos a ilusão de
que é o cenário que corre, e não os olhos... o cenário balançando para
cima e para baixo... quando olho para cima tenho o peito cheio, e
quando olho para baixo tenho o peito vazio... para cima e para trás,
peito cheio, para baixo e para trás (entre as pernas), peito vazio. Agora
tenho os braços postos para cima, e paralelos e acompanhando e
ampliando o balanço do corpo todo... num momento o corpo faz um

arco para trás, e no momento seguinte um arco para a frente e para baixo... vou com os braços entre as pernas quando embaixo, vou com os braços bem para trás quando inclinado... respirando sempre... braços para cima, peito cheio... braços para baixo, peito vazio... acelerando o movimento... pouco a pouco... acelerando... pouco a pouco. Bem para cima, bem para baixo, bem para cima, bem para baixo...

Vamos parando... com calma... olhos fechados... sentindo a tontura... seguindo a tontura – como se fosse bêbado –, seguindo a tontura até ela acabar de todo... em pé... oscilando lentamente em função da tontura...

Vamos à rotação total do tronco em relação à bacia, começando com os olhos. Em pé. Imóveis, começamos a girar os olhos sem mexer a cabeça... os olhos girando no círculo máximo... para cima... para a esquerda... para baixo... para a direita... para cima... Olhos para cima, peito cheio, olhos para baixo, peito vazio... girando os olhos e respirando lentamente. Agora a cabeça vai entrando no giro, MAS SEMPRE SEGUINDO OS OLHOS. A cabeça começa a girar indo atrás dos olhos, que vão levando o movimento – como se eu estivesse vendo as evoluções de um aeromodelo... girando sempre os olhos e a cabeça indo atrás, abrindo cada vez mais o círculo... estirando cada vez mais os músculos do pescoço... (tempo). Agora começa um ligeiro balanço dos ombros e da coluna dorsal... sempre girando... movimento descendo pela coluna pouco a pouco... olhos sempre levando o movimento... ombros oscilando também... Olhos para cima, peito cheio, olhos para baixo, peito vazio... Agora levantamos os braços e fechamos os olhos... levantamos os braços, fechamos os olhos e continuamos o giro. As pontas dos dedos das mãos vão traçando um círculo cada vez mais amplo, e as cadeiras vão compensando o equilíbrio difícil do giro, que a cada instante fica mais amplo... girando todo o tronco com giro compensador das cadeiras... braços levantados, traçando um círculo máximo... corpo para cima, peito cheio... corpo para baixo, peito vazio... girando... cada vez mais depressa... cada vez mais depressa... Vamos parando... continuem a girar a cabeça para não perturbar a vertigem... parados, de olhos fechados, sentindo a vertigem... seguindo a vertigem... oscilando... molemente... gostosamente... (REPETIR TODA A ROTAÇÃO DO TRON-CO EM SENTIDO CONTRÁRIO.)

Agora para Deus! O mesmo movimento, mas feito para o alto, subindo a cada movimento na ponta de um pé e equilibrando com o outro... braços para cima, peito cheio, braços no peito, peito vazio... respirando forte... Shhh/Haaa... Shhh/Haaa... Amando todo mundo... fazer o gesto de buscar, mas agora de braços abertos – ou abrindo os braços a cada movimento respiratório... incluindo a todos no abraço... respirando forte Shhh/Haaa... Shhh/Haaa...

Vamos encerrar. Em pé. Olhos abertos. Vamos fazer o exercício que fizemos deitados: elevar as mãos partindo da posição de mãos no peito. Mas agora vamos fazer sempre com os dois braços juntos e vamos dirigir nossa busca e nosso desejo para pessoas determinadas... Encho o peito, estendendo os braços para alguém, e esvazio o peito recolhendo os dois braços... braços bem estirados, buscando muito o outro... olhos nos olhos... buscando o outro... (tempo).

FIM DO EXERCÍCIO.

O ideal seria agora pôr uma música e solicitar movimentos livres de todos – dança espontânea. Mas, após alguns minutos de dança, o ideal será ir baixando a música e solicitando às pessoas que comecem a cantar sua música e a dançar seu canto...

REPAROS

Essa série nada tem de sagrada. Qualquer conjunto de estiramentos feitos com todos os músculos do corpo e acompanhados de respiração contínua cumpre a mesma finalidade.

A sequência proposta tem a ordem que tem função apenas da fadiga; é claro que não convém trabalhar uma só parte do corpo durante muito tempo, pois cansa; por isso vamos alternando as partes em movimento.

Logo após o exercício, praticamente todas as pessoas se sentem muito bem, muito vivas, leves, muito alegres e muito crianças; as faces se mostram lisas, sem rugas – parecendo, elas também, faces de criança. À medida que o exercício vai sendo feito, é fascinante observar o desencouraçamento gradual que vai transformando um grupo de adultos empertigados em um jardim de infância, com risos de alegria, brincadeiras esfuziantes e um clima geral que só pode ser chamado de clima de felicidade.

O bem-estar pode durar de várias horas a vários dias, dependendo da "espessura" da couraça de cada um. Quanto mais encouraçada a pessoa, mais rapidamente volta o encouraçamento. Mas, se ela estiver atenta a si mesma, aproveitará também o retorno das tensões crônicas, pois, nesse campo descontraído, as tensões começam a se desenhar com bastante clareza.

Se a pessoa insistir com a sequência, livrar-se-á da couraça ao cabo de poucos meses. Quanto a fazer um tempo longo ou curto de exercício, e quantas vezes fazer o exercício, são perguntas sem respostas gerais.

Convém dosar – e é fácil dosar – o desencouraçamento. Se este se fizer de modo precipitado (caso o indivíduo pratique a sequência toda todos os dias), é provável que ele comece a apresentar crises emocionais intensas, quiçá assustadoras; se o exercício for pouco ou rápido, a couraça poderá persistir. Vantagem grande dessa técnica é precisamente esta: a possibilidade e a facilidade de *dosar* o desencouraçamento. Caso se opte por fazer um pouco de exercício todos os dias, melhor será fazer um pouco de *cada* exercício do que fazer apenas *fragmentos* da série.

Se no reencouraçamento a pessoa conseguir localizar seus anéis favoritos de tensão, poderá, nos exercícios futuros, dedicar mais tempo às regiões efetivamente contraturas. Também o terapeuta poderá se *deixar guiar pelas reações* de retorno da couraça.

Aqui fica o instrumento – em nossa experiência, por demais eficaz. Mas a ele convém acrescentar muitos reparos, a fim de afiná-lo.

Pareceu-nos, apenas, que um texto inteiro sobre teoria, sem a menor indicação de solução, seria desalentador. Por isso incluímos aqui essa sequência, que é o ponto mais alto que alcançamos em matéria de operacionalizar tudo que se sabe sobre couraça muscular do caráter, desembocando em uma técnica simples, de excelente fundamento teórico, fácil de realizar, não verbal (crianças e analfabetos podem fazer a sequência) e de fácil aplicação COLETIVA.

Mas aqui está apenas o bruto da coisa. É preciso dizer que a execução automática da sequência provavelmente desembocará, em pouco tempo, em mais uma rotina vazia.

A série será tanto mais eficaz quanto melhor ela for feita, com estiramentos de precisão cada vez maior, ritmo cada vez mais contínuo, respiração cada vez mais integrada, consciência cada vez mais presente, equilíbrio cada vez mais simples, postura gradualmente retificada. (Inúmeros detalhes dos exercícios têm sua explicação aí, na sua relação com a postura. Essa sequência pode ser muito útil também para começar a alinhar a postura – simplesmente.)

BIBLIOGRAFIA

Comentário: sou um homem autoeducado; de formal, tive a escolaridade brasileira até o grau de doutor em Medicina; o mais foi aprendido aqui e ali, ao sabor de encontros pessoais (poucos) e de encontros com livros – muitos. Fui leitor fanático e tudo que penso hoje está, na certa, marcado por tudo quanto li.

Neste livro, a bibliografia não obedece, em nada, às normas de textos científicos; se eu devesse agora marcar cada declaração deste livro com a chamada para texto na Bibliografia, teria de empenhar, na certa, muitos e muitos meses nessa tarefa deveras inglória.

Por isso, fiz constar aqui uma boa *amostra* de minha biblioteca e, com certeza, cá estão muitos dos livros que mais me impressionaram ou ensinaram. Basta correr os olhos pelos títulos para ver que vários deles são de consulta e de "técnica" (por exemplo, obras sobre *muscle testing* e tratados de anatomia).

O leitor NÃO encontrará nada de Reich na Bibliografia. Reich, Jung, Freud e vários de seus seguidores e discípulos foram lidos e muito lidos por mim. De Reich e Jung li praticamente tudo e inúmeros textos, várias vezes. Trata-se pois de uma panorâmica impressionista, e não de um repositório de citações específicas.

ANATOMIA

CLEMENTE, C. D. *Anatomy – A regional atlas of the human body*. Filadélfia: Lea & Febiger, 1975.

ELLENBERGER, W.; DITTRICH, H.; BAUM, H. *An atlas of animal anatomy for artists*. Nova York: Dover, 1956.

LOCKHART, R. D.; HAMILTON, G. F.; FYFE, F. W. *Anatomy of the human body*. Londres: Faber and Faber, 1959.

NETTER, F. H. *The nervous system*. The Ciba Collection of Medical Illustrations, v. 1. Nova York: Ciba Pharmaceutical Company, 1974.

RAYNES, J. *Human anatomy for the artist*. Londres: Crescent, 1979.

SOBOTTA, J; UHLENHUTH, E. *Atlas of descriptive human anatomy*. Nova York: Hafner, 1975.

SPALTEHOLZ, W. *Atlas de anatomía humana*. Barcelona/Madri: Labor, 1967.

TESTUT, L.; LATARJET, A. *Traité d'Anatomie humaine*. Paris: Gaston Doin, 1931.

WOLF-HEIDEGGER, G. *Atlas of systematic human anatomy*. Basileia: S. Karger, 1972.

BIOMECÂNICA E CINESIOLOGIA

ALEXANDER, R. M. *Biomechanics*. Londres: Chapman and Hall, 1975.

ALEXANDER, R. M.; GOLDSPINK, G. *Mechanics and energetics of animal locomotion*. Londres/Nova York: Chapman and Hall, 1977.

BIRDWHISTELL, R. L. *Kinesics and context*. Filadélfia: University of Pennsylvania Press, 1970.

CARLSÖÖ, S. *How man moves*. Londres: Heinemann, 1972.

FRANKEL, V. H.; BURSTEIN, A. H. *Orthopaedic biomechanics*. Filadélfia: Lea and Febiger, 1971.

GRIEVE, D. W. *et al. Techniques for the analysis of human movement*. Londres: Lepus, 1975.

GRIFFIN, D. R. (org.). *Animal engineering: readings from Scientific American*. São Francisco: W. H. Freeman, 1975. [Artigos da revista escritos entre 1948 e 1974.]

HOPPER, B. J. *The mechanics of human movement*. Nova York: Harper Collins, 1973.

KITTEL, C.; KNIGHT, W. D.; RUDERMAN, M. A. *Curso de física de Berkeley*. v. 1. São Paulo: Blucher, 1970.

RESNICK, R.; HALLIDAY, D. *Física*. Rio de Janeiro: LTC, 1981.

ROLF, I. P. *Rolfing: the integration of human structures*. Santa Mônica: Dennis--Landman, 1977.

ETOLOGIA, ANTROPOLOGIA, EVOLUCIONISMO

BATES, P. P. G.; HINDE, R. A. (orgs.). *Growing points in ethology*. Nova York: Cambridge University Press, 1976.

CHINERY, M. *Killers of the wild*. Londres: Salamander, 1979.

CLAYBORNE, R.; TIME-LIFE BOOKS (orgs.). *The birth of writing*. Nova York: Little, Brown and Company, 1974.

CONSTABLE, G.; TIME-LIFE BOOKS (orgs.). *The Neanderthals*. Nova York: Little, Brown and Company, 1973.

EDEY, M. A.; TIME-LIFE BOOKS (orgs.). *The missing link*. Nova York: Little, Brown and Company, 1973.

_____. *The sea traders*. Nova York: Little, Brown and Company, 1974.

EISNER, T.; (org.). *Animal behavior: readings from Scientific American*. São Francisco: W. H. Freeman. [A publicação analisa artigos publicados na revista ao longo de vários anos.]

GEIST, V. *Life strategies, human evolution, environmental design*. Nova York: Springer--Verlag, 1978.

GUTIERREZ, F. *Linguagem total – Uma pedagogia dos meios de comunicação*. São Paulo: Summus, 1978.

KNAUTH, P.; TIME-LIFE BOOKS (orgs.). *The Metalsmiths*. Nova York: Little, Brown and Company, 1974.

LOMMEL, A. *Prehistoric and primitive man*. Londres: Paul Hamlyn, 1966.

LORENZ, J. *Behind the mirror: a search for a natural history of human knowledge*. Nova York: Harvest, 1977.

MORRIS, D. *Manwatching*. Nova York: Harry N. Abrams, 1977.

NEUMANN, E. *The origins and history of consciousness*. v. 2. Nova York: Bollingen Foundation, 1954.

PFEIFFER, J. I. *The emergence of man*. Nova York: Harper & Row, 1978.

PRIDEAUX, T.; TIME-LIFE BOOKS (orgs.). *Cro-magnon Man*. Nova York: Little, Brown and Company, 1975.

SCHILLER, C. H. (org.). *Instinctive behavior*. Nova York: International Universities Press, , 1957.

TIGER, L.; FOX, R. *The imperial animal*. Frogmore: Paladin, 1974.

TIME-LIFE BOOKS. *The first men*. Nova York: Little, Brown and Company, 1974.

VILLEE, C. A.; WALKER, W. F.; BARNES, R. D. *General zoology*. Filadélfia, Londres e Toronto: W. B. Saunders, 1978.

WHITFIELD, P. *The hunters*. Londres: Hamlyn, 1978. [Anatomia e comportamento dos animais predadores.]

FISIOLOGIA

ASTRAND, P.; RODHAL, K. *Tratado de fisiologia do exercício*. Rio de Janeiro: Interamericana, 1980.

BOBATH, B. *Actividad postural refleja anormal causada por lesiones cerebrales*. Buenos Aires: Médica Panamericana, 1973.

DANIELS, L.; WORTHINGHAM, C. *Muscle testing*. Nova York: W. B. Saunders, 1972.

DAWES, G. S. *Fetal and neonatal physiology*. Chicago:Year Book Medical Publishers, 1969.

DICKINSON, J. *Proprioceptive control of human movement*. Londres: Lepus, 1974.

ECCLES, J. C. *The understanding of the brain*. Nova York: McGraw Hill, 1973.

ECCLES, J. C.; ITO, M.; SZENTÁGOTHAI, J. *The cerebellum as a neuronal machine*. Nova York: Springer, 1967.

FIELDS, W. S.; WILLIS JR., W. D. *The cerebellum in health and disease*. St. Louis: Warren H. Green, 1970.

GAARDER, K. R. *Eye movements, vision and behavior*. Nova York: John Wiley & Sons, 1975.

GAARDER, K. R.; MONTGOMERY, P. S. *Clinical biofeedback*. Baltimore: Williams and Wilkins, 1977.

GRANIT, R. *The basis of motor control*. Londres/Nova York: Academic Press, 1970

JONES, R. W. *Principles of biological regulation*. Londres/Nova York: Academic Press, 1973.

KAPANDJI, I. A. *Cuadernos de fisiología articular*. v. 3. Barcelona: Toray-Masson, 1973.

KENDALL, H. O.; KENDALL, F. P. WADSWORTH, G. E. *Músculos, pruebas y funciones*. Barcelona: Jims, 1974.

KNOTT, M.; VOSS, D. E. *Facilitación neuromuscular proprioceptiva*. Buenos Aires: Médica Panamericana, 1974.

KRIEG, W. J. S. *Functional neuroanatomy*. Nova York: Blakiston, 1942.

NUNN, J. F. *Applied respiratory physiology*. Oxford: Butterworth-Heinemann, 1969.

PAYNE, J. P.; HILL, D. W. *Oxygen measurements in biology and medicine*. Londres: Butterworths, 1975.

RIGGS, D. S. *Control theory and physiological feedback mechanisms*. Baltimore: The Williams and Wilkins Company, 1970.

SCHADÉ, J. P. (org.). *Selective vulnerability of the brain in hypoxemia*. Oxford: Blackwell, 1963.

STARLING, E. H. *et al.* (orgs.). *Principles of human physiology.* 14. ed. Londres: Harcourt Brace/Churchill Livingstone, 1968.

VANDER, A. J.; SHERMAN, J. H.; LUCIANO, D. S. *Human physiology.* 29. ed. Nova York: McGraw Hill, 1975.

WRIGHT, S. *Fisiología aplicada.* Barcelona: Manuel Marín, 1955.

SISTEMAS DE EXERCÍCIOS

ANDERSON, B. *Alongue-se.* 4. ed. São Paulo: Summus, 1984.

CARLQUIST, M. *Rhythmical gymnastics.* Londres: Methuen, 1955.

DA LIU. T'ai *Chi Ch'uan and I Ching.* Londres: Rutledge/Kegan Paul, 1974.

DE ROSE. *Prontuário de yoga antigo – Svasthya yoga.* São Paulo: Ground, 1977.

DIGELMANN, D. *La eutonía de Gerda Alexander.* Buenos Aires: Paidós, 1967.

FELDENKRAIS, M. *Consciência pelo movimento.* 9.ed. São Paulo: Summus, 1977.

_____. *Caso Nora: consciência corporal como fator terapêutico.* 3. ed. São Paulo: Summus, 1979.

ICHAZO, A. *Arica Psycho-calistenics.* Nova York: Simon and Schuster, 1977.

ISAACS, B.; KOBLER, J. *What it takes to feel good – The Nickolaus technique.* Nova York: The Viking Press, 1978.

JAKANANDA SARASWATI. *Yoga, tantra and meditation.* Nova York: Ballantine, 1975.

LABAN, R. *Domínio do movimento.* São Paulo: Summus, 1978.

TRAGUTH, F. *Modern jazz dance.* Nova York: Dance Motion Press, 1978.

WETHERED, A. G. *Drama and movement in therapy.* Londres: MacDonald & Evans, 1973.

WILLIAMS, B. (org.). *Martial arts of the Orient.* Londres: Hamlyn, 1975.

WOODS, J. H. (org.). *The Yoga system of Patanjali.* Cambridge: The Harvard University Press, 1914.

TEMAS GERAIS

ASHBY, W. R. *Cibernética.* São Paulo: Perspectiva, 1979.

GAUSSIN, J. O *rosto.* Lisboa: Ática, 1976.

GREENE, J. *Psicolinguística – Chomsky e psicologia.* Rio de Janeiro: Zahar, 1980.

MACKENZIE, N. *Les rêves.* Paris: Tallandier, 1966.

OHASHI, W. *Shiatsu*. Londres: Unwin, 1979.

VON FRISCH, K. R. *Animal architecture*. Londres: Hutchinson, 1975.

WATTS, A. *Tao – The watercourse way*. Nova York: Pantheon, 1975.

VISÃO

AGARWAL, R. S. *Yoga of perfect sight*. Pondicherry: Sri Aurobindo Ashram Publication Department, 1979.

BENDER, M. B. *The oculomotor system*. Nova York: Harper & Row, 1964.

DITCHBURN, R. W. *Eye movements and visual perception*. Oxford: Clarendon Press, 1973.

FRANK, F. *The Zen of seeing*. Nova York: Alfred A. Knopf, 1975.

GIBSON, J. J. *La percepción del mundo visual*. Buenos Aires: Infinito, 1974.

HEATON, J. M. *The eye – Phenomenology and psychology of function and disorder*. Londres: J. B. Lippincott, 1968.

VANDER, A. *Ver bem sem óculos*. São Paulo: Mestre Jou, 1973.

VERNON, M. D. (org.). *Experiments in visual perception*. 2. ed. Nova York: Penguin, 1970.

www.**gruposummus**.com.br

Acesse, conheça o nosso
catálogo e cadastre-se para
receber informações sobre
os lançamentos.

www.gruposummus.com.br

IMPRESSO NA

sumago gráfica editorial ltda
rua itauna, 789   vila maria
02111-031   são paulo   sp
tel e fax 11 **2955 5636**
sumago@sumago.com.br